本日は大安なり

辻村深月

角川文庫
18354

目次

本日は大安なり　八
解説　西荻弓絵　四一五

大安

暦注である六輝の中で、何事においても全て良く、成功しないことはないとされる吉日。結婚式など、祝い事には特に向いている。

Information

11:30	相馬家・加賀山家	1F パールルーム
12:30	十倉家・大崎家	2F エメラルドルーム
13:30	東家・白須家	1F ロイヤルルーム
17:30	鈴木家・三田家	2F ゴールドルーム

Hotel ARMAITI

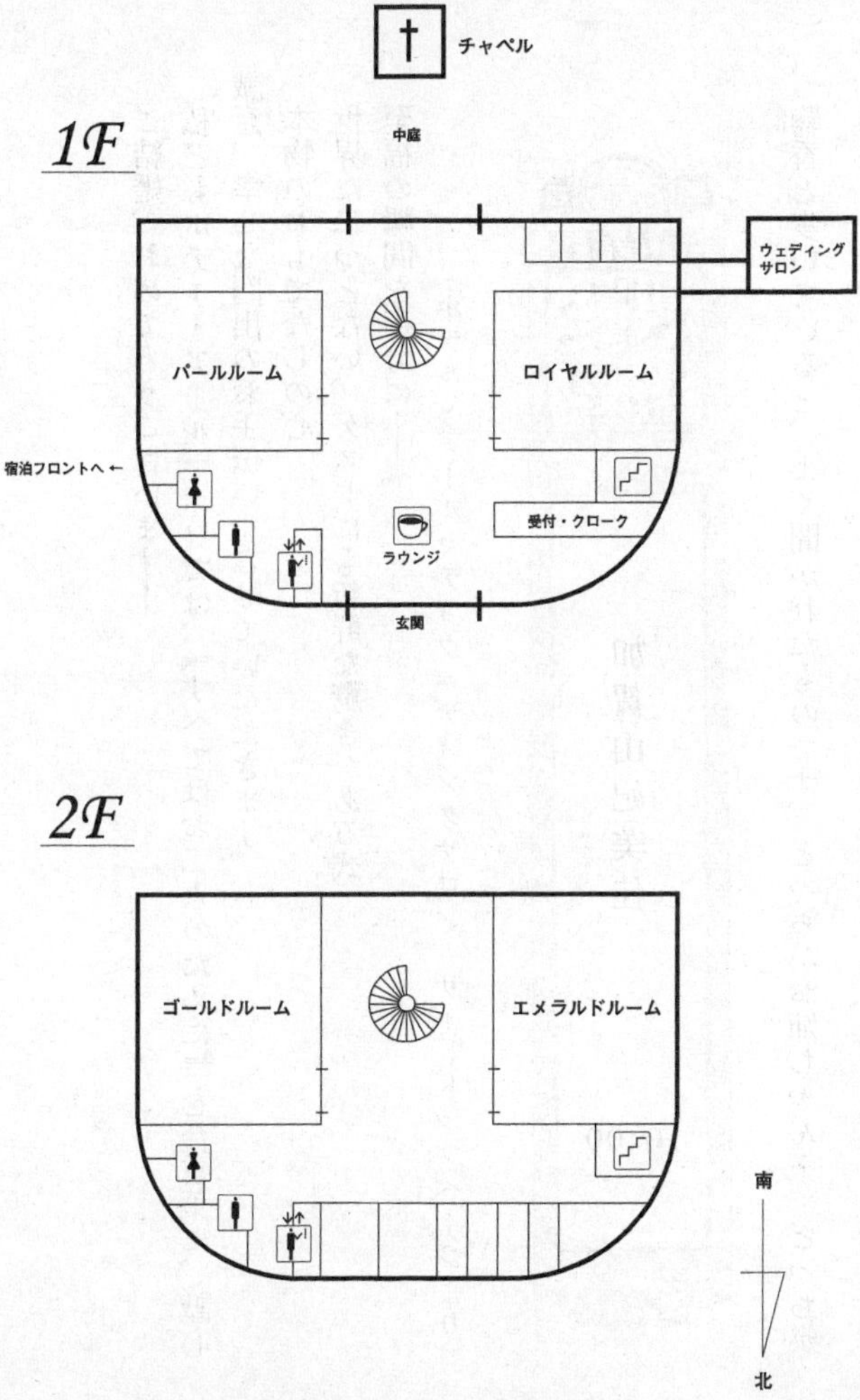
チャペル
1F
中庭
ウェディング
サロン
パールルーム
ロイヤルルーム
宿泊フロントへ ←
受付・クローク
ラウンジ
玄関
2F
ゴールドルーム
エメラルドルーム
南
北

ご結婚、おめでとうございます！
私どもホテル・アールマティでは、『すべてはお二人のために』を合言葉に、誠心誠意、幸せな門出のお手伝いをさせていただきます。
本物のおもてなしの心
世界に二つとない、ゲストにも新鮮な驚きがある式
至福の瞬間を存分に――。
（ホテル・アールマティウェディングサロン　サイトトップページより）

鞠香《まりか》と歩いていると、よく聞かれたものです。どっちがお姉ちゃん？　どっちが

鞠香が答えました。こういう時、いつも先に答えるのは、鞠香の役なんです。

「私が姉の鞠香。横が、妹の妃美佳《ひみか》よ」

私は何ら異議を挟むことなく、頷《うなず》いて鞠香の声を聞きました。けれど、よく考えてみれば、そんなこと誰が決めたのでしょう。私たち姉妹の前後（「前後」、という言い方でよければですが）は、当の私たちだって父や母に聞いて、そういうものだと教え込まれたに過ぎないのです。

私と鞠香は、双子の姉妹です。

しかも、同一のＤＮＡを持ったために姿かたちがそっくりだとされる、一卵性双生児です。同じ日に生まれてきた。けれど、先に生まれた鞠香は私の姉で、それから数分後に生まれた私は妹だというのです。姿も大きさも、顔立ちさえ、ほぼ同一なのに。

小学生になった頃、生まれ順によって姉・妹を決めるこの考え方が日本に定着したのは明治時代からだと知りました。近所のおばあさんにいつものように前後を聞かれ（また「前後」と言ってしまいました。しかし、許してください。私は「上下」とは言いたくないのです）、答えると、教えてくれたのです。昔は違ったもんらしいけどね、と。

本を読むと、そこに出ていました。

日本どころか、古代ローマだって、双子は昔、後から生まれてきた方が年長者。母の体に先に宿った者の方が奥にいるはずであり、後から生まれてくるはず。そう考えられていたというのです。それがひっくり返ってしまった明治は、戸籍を作る、というただそれだけの決まりから窮屈な要請を受け、面倒なことが始まったごく最近の時代ではありませんか。日本史でだって、「近代」と呼ばれます。

それならば、と思います。

鞠香。私によく似た、私の姉。

あなたが私の代わりに「妹」を、私が人から「お姉ちゃん」と呼ばれ、「姉」を生きる道だって、あったんじゃないでしょうか。

「アールマティ」というのは、外国の神様だか、天使だかの名前だそうです。だけど、私たちくらいの年頃の娘にとって、アールマティは、名前の由来なんかどうでもいい、ただのホテルの名前です。結婚情報誌で毎回トップを飾る、理想の式場の名前でもあります。

ホテルは何棟かに分かれた大きなもので、その中央に位置する本館と呼ばれる建物が、主にウェディングのための設備を備えています。

これまでも、入り口に銅像が建っているのを、見るとはなしに視界に入れていました。あの像が、ひょっとしたらアールマティなのかもしれません。ですが、今日、いよいよ当日の朝になるまで、私にはそれをまじまじ見る余裕などなかったので、まるで気がつきませんでした。

十一月二十二日。日曜日、大安。

花嫁衣装に着替える鞠香を、私は美容室の椅子に腰掛けて待っていました。

その日、ホテル内の美容室でセットを頼んだ相馬《そうま》家、加賀山《かがやま》家の式の関係者の中で、最初に準備が終わったのは私でした。血を分けた姉妹の最良の日を見守る身内にふさわしい顔をしながら、背筋を伸ばして座ります。自分の足元で揺れる、最盛期のひまわりの花びらのように輝く黄色いレースのスカートを眺めます。私が普段、友達の式に参列する時に選ぶのは、柔らかいピンクとか、黒とか、あまり目立たない色です。こんなに鮮やかな黄色を身につけるのは、生まれて初めての経験です。

少し遅れて、留袖《とめそで》の着付けが終わった母がやってきました。今日のために白髪を明るいブラウンに染めた髪が、いつもよりボリュームを増して見えます。母の着物姿は、おととし祖父が亡くなった葬儀の時の喪服以来ですから、何だか、冠婚葬祭のうち、今日とは全く逆の暗い方を思い出してしまって、私は一人、縁起でもなかった、と反省します。

母と、目が合いました。私の口からは一言、「ドキドキしちゃう」と、明るい声がごく自然に出ました。

母が私を見つめます。私たち姉妹の丸い目は、母譲りでした。眼球が丸すぎて、合うコンタクトレンズがなかなかない、という悩みまで共通している私たちです。その視線が逸《そ》れ、彼女が次の言葉を言うまでの間が長く感じられましたが、一度、声が返って来ると、あとはもう淀《よど》みはありませんでした。

「あなたがドキドキしてどうするの。主役でもないのに」

「そうだけどさ、あの子、うまくやれるかなって。緊張してたみたいだから」

「昔から、まぁそうよね。大事な時に、いっつも神経質なくらいに心配して、確認して、緊張して」

そうそう、と私は相槌《あいづち》を打ちます。

「それなのに、結局本番には弱いのよね。緊張しやすいっていうか、一生懸命やってるのにそういう不器用なところがあって、かわいそうに思ってた」

「あなた、それ、あの子に言うんじゃないわよ」

母が、鞠香のいる花嫁控え室の方向を見ます。

「大事な日で、特にナーバスになってるに決まってるんだから」

「はいはい」

花嫁のしたくは時間がかかります。私や母、新郎側である相馬家のお義母《かあ》さんたちは、髪のセットや、留袖の着付けをお願いするだけですが、花嫁は顔のメイクの基礎から何から、全てお願いするのです。裾《すそ》が膨らんだ重たいスカートは、「着る」というより「入る」という雰囲気で、一度装着してしまうと、なかなか身動きが取れません。あとはもう、鞠香は控え室に入ったまま、式本番まで出てこないでしょう。今朝、まだ新郎の顔を見ていない私は、高まる胸の鼓動を抑えながら母に尋ねました。

「映一《えいいち》は？」

呼び捨てにすると、さらにドキドキしました。そんな私の気持ちをよそに、母が答えます。

「さっき挨拶《あいさつ》したけど、控え室の方じゃないかしら。新郎は花嫁と違ってそんなに準備もいらないだろうから、きっともう向こうのお義母さんたちと――」

映一さんは、控え室でウェディングドレスを着た鞠香にもう会ったでしょうか。声を交わしたでしょうか。

その時でした。

「このたびはありがとうございます」

映一さんの声がしました。顔を上げると、裾の長いモーニング・コートを着た彼が立っていました。その瞬間、私の鼻と喉《のど》の奥を、緊張したように固まった空気が無責任に抜けていきました。そのまま吐き出すと動揺が知られてしまいそうで、我慢して、息を詰めました。

私は、眼鏡をかけた人が昔から好きです。単純で恥ずかしい話ですが、頭が良さそうな気がするからです。スポーツで溌剌《はつらつ》と活躍する人より、物静かに、難しそうな題名の本を眺めているような人の方が、ずっとずっと好きだったのです。

眼鏡をかけてる男性が好み、という女性は私の他にもいるそうですが、それは多分「頭が良さそう」な眼鏡か、「優しそう」な眼鏡か、印象が分かれると思います。映一さんは、全然優しそうではありません。むしろ、冷たい印象すらある、キレ長の目をしています。でも、だからこそ凛々《りり》しくて、きれいな顔に見えます。職場の女の子に人気があって、モテていたことを、私は知っています。

胸が、微《かす》かに痛みました。彼の顔を見てしまう。その唇に自分の唇が触れた時の感触を思い出すと、覚悟していたはずなのに、急に後ろめたい気持ちに襲われました。

「まぁ、このたびは」

母が立ち上がり、彼に挨拶をしますが、私はうまく顔が上げられませんでした。不自然にならないように、すぐには気づかなかったふうを装いながら、少し遅れて、顔を再び彼に向けます。彼の唇が開きかけ、そこから今にも私への言葉がこぼれそうな予感があって、私は声を張り上げました。

「もう、花嫁のしたくは調った？　私たち、まだあの子に会ってないんだよね」

映一さんの目は、母を通り越して私を見ていました。ドキリ、とします。

彼の目が僅《わず》かに細く、歪《ゆが》みました。何があっても動じない様子の彼には、珍しい表情だったと思います。

私からカウンターパンチをもらったかのように立ち尽くせばいい、と期待しましたが、彼は「ああ」と頷《うなず》きました。その声は、私の肩から力をするすると奪っていきました。

「今さっき、会ってきたよ。――もうすぐメイクも終わって、お義母さんたちに会えるようです。式の前に、アルバム用の写真を撮るそうですが」

「そうですか」

嬉《うれ》しそうに言って、母が立ち上がります。私はまだ心を揺らしながら、自分でもどうしたらいいのかわからないでいます。映一さんとまだ目が合っている。彼が何か、さっき以上の言葉をかけてくれるのではないか。待っていたかったのに、母は私を立たせてしまいます。

一言、告げるのが精一杯でした。

「えーいち、今日はモーニングほんとよく似合ってかっこいいよね。裾が長いの、ちょっとお笑い芸人の衣装みたいでウケるけど」

映一さんが再び、私を見てくれました。胸がドキンと鼓動を打ちつけ、意識して唇を閉じなければ余計なことを言ってしまいそうになります。短い沈黙の後で、彼が言いました。

「――勘弁してよ」

あっさりとした声を聞いたら、もう何も答えられませんでした。奥から、着付けが終わった、映一さんのお母さんもやって来ます。

「あら、映一。お義母さんたちも」

結婚は、当人たちだけのものではないのです。私たちは、たくさんの親族の声と手に翻弄《ほんろう》されるようにして、互いに視線をはがし、別々の相手に反対側の方向に引き離されて連れていかれました。

鞠香のところに向かう途中、振り返ると、映一さんは私と視線を合わせたことなどもう忘れたように、自分の親族で一番のうるさ型で厄介だとこぼしていたおばさんから、お祝いの言葉をかけられている最中でした。

私が再び顔をそむける時、こっちを見た気がしました。確認はしません。もしそうでないことがはっきりしてしまったら、つらくて悲しくて、とても今日、席に座り続けていられないからです。

大安の日曜日だけあって、美容室は準備に賑《にぎ》わっていました。

入り口の方から「予約、取れていないんですか？」という青ざめた声が聞こえ、振り返ると、知らない女性が長細く大きな風呂敷《ふろしき》包みを手に立ち尽くしていました。今来たということは、私たちの後で行われる式の招待客か親族でしょうか。気の毒に思いましたが、それがうちの関係者ではないことに、ひとまず安堵《あんど》してしまいます。

だって、今日は完璧《かんぺき》でなければならない大事な日なのですから。

花嫁控え室に続く廊下の途中、窓から、中庭のチャペルが見えました。式に備えてパンツスーツ姿の女性スタッフが階段を掃き、準備している。扉の前から続くあの道は、式を終えた二人がフラワーシャワーを浴びながら歩く場所です。

今日、ホテル・アールマティでは、四組の結婚式が行われるそうです。その最初が私たち。今から数時間後、私の姉と映一さんがチャペルの前のあの階段を祝福されながら歩くところを想像する。

胸が、締めつけられるように痛みました。

——結婚式が行われる朝は、チャペルの支度が調ったところで、ウェディングベル

を一度鳴らす。

ホテル・アールマティウェディングサロンの決まり事だ。私がスタッフとして働き始めた頃にはすでにあった風習で、初めて聞いた時、とてもいい、と思った。

願掛けか景気づけのようなもの、と先輩スタッフから聞いたことがある。結婚式のある日の新郎新婦の朝は早い。サロンで着付けやメイク、ヘアセットを行う彼らやそれを見守る親族たちにベルを聞かせようと、いつの頃からか始まった。いよいよ当日が来たこと、今日が特別な日であることを知らせるウェディングベルの音色は、確かに当事者たちに心地よい緊張感を与え、テンションを上げる役割を果たしているように思える。チャペルの周りの掃除も、気を引き締める意味合いを込めて、この日だけは業者ではなく私たち——ウェディングプランナーと呼ばれる、サロンスタッフが直接行う。

荘厳な印象のチャペルの扉を眺めながら、私は下の段までを掃き終え、箒《ほうき》とちりを手に、短いため息を落とす。

——とうとう、今日を迎えることができた。

「いい天気ね」

同じくチャペルの周りを掃除していた先輩が呼びかけてくる。

「あ、そうだ。今日って山井《やまい》さんが担当してる式もあるよね、気になるなら、サロン戻っててもいいよ」

「いえ」

私は苦笑しながら首を振る。朝のベルは、なるべく一緒に鳴らしたかった。その音色を願掛けのように感じるのは、お客さまだけではなく私もそうだ。

「ウェディングプランナーの人が自分で挙げる式って、すごそう」と、よく言われる。お客さまはもちろん、仕事相手の業者や、友人、家族からも。みんな、「結婚式」がどういうものか、さすがによくわかっている。

担当した、とあるカップルの新郎からこう言われたこともある。

「僕たち、打ち合わせの後で毎回、山井さんの式を一度見てから、それをお手本にいろいろ真似できればいいのに、なんて話してるんですよ」

センスに間違いがない、と信じられてこその褒め言葉だろう。私は微笑み、「いいえ、とんでもない」と答える。

「〇〇さまたちのご婚礼についても、私自身がまずやりたいなと思っていることを盛り込んでご提案させていただいています。好みの押しつけになっていないか心配ですが、きっといいお式になりますよ」

ウェディングプランナーとは、式や披露宴の段取りを提案し、打ち合わせを重ねながら当日までのお手伝いをする職業だ。

私、山井多香子《たかこ》はホテル・アールマティのサロンに勤務して五年が経つ、三十二歳。プランナーになる決意をして専門学校に通ったのは二十五歳の時で、それまで勤務していた小さな出版社の経理を辞めてからの転職だった。

チャペルに入り、ベルを鳴らす紐《ひも》に先輩と二人して手をかける。「せーの」とかけ声をかけて思い切り引っぱると、カランカラン、という気持ちのよい音が頭上で空を割るように響き渡った。

結婚式の、一日が始まる。

私は陽光を弾《はじ》きながら揺れるベルを仰ぎ見て、眩《まぶ》しさに目を細めながら祈る。

どうか、今日が無事に終わりますように。

音の余韻に浸っていると、先輩の携帯電話が震えた。

「ちょっとごめん。サロンから」

彼女が携帯を耳にあてるのと同時に、私も自分のスーツのポケットから携帯を取り出す。マナーモードにしていたから気づかなかったが、不在着信が五件。見た瞬間、嫌な予感がした。「ええっ？」と先輩が大袈裟《おおげさ》な声を上げて、私を見る。

「予約が、取れてない？」

ウェディングベルが鳴る。

式場の下見の時に、ここを選ぶポイントの一つになったあの中庭のチャペル。県内のめぼしい式場を全部見たけど、一番チャペルが大きくて広いのはここだった。ウェディングフェアで、入場するモデルの新郎が聖歌隊に囲まれて、チータカチータカ、行進でもするように仰々しく歩いていたのを思い出す。彼女ははしゃいでいたけど、俺はこりゃひどいだろうと顔をしかめた。ザ・見世物、茶番の極致。宣伝用の模擬挙式の後、打ち合わせたプランナーがあの演出は外すこともできると言うので、ぜひそうして欲しいと頼んだ。

今日は、大安の休日だ。

俺は、帽子を目深《まぶか》にかぶり直し、ボストンバッグを片手に車から降りる。参列するにも準備で訪れるにしても中途半端な時間なのか、だだっ広い第二駐車場にはひと気がなかった。客も、ほとんどが正面の第一の方に停めるのかもしれない。

ホテルの建物を回り込むようにして裏口の方へ歩いて行くとチャペルの姿が見えた。フェアの偽者じゃなくて、本物素人の新郎新婦が出てくるかと思ったが、鐘が鳴っただけで、辺りは静かなままだった。時間を見ても、式にはまだ早い。今日最初のカップルのものだって、多分まだ一時間以上はあるはずだ。俺はほっとしながら、腕時計を確認する。

フェアの日に見た偽の新郎新婦は、俺たち客からフラワーシャワーというのを頭上に受けていた。客の間を回る係の従業員が持った籠《かご》に、色とりどりの乾いた花びら。彼女が「ロマンティック！」と声を上げても、俺のテンションはただ下がりだった。きっと本番では、散らかった花びらを、客が去った後、次の式のために速攻で掃いて片付けるんだろう。ちりとりにお行儀良く吸い込まれる花びら。砂と埃《ほこり》に塗《まみ》れ、そのままゴミ袋へポイ。興ざめだ。

上着の襟を立て、息を殺すように身体を屈《かが》める。もう、行かなければ。俺たちの式にも花嫁の会場入りにも、時間はまだたっぷりある。けれど、落ち着かなかった。

入籍を式当日に行うカップルも多いと聞くが、ちょうど、先月に彼女の誕生日があった。俺が忘れっぽい性格をしているからという理由で、彼女が記念日をまとめたがった。誕生日が結婚記念日ってダブルハッピーって感じでロマンティックだし、当日も式の準備だけに専念できる、両親ともゆっくり長くいられる。いいことづくしでしょ？と言っていた。顔は笑っていたが有無を言わさぬ口調だった。

「わかったよ」と俺は答えた。「ありがと」と彼女が喜ぶ。それから、付け足すように悪戯《いたずら》っぽく笑った。

「ね、誕生日もいいけど、花嫁にとっては『ダブルハッピー』って違う意味を指すって知ってた？」

「違う意味？」

「できちゃった婚のこと。最近じゃ、授かり婚とも言うみたいだけど。確かにその方がいいよね。子供は、欲しくてもできない人もいるくらいだもん。天からの授かりものだよー」

「お前……」

焦って身を乗り出しかける。

子供は全部で三人が希望。上二人を立て続けに産んで、できたら末っ子は年が離れたところで、じっくり時間とお金をかけて甘やかして育てるのが夢なのだと、結婚と家庭について語る時、彼女はいつも言っていた。

俺の気持ちをよそに、彼女は自分のおなかに手をあてると「やぁだ。まだだよー、陸雄《りくお》パァパ」と甘い声で囁《ささや》いた。「大丈夫。順番は守るから。うちのお父さん、ただでさえ血圧高いんだから、式前にそんな報告したら卒倒しちゃう。陸雄くん、いっつも避妊バッチリしてくれてありがと。式の後は、もうつけなくていいからね」

最後の方は耳元で囁くように告げられた。俺より十歳ほど若い吐息に、桃の果汁の匂いがした。腐るまでの時間が早い桃は、熟れきった時が一番香りも風味も強い。甘ったるい果肉がぐずぐずになる。その匂いを、連想させる。

桃は、貴和子《きわこ》の大好物だった。以前は週末のたび、産地まで桃狩りに出かけたものだ。走り屋、と周囲から皮肉られる俺の愛車で高速を飛ばして。取れたての桃は、別の食べ物のようにシャリッと歯ごたえがあって硬いのに、もうきちんと甘く、俺を驚かせた。

「これを食べさせたかったの」

貴和子が言った。父方の祖父が山梨で農家をやっていて、幼い頃から食べていたらしい。滴る果汁を照れたようにハンカチでそっと拭《ふ》きながら、「一日か、二日なの。この硬さが楽しめるのは。産地じゃないと、絶対に食べられない」と笑っていた。案内し、連れてきたのは自分だというのに、「連れてきてくれて、ありがとう」と俺に礼を言った。

記憶を振り払うように俯《うつむ》く。

花嫁の会場入りは、四時半。

早くしなければ。

俺たちの式は、イブニング・ウェディングという扱いらしかった。五時受付、五時半挙式、六時半披露宴開始、終了は九時半の予定だ。

これまで自分が招待客として呼ばれる式はだいたいが午前中か昼過ぎあたりから始まるものだった。聞いたところによるとやはりそこが人気の時間帯らしい。遠方の客を帰すのに、あんまり遅い時間の終了じゃまずいというのもあるそうだ。

最初に打ち合わせた時、本当なら今日は予定がいっぱいで俺たちの式は予約が入れられないはずだった。

「お日柄がよく、大安ですから」

プランナーの仁科《にしな》が言った。年は俺より少しばかり若そうな三十代半ば。縁の太い眼鏡をかけ、整髪料をべったりつけた髪をオールバックに撫《な》でつけている。愛想もいいし、物言いも礼儀正しく丁寧なのだが、微笑みが皺《しわ》のように顔に張りついているせいで気持ちが感じられない。誠意がない。信用ならない。全部がお仕事ですって感じだ。

「残念です。イブニング・ウェディング、憧《あこが》れてたのに」

夜の時間帯の式を希望したのは、彼女だった。何でも親友が前にここで式を挙げた時、クライマックスで花火を打ち上げる演出があったそうなのだ。窓に面した席に座り、夜空に散る花火を至近距離から見て、いたく感動したのだと言う。他の部屋ならば夜の予約はまだ取れると勧められたものの、花火が真横で見られないということで、彼女はあくまでゴールドルームにこだわった。

最初からここアールマティが第一希望だったのに、他の会場への下見に回っていたから予約を取ることができなかったんだと、俺は随分責められた。

「男のくせに、どうしてそんなに式場にこだわるの？　私の友達カップルはみんな、どこも男は女の言うことを黙って聞いていたっていうのに」

げんなりするほどごっちゃりと宣伝が載った分厚い結婚情報誌を振り回し、「先輩たちの体験談」と書かれた記事を、嬉《うれ》しそうに読み上げる。旦那《だんな》がいかに準備に非協力的だったか、どんなケンカをして結束を深め、式当日を迎えたか。そんな記事ばかりを中心に選んで、俺に聞かせる。

「ま、陸雄くんの場合はここまでじゃないけどね。演出面とか、ドレス選びに関しちゃ確かに上の空っぽくて、もっと協力してよって感じだけど、かと思えば式場選びには慎重すぎるくらい慎重だしさ」

「だって金が絡むんだ。当然だろ」

「うー、それで結局高いとこにさせてくれてありがと。愛してる」

結婚式の相場は、一つの式におよそ三百万かかると言われている。アールマティは確かにその相場よりやや割高だった。芝生の面積を広く取り、花や植物の手入れも行き届いたリゾート風の中庭に建つチャペルは、ドラマの撮影などでもよく使われ、東京や他県からも客が殺到している。

だから、まさか、十一月のハイシーズンに予約が本当に取れるなんて、思っていなかった。一度断られたし、ケチがついたこの十一月は見送って、式や結婚は来年でもいいかもしれない、なんて二人で話していたくらいだったのだ。

仕切り直すように別の会場を検討してる最中だった。この際しらみつぶしに県内全部、それどころか何かと理由をつけて、他県の高原リゾートの式場だって見ても構わないと思っていた。二人の休日で都合のいい日を合わせての下見は、会場のフェアの予定と合わないことも多く、時間をかけて少しずつやっていた。趣向がちょっとばかり変わったデートのような気分だった。何しろ、こっちは一回三百万の金を落とすかもしれない上客なわけだ。観に行く会場全てでVIPのように恭しい態度を取られるのは気分が良かった。格安で食べられるホテルレストランの試食用フルコース、無料で提供されるコーヒー、試飲のワインやシャンパン。こんなことならずっと続けたいとさえ、思っていた。

そのデートの流れが打ち切られたのは、三ヵ月前だった。

「実は、ご希望いただいていた十一月二十二日にイブニングの時間帯でキャンセルが出まして」

連絡があった時、俺はたまたま仕事で車を運転中で、携帯に出られなかった。フェアの時プランナーに書かされた用紙には、新郎と新婦、両方の連絡先の欄があった。「早くした方がいいかと」と、無神経に気を利かせたホテル側が、彼女の方にも電話を入れてしまった。俺のところで、話を留《とど》めておけなかった。

『陸雄くん、連絡あったよ。返事、もう、しちゃった。嬉しい！ 夢みたい』

彼女からの電話を、俺は呆然《ぼうぜん》と聞いた。

「返事？ どういうこと？ 今年はもう見送るんじゃなかったっけ」

『ダメ元でいいから、最初に希望してた十一月にもし空きが出たら教えてくださいって言っといたんだ。しかし、ここに来てキャンセルなんて、そのカップル、破談か何かかな？』

声が弾んでいた。ククク。わざと声に出して笑い『どっちにしろ、ラッキー』と続ける。

『いいよね？ もともと最初は十一月の予定だったし、陸雄くんも一度は自分の友達にその日程で話してたんでしょ？ 今からまだ三ヵ月あるから、準備も急げば大丈夫だし』

「ちょっと待てよ。お前、ふざけんなよ。急に全部一人で決めて」

『一緒に決めたじゃない』

頑として譲らない。冷たい声が響いた。

『今日、陸雄くん外回りの仕事みたいだったから相談できなかったの。私、早退してホテルまで行ってきた。もう契約して、内金払ってきたから。三ヵ月前からはキャンセル料がかかる。最初の説明の時、聞いてたよね？　もう三ヵ月切ってるから、ここからは内金返ってこなくなる』

俺が答えないでいると、そこまで一気に駆け下りるようだった声の勢いが僅《わず》かに緩んだ。機嫌を伺うように、声がいつものトーンで『陸雄くん？』と甘えるように変化する。

『ダメだった？　私、嬉しくて。一度諦《あきら》めてた時期と場所が空いたのは、きっと運命だと思って。神様がこうしなさいって導いてる気がしたの』

もともと占いの類を過剰なほどに意識し、信じる性格だった。今年は結婚に向いている、と、高額な報酬を取る有名占い師に見てもらったとかで、春先からずっと騒いでいたのだ。だからこそ、二人の付き合いの中で初めて「結婚」の言葉が囁《ささや》かれ、俺も意識した。撥《は》ね除《の》ければ、すぐにでも別れを切り出されそうで、頷《うなず》くしかなかった。

そのくらい強引だった。

「内金っていくら？」

『三十万』

舌打ちが出そうになる。こらえて「すごいね」と言った。

「そんなに貯金あったんだ」

『へっへー。いまどきの女子の貯蓄舐《な》めんな。この内金は、全額私持ちってことでいいよ。あとの費用は、陸雄くんとうちの親の折半でいいってお父さんたちは言ってる。──陸雄くん？』

細い手足と、形のよい乳房と、甘い吐息と囁きや喘《あえ》ぎを全て連想させる声が、電話の向こうで俺の耳を揺さぶった。表情まで想像がつく。美人は生まれついて自分の上目遣いがどういう効果を持っているか知っている。だけど、声だけでそれを感じさせる俺のフィアンセは相当なものだ。

『結婚、嫌なの？ マリッジブルー？ 私みたいに愛せる子に初めて会ったって言ったの、私の勘違いだった？』

複雑な気持ちだった。三十万。ここからの、彼女の両親との金の折半。

改めて頭が重かった。考えるべき問題が山積みで、そんなことどうだっていいから全部投げ出したいと、本音の声が洩《も》れそうになる。

貴和子は運命の女。

これを逃したら二度と出会えない、俺の救いの女神。だから絶対に離れてはならない。どうしようもなかった二十代只中《ただなか》の俺の絶望を綿飴《わたあめ》のように掬《すく》い取って、そのピンク色の唇でふんわり舐め取るようだった貴和子。全身に電流が走ったように、やられてしまった。

　こいつしかいない、と思った。

　その気持ちに今も変わりはない。――でも、まさか結婚とは。

　大事な日の嫌な予感は当たる。
　電話を終えた先輩に、美容室が立て込んでいること、招待客一人分の予約が手違いで取れていなかったと聞いた瞬間から、私が受け持つ十倉《とくら》家・大崎《おおさき》家の客なんじゃないかという予感があった。
　サロンに戻り、内線電話でホテル十階の美容室に確認してみると案の定だった。新婦・大崎玲奈《れいな》の友人の分が取れていない。名前に聞き覚えがあった。進行表を確認すると、友人代表スピーチを務めることになっている。今の時間、美容室はスタッフが全員手一杯。駆け込みで入った一人分をすぐに担当できる余分な人手はないとのことだった。

「とりあえず空いているお席に座って待ってもらってください。スタッフの手が空き次第、誰でもいいのですぐに入って欲しいのですが」

『はい。ただ——』

「ただ?」

『お着物なんです』

鼻から吸い込んだ息を、抜かずに一瞬止めた。頭を切り替える努力をする。

「着付けも必要ということですね。着物は普通、前日までに全て美容室に送ってもらうものだとばかり思っていました」

『遠方のお客さまについてはそういう場合が多いですが、持参される方もいます。——今日、着付けとヘアセットの予約を確かに入れたと言うんですが、誰も電話を受けた覚えがないし、だいたい、時間をこちらから指定したなら、着付けありの場合、あと三十分は早くお願いしたはずです。電話予約は、普段、私が対応することも多いですけど、私は絶対に話した覚えがありません』

美容室スタッフでは一番若い、若槻《わかつき》という女性の声だった。すでに他のスタッフや上司との間で一悶着《ひともんちゃく》あった後なのか、声がヒステリックに聞こえる。「気に障ったならごめんなさい」と、素直に謝った。

「責めるつもりはないんです。責任の所在云々《うんぬん》ということじゃない。ただ、式の開始時間には何が何でも間に合わせないと。着付けに使える部屋は空きそうですか？」

『無理です。ヘアセット用の椅子に今座ってもらってますけど、部屋もないし、着付けができるスタッフも、今やってる分が終わっても、次に担当するお客さまがもう決まってるんです。余分な予約を入れる隙なんてないです』

「エツコ・カワハラに連絡できますか？　早朝ですが、そこになら着付けができるスタッフがいるかもしれない」

うちの式場が提携する貸し衣装のメーカーだ。和装と洋装を扱い、衣装を搬入する関係で美容室とも縁が深い。本来なら、美容室側のトラブルはサロンのプランナーには責任がない。だけど、お客さまにとっては同じこと。半年かけて準備してきた式と披露宴の窓口、ホテル・アールマティの顔に位置づけられているのは、きっと私だ。

『でも……』歯切れの悪い若槻の声が、その時『あ』と呟《つぶや》く。電話を替わる気配があった。

『山井さん、ごめんなさいね。和木《わき》です』

美容室オーナーの声だ。

「お手数おかけします」

『今ね、こちらでもエッコ・カワハラに電話しているところです。スタッフ、確保できそう。お客さまに確認してみたら、服、かぶり物ではない前留めのものをきちんと着てくださってたから、先に髪を上げてしまってよさそうでした。着付けはそれからでも。部屋だけ、美容室にもう空きがないので、親族控え室か何か、今の時間に使っていない場所をどこか確保してもらうことはできますか？』

「承知しました。それはこっちで責任持って」

ベテラン然とした物怖《ものお》じしない声を聞いて、ようやく心が落ち着く。息を吐き出し、尋ねた。

「新婦は、このトラブルをご存知《ぞんじ》ですか？　そのお客さまは、スピーチをお願いする大事なご友人なんです」

『奥の部屋で準備中なので、ご存知ないと思います』

「わかりました。私から話します。今からそちらに向かいます」

内線を切り、立ち上がったところで「あのさ」と背後で声がした。トラブルが起こったことを察したのだろう、同僚の男性社員である岬《みさき》がパソコン端末の表を示しながら「二階のゴールドルームの控え室。ちょっと広いけど、夕方まで空いてる」と教えてくれた。

「どうする？　一時間で六万の部屋だけど」

「オマケしてあげようよ。使わせてもらうけど、念のため、チーフやマネージャーたちには可能な限り黙っててくれる？　バレたら、私と美容室側の判断だったって謝る」

「欲がないね。お金使ってもらえば、ボーナス査定よくなるよ」

「六万ぽっちの実績で？」

笑いながら返すと、岬も微笑んで首を振った。こちらをさりげなく気遣う柔らかい物腰を見て、彼は、プランナーの仕事に向いているわけだよなあと思う。二十人近い女所帯のサロンの中で、女性を立ててうまく雰囲気を和らげるコツをよくわかっている。派手さはないがすっきりとした顔立ちと、清潔感のある柔らかそうな髪。背がそんなに高くないのも、お客さまや同僚の女性に親しまれる理由の一つなのかもしれない。先輩たちからも、ちょっと生意気だが気の利くかわいい後輩として好かれている。

――女だらけの職場でうまくやれる男の子って、フェミニストだけど、ちょっとナルシスト入ってる気がする。

少し前に岬に話したら、盛大に笑われた。ひでぇな、隠してきたのに、とふざけ調子にこぼし、それから「あんまり鋭いとモテないよ」となかなか失礼なことを言われた。

「当日までトラブルが続くなあ。それ、例の大崎玲奈さんのところでしょ？」

「ええ」

「続くところって続くからね」

大崎玲奈の名前を聞くだけで胃がキュッとなる。

私の受け持つ今日の十倉家・大崎家の式は、準備の最中から何かと揉《も》めることが多かった。

新婦・大崎玲奈は、化粧の濃い女の子だった。年は私の三つ下の二十九歳。

ぱっと見た感じ、ギャル風のかわいい娘に分類することができるかもしれない。アーモンド形の瞳《ひとみ》をぼかした様子もないアイラインでくっきりと囲み、どの打ち合わせにも必ずつけ睫《まつげ》をして現れた。茶色の髪をふわふわとパーマで膨らませ、服装は体のラインにぴったりとあったTシャツにミニスカートという組み合わせが多かった。

ただ、よく見れば、十代のギャルとは明らかに雰囲気が違う。脚の形がまっすぐなのでミニスカートに無理はないが、体型は肉づきがよく、全体的に身体が大きい。濃いメイクを施した顔が大きく、頭身バランスもいいとは言えない。顎《あご》がしゃくれているのも目立つ。白いファンデーションの上に広がるピンクやゴールドのチークがやけに人工的な印象で、化粧の仕方自体が年齢に合っていないのがわかった。

ニセモノのギャル、という言葉が頭に浮かんだ。男は騙《だま》されてしまうかもしれないけど、女の目から見ると、探せる粗が多い子だ。

ケチのつき始めは、式の予約段階からだ。

結婚式場は、たいていどこでもウェディングフェアというものを月に二度程度行う。会場の様子や料理、進行の雰囲気を実際に観てもらうための模擬披露宴などを含めたイベントだ。招待したカップルに、終了後プランナーが一人ずつつき、挙式の予定時期や招待客の人数等を確認して予算の見積もりを出し、そこから相手に検討してもらう。十倉家・大崎家は、新郎の祖父の誕生日である十一月二十二日に、もうすでに日程が決まっていた。今から半年前のことだ。

「今ならまだ大丈夫って、だけど、ゴールドルームもロイヤルルームも空いてないんですか」

十一月の三連休のなか日である二十二日は、大安だということもあり、半年前でもすでに予約が入り始めていた。今日の会場となるエメラルドルームを薦めたのは私だ。

「人数的には、エメラルドルームでも充分だと思います。二階左手のお部屋ですが、高砂《たかさご》の後ろと奥の一部が二面、窓になっています。開放的で明るいお部屋だと……」

「でも、名前が」

「え？」

「名前。だって、エメラルドでしょ。他は、何でしたっけ。ロイヤル、パール、ゴールド……」

「はい」

「エメラルドだけ、なんかひょうきんっていうか、いかにもこのホテルのメインの場所じゃありません、一番いい部屋じゃないんですって名前で主張してるようなもんじゃないですか？　他の部屋だったらどこでも一応響きがそれっぽいのに、何で？」

「そう、でしょうか」

驚いてしまう。これまでそんなふうに思ったことは一度もなかった。

「申し訳ありません。ご指摘いただいて、初めて気づきました」

「別にいいんですけど、エメラルドで式をする人の気持ちも考えて欲しかったな」

「まあまあ、玲奈」

新郎の十倉が「すいませんね」と私にも顔を向けた。新婦より十歳は年が上に見える。後に知ったことだが、十倉にとって、玲奈は二度目の結婚相手だった。

「玲奈。だけど、ここ、老舗《しにせ》だよ。県内で一番だよ」

若い新婦に囁《ささや》き、機嫌を取る。アールマティは確かに歴史が古い。改装等で名前を横文字に変えながらも、ずっと続いてきたホテルだ。新郎にちやほやされて悪い気がしないのだろう、玲奈の表情が変わった。

「じゃ、色ドレスのお色直しの回数、増やしてもいい？」とオレンジベージュのグロスが塗られたプルプルの唇を突き出す。

「私、ピンク着たいって前から言ってたけど、エメラルドグリーンのも増やして。そしたらみんな、あ、このドレスのためだったのかって納得してくれないかな」

「いいよ。好きにしな」

「わあい」

目の前のやり取りが落ち着くのを待ちながら、私は頭が痛かった。披露宴の時間として用意されているのは三時間。白ドレスから色ドレス、最後は和装という希望をすでに聞いたばかりだった。そこに一回分の追加が入る。

「ですが、お客さま。三度のお色直しは時間的にも、進行の間合いとしても、本来であればあまりお薦めできません。ご衣装のお得なプランも三点まででしたらご用意がありますが、四点ですと、残り一点については割高で」

老婆心ながら、というつもりで後々のトラブルを避けるために口にすると、玲奈の顔があからさまに曇った。

「あの、なんでまとまりかけてるのに水差すんですか？　それに、私たち、お金ならあるんですけど。ええと、山井さん？」

スーツの胸元につけた私の名札をチラと見て、読む。名前を呼ばれた瞬間、かっと背中全体が熱くなった。衝動的に出てしまいそうになる声を抑えて「申し訳ありません」と謝る。――話が消えてしまえばいい。ここを諦《あきら》めて、別の式場に行ってくれないだろうか。プランナーとしてあるまじき考えが、頭をもたげる。

お金ならある。そうかもしれない。けれど、プランであれば平均十五万程度で借りられるドレスが単品七十万以上かかる場合もあるのだ。話さないで済ますわけにはいかない。

十倉が玲奈を宥《なだ》め、結局その日、二人はエメラルドドルームを仮予約して帰った。自分勝手な客は珍しくもない……私は自分にそう言い聞かせた。

電話がかかってきたのは一週間後、仮予約の期限が切れるギリギリのタイミングだった。

『ネイルを、グリーンにすることにしました』

電話に出てすぐ、開口一番の声がそれだった。面食らって「はい」と空気を呑《の》むような声を返すと、

『だから、ドレス、大丈夫です。ネイルでカバーさせていただきますから、エメラルドルーム、そのままでお願いします』

「ありがとうございます。では、ご衣装の点数も」

『はい。言われなくても覚えてます。プランは三点まで、四点から単品割高になる。聞きました。この間会った時、はっきり聞きました。バカじゃないんだから一回言われたらわかります』

高圧的でケンカ腰の、一語一語を妙にアクセントをつけて話す喋《しゃべ》り方だった。唇を嚙《か》む。立ち竦《すく》むように黙ってしまう。

彼女は多分、「負けたくない人」なのだ。誰に対しても、何に対しても。人から指摘を受けることに慣れていない子供だ。

耳に痛い、覚えのある声。鳥肌が立ち、冷や汗が滲《にじ》むほど、痛烈に記憶を刺激される。

力を込めて受話器を握りしめ、覚悟しなければならないと知る。深呼吸して、動揺とこみ上げる怒りを呑み込む。

この五年間で、一番の難局になるとはっきり感じた。それでも返事をしてしまう。

「ご成約ありがとうございます。大崎さま」

続くものは続く。問題を起こしたくない相手に限って、ミスやトラブルが狙い澄ましたように押し寄せる。大崎玲奈については、最初から、今日にいたるまでそうだった。

打ち合わせ日程が先方の意に添えなかったり、招待客リストの名前に誤字や脱字があったり。どれも大きな問題ではなかったが、一度心証を悪くしてしまった後に続くトラブルは、客の気をさらに荒らげてしまう。約束したつもりがない日に急に打ち合わせに現れ、休みの日に呼び出されて出社したこともあった。

「約束は守って欲しいんですけど」

座ったまま、上目遣いに鋭くこちらを睨《にら》む。こちらにも言い分があったが、事を荒立てないため、今まさに謝ろうとしたところでさらに彼女が声を上げた。

「謝って欲しいんですけど。何とも思ってないわけですか？」

「いいえ、とんでもない。本当に申し訳ありません」

頭を下げると、玲奈が、かけた椅子から足を投げ出す。打ち合わせの間、こちらに顔を上げず、自分のネイルを見ていた。何を問いかけても「どーでもいいです」と答えるだけ。準備を進めることより、自分が不機嫌であることをひたすらアピールする。

次回の打ち合わせ日程を決める際、彼女が開いた手帳のカレンダーが見えた。玲奈が「あ」と声を上げ、隠すように手帳をすぐ閉じる。深く尋ねることはしなかったけど、その日の約束はやはり彼女の勘違いだったのだろう。閉じた手帳をそのままバッグにしまい、もう出さない。極端に口数が減った。わかりやすい態度だったが、彼女は謝らず、黙って帰っていった。悔しかったし、言い返したかった。謝って欲しいんですけど、はこちらのセリフだ。

だけど、担当なのだから仕方ない。アールマティは、ウェディングの実績にかけては県内でナンバーワン。不動の地位を、これからも崩すわけにはいかない。それは、そこで働く私のプライドだった。

「美容室予約の件、大崎さまに謝りに行ってくる。後からわかって騒ぎになるより、先に話しておいた方がいいと思うから」

「行ってらっしゃい」

岬が私をサロンから送り出す。顔にニヤニヤ笑いとも同情的とも、どちらにも取れる表情が浮かんでいた。

「よく今日まで担当外れたいって言い出さなかったね。他の子は結構、合わないとどうにか理由つけてうまく逃げるのに」

他社のウェディングフェアにカップルの振りをして潜入調査をする仕事で、彼は何度も私の新郎役を務めてきた。そのせいか、この数年で随分気安い口を利くようになった。入社は同期だが、年は私の方が二つ上だというのに。

「大崎さまの問題がクリアできれば、この仕事をこの先もずっと続けられそうな気がするの。くだらない自己満足かもしれないけど」

──本当は、降りたいと上司に訴えた。それも、最初の式場予約の時すぐにだ。絶対に無理だ、できない、彼女とは合わない。だが、チーフの仁科には聞いてもらえなかった。

「なんでできないって最初から決めつけるんだ。いいか、嫌な客をやり遂げてこそ、一流のプランナーになれるんだ。逃げるのか？」

揉《も》めるたび、玲奈から罵《ののし》られるたび、辞めることを考えたし、何で私がこんな目に、と思いつめたこともあった。だけど、逃げ出さずにいたのは仁科の言葉のせいだった。大崎玲奈のために、自分のプライドまで売り渡すわけにはいかない。絶対に。

すりガラスにバラ模様が刻まれた重たいドアを押し、エレベーターに向け早足で歩いていく。

結婚情報誌のCMが物議を醸したことがある。私がこの業界に入ってすぐの頃だ。

結婚情報誌は、式場やドレス、指輪、引き出物、ヘアメイク、ブーケ等フラワーアレンジについてなど、結婚に関するありとあらゆる情報が掲載された雑誌で、たいていの書店や、あるいはコンビニで買い求めることができる。東京版、関西版、というように、各地域ごとに発行されており、特徴的なのはその重さと分厚さ。中味の大半は広告で、掲載されている店はどの号もだいたい固定なため、結婚式を挙げるカップルにとっては、どの号を買っても問題がない、いわば式・披露宴の入門書だ。毎月新しい号が発行されはするけれど、変わるのは、マナーや演出方法など広告以外の特集内容だけだ。

あまりの情報量に酔いそう。

全部が結局、同じじゃないか。

揶揄《やゆ》するようにそう言う人もいるが、その広告こそが楽しみで、自分がこの中からどれかの式場、ドレス、指輪を選ぶ権利があるのだと思わせてくれるこの優秀なカタログの存在は、未来の花嫁の心を躍らせる。

そして当然そのCMも、花嫁には夢を与えなければならない。個人的には、結婚式関係のCMに使うタレントは、芸能人としては「微妙」なくらいがちょうどいい。美人すぎたり、細すぎたりすると、自分とは別世界の出来事で終わってしまう。だから、うちのパンフレットにフランス人の花嫁の写真を載せる案が出た時も私は反対だった。結婚する花嫁は、日常に想像できる、ちょっと華がないくらいの「普通」の子が望ましい。大事なのは、自分や友達の延長線上にあること。憧《あこが》れの基準は難しい。ファッション誌なら、飛び抜けた美人モデルの存在は「ああなりたい」の指標かもしれないが、結婚をする多くの花嫁のお手本は、すでに幸せな式を終えた身近な誰かなのだ。いいなー。おめでとう。そう、声を送った相手。祝福しながら、次は自分の番かもしれない、と思わせてくれる存在。

物議を醸したCMは、そういう「普通」の（だけどあくまでも標準よりは大幅にかわいい）子が、結婚を決め、彼氏と一緒に結婚情報誌を買い、二人でにこにこ笑いながら家に持ち帰るところから始まる。日数の経過が画面の下に日めくりカレンダーの体裁で表示され、二人で、「そろそろフェアに行った方がいいんじゃない？」とか「引き出物どうする？」と、雑誌を見ながら準備を進めていく。

微笑ましいCM。

問題になったポイントはいくつかあったが、中でも一番叩《たた》かれたのは、女の子が情報誌の気に入ったページを切り取り、部屋に貼る場面だ。

ニュース配信サイトの『このCMどう思う？』というコミュニティー広場で、「うざい」と誰かが書き出したのが最初だったようだ。意見は様々だが、主に、三つの立場に分かれた。

うざい派。

微笑ましい派。

そして、もう一つの立場として相当数あったのが、どうでもいい派。たかが結婚のCMにそんなに目くじら立てて、みんなどれだけ余裕がないの？　というもの。

また、どの立場にも属さない書き込みには、こんなものもあった。

「うざいのとは少し違うけど、あのCMが流れるとテレビを消してしまいます。私は結婚していますが、私も彼も貯金がほとんどなかったので、挙式も披露宴もしていません。ドレスには憧れますが、雑誌などで式の費用を一回平均三百万円とか言われると、死にたくなります。貧乏人には無理ってことですか」

式の費用、平均三百万円。

うちのアールマティだと、招待客の人数にもよるが、見積もりで最初案内する金額よりだいたいさらにプラス三十パーセントと仮定してもらえば大きな赤字は出ない。しかし、三百万前後で出される見積もり額を下回ることはまずない。結婚式は、実際、大きな買い物だ。

式をするかどうかは人それぞれだが、自分で式を挙げた人、また一度でも興味を持って調べた人なら、ウェディング業界が細部にわたっていかに広くピンキリで、特にピンの方は際限なくどこまでも金がかけられるものなのかを思い知るはずだ。

このホテルで働くようになった当初、チーフである仁科にぴしゃりと告げられた一言がある。

「価値観っていうのは、植えつけるものだ」

ウェディングならば、という特異な価値観を前提にしながら、私たちはお客さまと打ち合わせを進める。

貧乏人には無理、とまで言い切るつもりはないけど、私のいる業界はそういうところだ。

花嫁のための晴れ舞台。不況だ、不況だと騒がれるご時世でも、だからこそ「ハレ」の日には贅沢《ぜいたく》を、というのが人の心というものだろう。

ＣＭの中でお気に入りのページを部屋に貼る女の子について、「誇張なのだから」と「どうでもいい派」が呆《あき》れたように書き込んでいた。が、私が担当したお客さまの中には、結婚が決まってから二年間、毎月あの分厚い雑誌を買い続けた新婦もいた。部屋に貼りこそしないものの、気に入ったページをきれいにファイルに入れて管理していた。

「場所取るから捨てろって言ってるんだけど、聞かなくて」

新郎が困り顔で言うのに、静かに微笑んで彼の言葉を流していた。

一つ一つにこだわりを持って、妥協を許さずに物を選び、事を進めるその新婦は、仕事でも所謂《いわゆる》キャリアウーマンだった。外資系の商社にお勤めしているとかで、おしゃれはするけど一番楽しいのは仕事。結婚後も、男性社会の中で引き続き働くのだとプロフィールに書いてくれた。

一般に、たった一日で終わる結婚式のためにそこまでこだわるのは乙女チックだとか、自己満足だと言われてしまいそうなものだが、彼女のような人が、というのは正直意外だった。口にしたわけでないが、伝わったのか。ある日の打ち合わせで、その人が教えてくれた。

「どうせお金を使うわけだから、綿密にリサーチして、絶対に後悔したくないの。――まあ、もちろん、仕事で疲れてる合間に式のこと考えると気持ちが活《い》き活きするってのもあるけど。本当に、準備が楽しいんです」

決めることが多い、やることが山積みと嘆かれる結婚式準備は、苦痛にしか感じられない人と、彼女のように楽しめる人とに分かれるが、私は、本当なら誰もがその両面を持ち合わせているはずだと思う。だったら、その負担を少しでも軽くし、楽しみをより広げてもらうことがプランナーの務めであると、信じて働きたい。

真面目だ、と岬たち同僚からは言われる。その通りだ、と自分でも薄々わかってるけど、変えられない。単なる「お仕事」として片付けてしまえない部分がある。

だって、「本当に、準備が楽しい」なんて。自分の関わるそれが彼女の生活の潤いなんだと考えると、こっちだって人間なんだから、嬉《うれ》しいじゃないか。

自分の結婚式の準備をしたことで、プランニングの楽しさを知り、プランナーを目指す人も多い。かく言う私もその一人。結局自分の式を挙げることはなかったけど、この世界に魅了されてしまった。

――あんなことがあったのに、結婚に関わる仕事に就くなんて自虐的だね、自分がどんなテンションの時だって、常に幸せなカップルたちに立ち会わなきゃならないんでしょ？　と、転職する時私に言ってきた友人たちも、五年も経ってしまうともう静かだ。

お金はかかるし、たった一日のイベントではある。

それでもやっぱりこう言いたい。あの結婚情報誌や、それを読む女性を簡単にバカにしてしまう人は、きっと「結婚式」を何も知らないのだ。

加賀山妃美佳

10:20

控え室に入ると、花嫁衣装に身をつつんだ私の双子の姉は、鏡の前の席で静かに座っていました。

私たちが入ってきたことを知って、振り返ります。彼女の横で髪を直していたメイクさんが、すっと壁の方にどきました。

鞠香が私を見ます。母より先に、まず、私を。

息を呑《の》みました。

鞠香は本当に美しかった。デコルテラインを出したシンプルな白のドレスがよく似合っています。このドレスは、映一さんの趣味でした。装飾がない方が、細い体のラインがより強調されてきれいに見えるよ、と言っていました。

母が鞠香に駆け寄ります。鞠香の緊張が空気を通じて、私にも共有されました。母が、彼女に言いました。

「素敵じゃない！」

声を受けた鞠香は静かに頷《うなず》きました。目を潤ませ、ぎこちない瞬きを二回、マスカラを気にして睫《まつげ》に手をやりながら、します。

「ありがとう、お母さん」

鞠香が私を見ました。

「きれい」

私が言うと、赤い色を乗せた鞠香の唇がふっと綻《ほころ》びました。椿の花弁が揺れるようでした。

「ありがとう」と、優美に、私に向けて微笑みました。

鞠香との思い出、私が姉を羨《うらや》むことになった経緯については、どこからお話しすればいいのかわかりません。この時から始まった、という瞬間がなく、気がついたらそうだったとしか言いようがないからです。

ただ、始まりの瞬間はなくても、はっきりした瞬間、自覚したのがいつ頃だったのかは、ご説明できるかもしれません。

それは、私が中学受験を決めた時です。

私たちの育った県には、公立の他は国立大学の附属中学と、ミッション系の私立の女子校が一つずつあるだけです。中学受験の話題はニュースやテレビドラマの中では頻繁に登場しますが、私たちの場合は、選択肢がそもそも少ないところからのスタートなので、中学から受験をする人たちはごく少数でした。

県内のお嬢様学校として名高い礼華《らいか》女子校に行きたい、という希望を、私は受験の準備にギリギリ間に合うタイミングまで、家族にも先生にも黙っていました。

小学校六年生。中学校という未知の場所がみんなの中で徐々にモノクロームからカラーでイメージできるようになるまで、姉の鞠香が、仲のいい友達とどこの部活に入ろうね、同じクラスになれるといいね、という約束を交わし、彼らと別れて違う学校に行くなんていう裏切りが許されないという時期まで、私は待ったのです。

鞠香と、離れたかった。

私たちは、昔から、とてもよく似ていました。一卵性双生児なのだから当たり前かもしれませんが、それでもどうしてと思うほどなのです。他に兄弟姉妹のない、加賀山家の子供は私たち双子だけ。父も母も、余すところなく「双子ならでは」のかわいがり方をしました。お揃《そろ》いのワンピース、色違いのリボン、同じ習い事。

いつの頃からか、そこに一つ別の言葉が割り込みました。母が鞠香を「お姉ちゃん」と呼ぶようになったのです。それまで、「鞠香」「妃美佳」と名前で呼んでいたのですが、私の名前をそのままに、鞠香にだけ別の呼び名をつけたのです。鞠香もまた、受け入れました。平然と「なぁに」と返事をします。

その時にはもう、手遅れでした。

私は知っていました。私たちがケンカになり、互いの言い分がどっちもどっちである時、鞠香は両親から巧みに「お姉ちゃんでしょう」と言いくるめられ、黙ってしまうのです。私はその時はわがままを通す理由を得て喜ぶだけでした。だけど、考えてみれば、物心つかないうちに、何と大事なものを私は放棄してしまったのでしょうか。

それは、鞠香と対等である、ということです。

双子として生を享《う》けた私たちは、平等だったはずです。それなのに、周囲はさっさと鞠香に「姉」という理不尽な運命を与え、私にぬくぬくとした「妹」の立場を保証してしまったのです。

しくしくと泣き、横目で姉の鞠香を非難する自由を持つ、私は妃美佳。妹。

歯を食いしばって耐え、涙をこらえる姉。鞠香。

父がある時、言いました。

「お姉ちゃんだけあって、鞠香はしっかりしている」

またある時、私たちは母の前で、ある友達の悪口を言っていました。ぐずぐずしているくせにわがままで、何かあるとすぐにお母さんが学校に世話を焼きに出てくる女の子。その特徴を話していると、母が言ったのです。

「その子、次女？　それか、末っ子なんでしょう」

世の中の下の子（ああ、上下の表現を使ってしまいました）の全てが、そのような性質であるはずがありません。だけど、理解してしまったのです。加賀山家にとって、次女とはそのようなものなのだと。それだけの理由で、許され、甘やかされてしまうのです。

不思議なもので、言葉一つを与えられただけで、鞠香は「姉」らしくなっていきました。一緒に通う小学校に、クラスは二つしかありませんでした。先生方や友達が私たちを混同しないようにと、鞠香と私は常に違うクラスでした。同じ教室にいなくても、隣のクラスの鞠香の評判はよく流れてきました。学級委員、球技大会のリーダー、陸上記録会入賞、水泳五十メートル自由形準優勝。こんな具合です。

私はどの才能も持っていません。

だけど、皆から優しくされました。休み時間や放課後になると、鞠香が呼びにきて、私を「大好きな妹」として仲間に加えます。元気な鞠香の、太陽のような魅力いっぱいの光を反射する月のような存在の私は、男子からも女子からも、親しく話しかけられました。

「鞠香ちゃんほど楽しい子じゃないけど、妹だし」と言われる私は、鞠香が何か生意気な行動を取ってさえ、「鞠香ちゃんはムカつくけど、妃美佳ちゃんはあんなに優しい」と、何も努力していないのに皆からの評価を勝手に上げてもらいました。

「遊ぶなら、妃美佳も入れて」

唇を突き出して、命令口調で言うのが似合う鞠香に、逆らう人はいません。違うクラスにせずともよかったのです。私たちは姿かたちがそっくりでも、誰からも間違えられることがありませんでした。だって、まるで違ったのです。

鞠香から、私は離れたかった。

お姉さんとしての鞠香の優しさは、許しであり、スポイル・シスターの育成であり、支配でした。少なくとも、私はそう感じていました。

礼華女子を受験する、と報告した時の、鞠香の驚きようはなかったです。

何も相談がなかったことに呆然《ぼうぜん》として、「どうしてなの」「どうしてなの」と何度も何度も尋ねてきました。私は予《あらかじ》め用意しておいた理由を説明します。くだんの女子校はブラスバンド部が有名で、顧問に専門的な先生がつくのです。吹奏楽に興味があるから。将来は音大に行きたいから。

鞠香の美しい頬が、青白く輝いていきます。表面に細かな鳥肌が立つのが見えました。ピアノは、習い事の中で唯一鞠香が投げ出し、私が続けているものでした。私にとって二人の差は、当時はここにしかありませんでした。

「私も女子校に行く！」

　鞠香が叫びました。

「妃美佳と同じ中学に行く」

　驚きました。自分の友達と同じ部活に入ること、同じ制服を着ることをあんなにも楽しみにしていたはずなのに。

「心配だもん。大好きだもん。私たち、すごく仲がいいんだもん」

　二十五歳になった今も、鞠香は同じようなことをよく言います。すごく好きで、一番の親友。妃美佳がもし結婚することになったら、私はきっと大泣きする。想像しただけで、涙が出そう。

　鞠香の女子中学校志望は、話し合いの末、両親から却下されました。もともと母は、中学のうちから私立に通うなんて反対だったのです。いつも自分の強い希望を口にもせず、母に自主性を疑われていた私が口にした初めてのわがままだったからこそ、通してくれたのです。鞠香は希望が認められず、公立中学校に進学しました。共学の、中学校に――。

　実は、私が公立中学ではなく女子校を希望したのにはもう一つ理由がありました。私は小学校の途中から視力が落ち、分厚い眼鏡をかけていました。鞠香は友達と外で遊ぶのが好きだったのですが、私は早く家に帰って本を読みたかったし、ピアノの練習がしたかった。そのせいか、姉より早く視力が落ちたのです。

眼科が薦めるままに買った、不恰好《ぶかっこう》で色気のない黒フレームの眼鏡。

「同じ顔なのに、どうして鞠香の方がかわいいんだろうな」

鞠香のクラスの子たちが話してたのを聞いたことがあります。それぐらいなら、我慢できるし聞き流せました。だけど、こういう子もいました。

「妃美佳は、ネクラだからブスに見えるのよ。眼鏡だっておしゃれなやつじゃないし。鞠香だってそんなにかわいいわけじゃないけど、明るくてうるさいから目立って見えるだけなんじゃない？」

ブスの響きは流せませんでした。数人の男の子たちが笑いながら、私の物真似をしていました。鞠香に見立てた柱の陰におどおどと隠れ、「鞠香、鞠香」と助けを求めて見せるのです。これも、いけませんでした。

こんな低い場所にいる私のことは、クラスの男子も相手にしないだろうと、私はクラスに好きな人を作るのを自制しました。それに身の程を知らない男子たちは、自分がモテないということにはお構いなしに、私のような「地味」を素通りして一気に派手な女子に憧《あこが》れを持つのです。世の中は、うまくいきません。私であればあっけなく落ちるかもしれないのに、私のところには来ないのです。

私は、自分が一生処女なのではないかと怯《おび》えていました。

本を読みながら、美しい恋愛映画を観ながら、テレビに登場する芸能人の体験談を聞きながら、自分はきっと一生彼らのような喜びを知ることはないのだと確信していたのです。それはとても寂しいことでした。私だってしてみたい。誰かに求められてみたい。

フィクションの世界の男の子たちは、女の子を探していました。十代男子の欲求ははちきれんばかりで、いつも異性のことばかり考えていると読んだ時は、衝撃でした。だけど、私は目立たず、おとなしい。男子たちは、きっと私を性愛の対象から外すに違いないと考えていました。

女子校に行ったのは、ならばいっそ、と修道院に入るような気持ちもあったのです。

「この先輩とあの先輩に、妃美佳のこと、頼んでおいたから」

鞠香が言います。児童会活動や運動会、クラブ活動で仲良くなり、自分に目をかけてくれた上級生のうち、礼華女子に進学した先輩に、私のことを連絡してくれたそうなのです。

「他の先輩たちからしめられたりしないように、守ってくださいってお願いしといた」

当の鞠香は、公立中学校でテニス部に入りました。「荒れている」「怖い」と噂されるその中学の中でも、特に先輩・後輩の関係が厳しい部活で、入部して早々、「男の先輩に色目を使った」という理由で、鞠香はしめられてきました。泣いていましたけど、翌日も、大きなテニスラケットを籠《かご》に入れて、朝早く部活のために自転車で坂道を漕《こ》いでいく。

鞠香と私とは、つくづく違う生き物なのだと、感心してしまいました。

中学生になって、ある時、先生に「帰り道、痴漢に注意するように」と言われました。最寄りの駅で、夜、声をかけられて襲われた人がいると言うのです。

それを聞きながら、私は自分にその心配がないことを、悲しく自覚していました。目が、クラスのかわいい子たちを見てしまいそうになります。襲われるのは、ああいう子たち。

だけど、先生が言いました。

「世の中の変な男は、本当に誰でもいいのよ。私だって、女装したおじさんに追いかけ回されたことがあります。あれは驚きました」

驚いたのはこっちでした。私はそれまで上の空だった頭を急にがつんとやられたように姿勢を正しました。担任の先生は五十代前半。化粧気がなく、小太りで、顔の皺《しわ》を後ろにぐっと引っぱったようなきつい結び方をした髪には、およそ女というものが感じられません。

励まされたように思いました。

世の中には、誰でもいいと思う男がいる。その人たちに懸けるなら、私は処女をもらってもらうことができるかもしれない。気持ちいいと、あらゆる場所で囁《ささや》かれるキスやセックスを、手に入れることが、いつの日かできるのかもしれない。

それは、私の憧れでした。


「式の前に、お写真の撮影があります」

首から何台もカメラを提げた男性が、私たちに呼びかけました。鞠香が目を伏せ、彼の方に首を傾けます。私が選んだ、真珠のピアスが耳元で光っています。

美容室の横にある写真室に移動するため、鞠香が長いスカートの裾《すそ》を大儀そうに持ち上げてゆっくりと立ち上がります。私は、姉の横にひっそりとくっつきました。

鞠香と同じ速度で、ゆっくりと歩く時、途中の小部屋の一つから「ない！」という声が聞こえました。

「ない、ない、どうしよう……」

あまりの声の大きさに、私と鞠香は咄嗟《とっさ》に足を止め、声がした部屋の扉を見つめます。そして示し合わせたわけでもなく、お互いに微笑みました。

私たちとは別の花嫁控え室で、何か問題が起きている。だけど、私たちはきっと大丈夫。無事に今日を終えることが、きっとできる。

美容室の入り口を出て、廊下の角を横切ると、写真室の前ではすでに映一さんが待っていました。今からの写真撮影は、新郎新婦で撮るものが三カット。二人のバストアップと全身、そして、花嫁だけを斜め後ろから撮るものです。ベールが、きっと鞠香の背中のラインに沿って美しく流れて写るに違いありません。

撮影は、とりあえず二人だけ。親族が入るのは、それが済んだ後です。

私は意を決して鞠香のそばから離れ、彼女を彼の元に送り出しました。

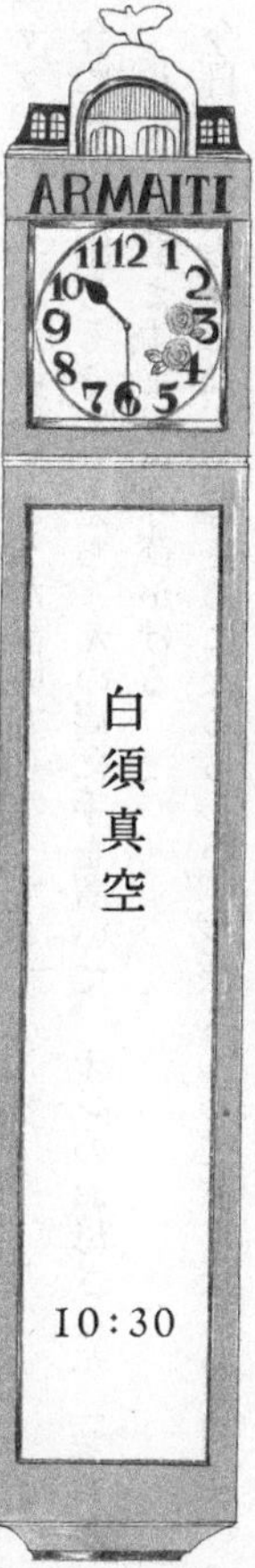

「ない、ない、ない」

「もう、どうしたっていうのよ。ちゃんとしとかないからでしょう」

「だって、ママ、私、確かに……」

りえちゃんが言う。おばあちゃんが、「とにかく」と声を張り上げた。

「早く探しなさい。本当は、そのままにしとけばよかったのよ。それをわざわざ外に出したりするから」

「見せたいと思ったの。式の前に、ママとお姉ちゃんには先に、と思って」

「ママ、何もそんな責めるような言い方しなくても」

今にも泣き出しそうなりえちゃんの肩に手を置いて、オレのお母さんが「落ち着いて、りえ」と励ますように呼びかける。

今日のりえちゃんは、花嫁さんになるらしい。花嫁さんってどんなものなのか、テレビや本で見て知ってたけど、壁にかかってる真っ白くて大きなドレスを見ると不思議な気持ちになる。――今からりえちゃんがこれを着る。お化粧だってするらしい。

机の上には、真珠のネックレス。ドレスもネックレスも、クラスの女子が描くお姫さまの絵みたいだ。

オレも、昨日の夜、動物園や海に行く時みたいに早く寝るようにお母さんたちから言われて、今日も朝早く起こされて、着替えさせられた。何週間か前にジャスコで買った、蝶《ちょう》ネクタイのついた服。おばあちゃんが今から着物に着替えたり、お母さんも髪の毛をいじったり、女の人たちはまだやることがあるらしいけど、お父さんやおじいちゃん、オレたち男は、もう結婚式用の服に着替えてすっかり本番用になってる。

普段、ジャスコに行くと、お父さんとお母さんは別行動を取る。お母さんが自分の服や食料品を見てる間、オレはお父さんにおもちゃ屋、本屋、ゲーセンの順番に連れてってもらって、後は車で待ち合わせ。だいたいいつもオレたちの方が早くて、お母さんの長い買い物を二人で駐車場の自販機で買ったジュースを飲みながら待ってる。だけどその時は、お母さんに服売り場に連れて行かれた。「入学式の服で入ればよかったのに、大きくなっちゃったから」と不満そうに言われた。

それが、りえちゃんと東《あずま》さんの結婚式のための服なんだってわかったのは、服を買った後だった。お母さんの妹のりえちゃんと、そのりえちゃんが最近になってうちに連れてくるようになった東さん。

結婚、という言葉が、みんなの話の中によく出るようになっていた。りえちゃんと東さんがいる時も聞いたし、二人がいない場所ではもっと聞いた。どう思う？　どうする、どう言う？　特に、うちのお母さんとおばあちゃんは、何度も何度も、真剣な顔で話していた。

服はよかったけど、オレはスニーカーしか持ってなかった。背の高い椅子に座っているせいで足が床につかないから、ブラブラ揺れる。黒くピカピカに光る靴は、ぱっと見はピカピカだけど、よく見ると細かい傷がいっぱいついてた。お母さんが知り合いの子供のお下がりをもらってきて、クリームを擦り込んできれいにした。「見て！　新品と変わらないじゃない。ここまできれいになったのよ、すごい！」とお父さんとオレに見せてきた。

オレは、ちらっと横に座るお父さんと東さんを見た。二人とも、ケンカを始めたおばあちゃんたちを黙って見てる。お父さんは慣れてるせいか、早く終わらないかなってふうにおとなしくぼうっと。東さんは、困ってた。東さんも、今から花婿用の衣装に着替えるらしく、ここにいる男の中で唯一まだ普通の服だ。そろそろ自分の準備に行かなきゃいけないらしい。

お母さんがりえちゃんに言う。

「この部屋から出してはいないと思うから、後は式場の人に探してもらいましょう？　泣いちゃダメ。今からお化粧だってしなきゃならないんだから」

「お姉ちゃん、どこかに赤いリボン、売ってないかしら？」

りえちゃんが顔を上げて、お母さんを見た。

「今から自分で作れば……」

「そんな時間ないでしょ？　心配なのはわかるけど、あなた今日、主役なのよ？　集まってくれる人たちのことを考えて。大丈夫、お色直しの時間までにはちゃんと見つかるわよ」

「でも……」

「いいじゃない。カチューシャなんかなくても」

りえちゃんが黙った。まだ、言いたいことがあるんだとわかったけど、そのまま俯《うつむ》いてしまう。

東さんが、初めて「あの」と声を上げた。

「貸し衣装屋に電話して、代わりのやつを持ってきてもらえば」

「あれは特注品なのよ。この近くの貸し衣装屋のじゃないから」

りえちゃんが、珍しく東さん相手にイライラした声で答えた。

「無理言って作ってもらったの。そう言ったのに、私の話、聞いてなかったの？」

「あ、そうか」

東さんが頷《うなず》く。

この人の顔を見ると、オレはいつも眠そうな鳥を思い出す。瞼《まぶた》が厚ぼったく、半分閉じかけて見える。もっさりしてる、という言い方をお母さんがしてて、オレは初めて聞く「もっさり」って言葉に、それどういう意味？って聞いて、お母さんに「りえには絶対に言っちゃダメよ」と叱られた。

りえちゃんの準備のために案内された花嫁控え室で、さっき、りえちゃんは嬉《うれ》しそうに「ママ、これよ」と、おばあちゃんやオレたちにドレスを見せてくれた。今から着るという白いドレスとは別の、式の途中で着替えるというドレスを見て、驚いた。オレにも見覚えがあるものだったからだ。正確には、本物は初めて見るけど、映画や絵本で何度も見たことがある。

ピッと立った首の後ろの大きな襟。

赤い線が入った青い袖《そで》は花のつぼみみたいに大きく膨らんでいた。青いブラウスに黄色いスカート。リボンがちょこんと載った靴。

白雪姫のドレスだった。アニメと全く同じだ。

「すごいでしょ。あ、買い取りじゃなくてレンタルね、レンタル。たまたま、こういう童話シリーズのドレスを作ってる会社があって。海外のブランドだから、きちんと素材もシルクだし、変に安っぽいコスプレっぽさがないの。着てみるとさらに驚くと思うよ。ほんと、映画そのままなんだから」

「あんた、昔っからディズニーのプリンセスたち大好きだもんね。見かけによらず」

お母さんが、感心したような、呆《あき》れたような声を出して頷いていた。おばあちゃんもへえ、と感心した顔をしてる。りえちゃんが自慢げに、さらに胸を張った。

「すごいのが、これ。これだけは、衣装店になかったから、手芸のお店に頼んで特注で作ってもらったの」

赤い大きなリボンが真ん中に入ったカチューシャを取り出す。

「すごいじゃない」と、お母さんが大袈裟《おおげさ》に声を上げた。

衣装を見た途端、オレはおなかが痛くなってきた。

白雪姫。りえちゃんと、何度も何度も一緒に観た映画だ。一人でもよく観てて、お母さんやおばあちゃんからは「真空《まそら》は、男のくせにそんなのが好きなの？」とよくからかわれた。

むっとした。だけど、楽しいじゃないか。りえちゃんはどうか知らないけど、オレが好きなのは、白雪姫が森でこびとと幸せに暮らしてるところ。あそこで平和に毎日過ごしてるとこが、楽しそうで好きなんだ。王子さまが来たからって、ラスト、あそこを出てくことなんかないと思ったくらい。王子も一緒に暮らすっていうなら、まだわかるんだけど、何でこびとと別れるんだろう。

こびとたちは、七人全部性格が違ってて、おこりんぼ、おとぼけ、せんせい、ごきげん、ねぼすけ、てれすけ、くしゃみって名前がついてる。どれがどれか、りえちゃんとオレは、二人で名前を隠して当て合うクイズをよくやった。りえちゃんがディズニーランドで買った七人のこびとのヌイグルミが、玄関に並べて置いてある。遊びにきたオレの友達（特に女子）が見つけると、いいなあって、みんな反応する。

だけど、ちっちゃい頃は、『白雪姫』って、ただ怖いだけだった。よく観てるテレビアニメに比べて色が暗いし、動きもやたらちょこまかして本当に生きてるみたいで変な感じに見えたし、何より、ママハハの王妃が鏡に向かって魔女みたいな顔で「かがみよ、かがみ」って言う声が怖かった。毒リンゴのシーンはもっと怖い。

オレは、王妃のシーンを早送りして飛ばしたり、りえちゃんと観てる時にそこだけ違う部屋に逃げて目を閉じ、「ねえ、終わったー？」って離れて聞いたりした。

「真空は、臆病《おくびょう》」ってりえちゃんに笑われた。

「かがみよ、かがみ」

オレが怖がるのを知って、りえちゃんがふざけ調子に鏡の前で王妃の真似をする。

「世界で一番、怖がりなのはだあれ？」

「うるさいよ！」

怒って、りえちゃんを背後からポカポカ叩《たた》く。最初の頃は、りえちゃんも本気で演技してて、それを見ると映画のシーンを思い出して怖かったけど、あまりに繰り返しやられるから、すぐに平気になった。

「かがみよ、かがみ。今日のご飯は何ですか」

「かがみよ、かがみ。世界で一番ブスな人は誰ですか。りえちゃんですか」

二人でふざけて、りえちゃんが「何だと！」と声を上げて、オレを追い回すこともしょっちゅうだった。

「真空は、本当にりえが好きね」

お母さんに言われて、黙った。保育園までは、オレ、そう言われても「うん」って頷いてたらしくて、今でもそのことを親戚《しんせき》が集まるたびにバラされるんだ。

「真空は、りえと結婚するって言ってるのよ。よかったわねえ、りえ」

昔はそうだったかもしれないけど、今、オレ、もう小二で、そんな小学校入る前のことなんかよく覚えてねえよってキレそうになる。

他の親戚にからかわれるからやめて欲しい。ムカつく、ほっといてくれよって思ったけど、りえちゃんが「うん」と笑って頷いたから、ドキドキした。

実際、オレは、将来自分が結婚するならりえちゃんなんだろうって思ってたんだ。

りえちゃんは、お母さんの四歳下の妹だ。三十三歳で、駅前にある大きな薬局で働いている。仕事は、薬剤師。

オレのやってるRPGにも出てくる職業。『ちょうごう』っていうコマンドを選ぶと、これまで手に入れた材料からいろんな薬が作れるっていう『やくざいし』。りえちゃんそれなの？　って聞いたら、嬉しそうにしてた。りえちゃんもゲームが好きで、オレたちはよくマルチプレイで一緒にレベル上げしたり、お互いの持っていないアイテムを交換し合ったりしてた。

薬剤師は、現実には、大学に行って難しい勉強をしなきゃなれない職業で、りえちゃんはよく親戚から「すごいね」って言われてた。「りえは昔から頭のいい子だったから」って。おばあちゃんやおじいちゃんは、そう言われるたび「これで早くお嫁に行ってくれれば安心なんだけどねえ」って言ってて、オレのお母さんは妹をかばうように「悪気はないんだろうけど、そういう言い方は時代錯誤だ」って顔をしかめていた。

当のりえちゃんは「別にいいよ」って暢気《のんき》そうに言うだけ。

「平気だって。私、仕事楽しいし、資格さえあれば、この先食べてくのに困ることなんかないだろうし」

りえちゃんは、キャリアウーマンなんだって、うちのお父さんとお母さんは言う。ドラマや本に出てくるキャリアウーマン。姿勢がまっすぐで、かっこよくスーツを着て、ハイヒールでかつかつ歩く女の人たちと、りえちゃんが同じ？　しっくりこなかったけど、そういうものらしい。

スーツも着ないし、薬局に行っても白衣姿。何年も前からずっと同じ鞄《かばん》や靴を捨てずにいつまでも使ってて、セーターに穴が空いてるのをうちのお母さんに指摘されてようやく着替えるようなりえちゃん。お化粧もしないし、髪型だって、伸ばしっぱなしの長い髪を束ねてて、下ろしたとこなんかほとんど見たことない。家にいる時はユニクロで買った部屋着のセットを着てて、休みの日なんか、昼間でもずっとその恰好《かっこう》だから、「それはパジャマなの？　服なの？」って聞いたら、「うーん。その境目は極めて曖昧《あいまい》」という答えが返って来た。

「年頃なのに、おしゃれの一つもしないで困る」とお母さんはよく言ってたけど、りえちゃんは「その分、貯蓄に回してるから問題なし」と、そっけなかった。

「ママたちと同居してるから家賃も必要ないしさ。大丈夫、結婚なんかしなくても、真空が大きくなるまでには、その貯蓄を元に一人でマンションでも買うよ」

うちのお父さんはお婿さんなんだって。

オレの家は、お母さんの方のおじいちゃん、おばあちゃん、お母さん、お父さん、オレ、りえちゃんの六人家族。生まれた時からそうだったから、特に何とも思ってなかったんだけど、最近になって、普通の家は、お父さんの方のおじいちゃん、おばあちゃんと暮らしてることの方が多いんだって聞いた。

「マスオさん状態」って、友達の家に遊びに行った時、その家のおばさんに言われた。

「そうかあ。真空くんのおうちは、お父さんマスオさん状態なんだ」

サザエさんちなら、オレも知ってる。うちはあんなにたくさん子供がいないから、違うのにって不思議な気がした。

結婚する気配がないりえちゃんは、確かに本やゲームソフトくらいにしかお金を使ってないように見えた。だから、オレともよく遊んでくれたし、「この家で一番気が合うのは真空」って言われるたび、嬉しかった。オレが大きくなってもこの家を出てかなくていいよって教えたかったけど、そんなふうにわざわざ口にするのも変だから、やめといた。そんなこと言わなくても、きっとずっとこのままなんだろうって、思っていたからだ。

だけど、りえちゃんは東さんを連れてきた。

東誠《まこと》さん。りえちゃんと同じ薬局で働いてる男の人。

「東くんの提案なの」

衣装とカチューシャを見せ、東さんに微笑みかける。東さんは「あ」と呟《つぶや》き、頷《うなず》いた。もともと、この人はうちの家族の前であんまり喋《しゃべ》らない。東さんの目が、オレを見た気がした。少し、気まずそうに。オレはたまらなくなって顔を伏せ、そっちを見ないようにした。

白雪姫をやろうよって言ったのは、東さんから。

考えると、頭がぐるぐるしてくる。おなかはさらに痛くなってくる。国語で教科書を席順に読む時、一つ前の子まで来て、自分の番を準備してる気持ちを百倍にした感じ。嫌な気分だった。

りえちゃんが、机の隅にカチューシャを置く。

「へえ、東くんやるじゃない」

お母さんたちがおだてるように言っても、東さんは「あ」とか「はい」とか短く答えるだけで話は長く続かない。その分を補うように、りえちゃんが続ける。

「髪型も、白雪姫やるからこそ黒髪にしたのよ。お色直しで替える時も、時間がかからないようにって、白ドレス用の髪型をこのカチューシャに合わせて考えて……」

白雪姫のトレードマークみたいな、赤いリボンのカチューシャ。

「そろそろお嬢様のヘアメイクに入ります。お母様たちも、どうぞ別室で準備に」

入ってきた係の人に言われて、オレたちは頷き、邪魔にならないよう、部屋を出て行こうとした。

りえちゃんが「ないっ！」って血相変えて騒ぎ出したのは、そのすぐ後だった。

りえちゃんは、机の下や、メイク用品の陰を必死になって探してた。悲鳴みたいな声を上げる。ない、ない、ない。カチューシャがない。

「そんなはずないでしょう？　きちんと見たの？　さっきまであったのに」

「ないの。ないのよ、ママ、お姉ちゃん」

かがみよ、かがみ。

りえちゃんの向かいにある大きな鏡の中の自分と、出て行く時に目が合ったから、心の中で呼びかけてみる。白雪姫のママハハは、何か知りたいことを聞く時に呼びかけるけど、オレはお願いするような気持ちだった。

かがみよ、かがみ。どうかりえちゃんを幸せにしてください。これ以上、泣かさないでください。

「向こうに行ってようか」

お父さんがオレの顔を覗《のぞ》き込んで聞いた。オレは頷いた。できることなら、確かに早くここから離れたかった。

出て行く時も、部屋の中ではまだ同じやりとりが続いていた。りえちゃんが「どこいっちゃったんだろう」と話してる。横で、東さんが困ったように立っていた。どこを探したらいいのかもわからないように。

少しして、お母さんが部屋から出てきた。オレの手を握り、独り言のように「りえの完璧《かんぺき》主義にも困ったもんだわ」と呟く。お父さんが言う。

「さっきまであったんだろ？　誰かが持って出たんじゃないか？　式場の人もだいぶ出入りしてたみたいだし」

「だといいんだけど。でも、それにしたってたかがカチューシャよ。ないならないで、あの子以外誰も気にしないわ」

そうだろうか、とオレは思った。

花嫁の部屋を後にして、お母さんたちと一緒に歩いていく。中では、りえちゃんがまだ、東さんとの結婚式で着る白雪姫が完璧にならないって、泣きそうな顔で困ってるのかと思ったら、胸がじん、とした。

「りえちゃんがお嫁に行っちゃうの、寂しいか」

オレの左手を摑《つか》んだお父さんが尋ねる。オレは「別に」と答えてから、「ねえ」とお父さんとお母さん、両方の顔を見上げて言った。

「りえちゃんは、このまま東さんと結婚していいの？」

本気で言ったつもりだった。

だけど、オレの声を受けたお父さんたちは苦いものでも食べたような、心底嫌そうな顔をした。お父さんが答える。

「いいに決まってるじゃないか。今日、指輪渡す時にきちんとおめでとうって言うんだよ」

「でも」

「りえちゃん、お前がリングボーイやってくれるの、すごく嬉《うれ》しいって言ってくれただろ？」

お父さんが、今度はお母さんに顔を向けた。小声で言う。

「……お前やお義母《かあ》さんが、いつまでも変なこと言ってるから」

「何よ。話し合って、きちんと認めることに決めたわよ。今だって、きちんと東くんと話してたでしょ？」

お母さんがオレを睨《にら》んだ。

「真空も、いまさらおかしなこと言わないで。りえは幸せなんだって」

今日、全身黒で固めたお母さんは、白雪姫に出てくる王妃みたいだ。睨むと怖い。首と袖《そで》と、スカートの裾《すそ》に入ったレースまで黒い。魔女みたいだ。

オレは、ピカピカに磨かれた自分の靴を見つめて、こんなの履きたくなかった、と思う。サイズが大きくて、指先が余ってる。ぶかぶかだ。

顔を上げると、りえちゃんじゃない、別の花嫁さんが同じくらいの背《せ》恰好《かっこう》の女の人と一緒に美容室を出て行くのが見えた。長いベール越しに一緒にいる女の人の顔が見えて、はっとする。姉妹《きょうだい》だろうか。

二人は、双子みたいにそっくりな顔をしていた。

お母さんが魔女みたいな恰好だったり、りえちゃんが白雪姫になろうとしてたり、そっくり同じ顔の花嫁さんがいたり——。なんだか、今日はおかしな日だ。この建物もダンジョンみたいにやたら大きいし。

「ジュースでも飲みに行こうか」

お父さんに連れられて、エレベーターで下の階に降りる。お母さんは自分の準備をしに行ってしまった。

玄関の前のレストランみたいな場所で、ふかふかの椅子に座って、ジュースを飲んでいる時、ふと奥の席を見たら、不良みたいなお兄さんが座ってた。見て、思わずぎょっとして、それから慌てて顔を逸《そ》らす。瞼《まぶた》の上と、耳と、唇に金色のアクセサリー。お父さんたちと同じスーツ姿だけど、明らかに雰囲気が違う。一人でつまらなそうな顔をして新聞をめくって読んでる姿が、この場所から変に浮き上がってて目立つ。

どこに行っても安心できる場所がない気がして、オレは俯《うつむ》きながらストローを噛《か》んだ。

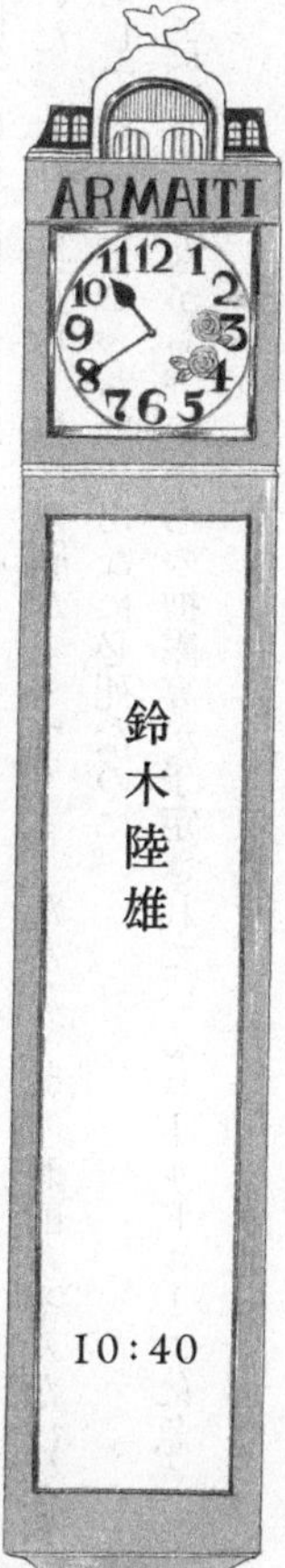

帽子をかぶったままにするかどうかを、ラウンジの前を通る時、一瞬迷った。

ボストンバッグはいい。何しろここはホテルだ。泊まり客だと誤解してもらえるように、中味を膨らませてきた。だけど、帽子よりグラサンの方がそれらしかったかもしれない。持ってこなかったことを後悔する。

盛大に花が盛られたラウンジで、平和そうに正装した親子連れがジュースを飲んでいた。それを見たら、無性に腹が立ってくる。なんだって、お前らそんなに気楽そうにしてるんだ。こっちはこんなに必死なのに。

舌打ちをしながら、俺たちの披露宴が予定されているゴールドルームに急ぐ。


貴和子と初めて会ったのは、ライブハウスだった。

高校を卒業した俺はその頃フリーターで、バイトを転々としながら、高校時代からのメンバーのままバンド活動を続けていた。それぞれ大学や専門学校に進学しても、就職しても、リーダーの呼びかけで可能な限り続けようということになっていた。

その人望の厚いリーダーは、俺の親友で高校時代からの同級生だった伸《しん》。同い年だというのに当時から落ち着いた雰囲気を持ったやつで、俺たちがまとまってたのはひとえにこいつのおかげだったと思う。余裕があって、話しやすくて、大人。ボーカル担当。曲を書いてるのもこいつで、俺は頼まれて歌詞をつけてた。

その頃も今も、周りを見回すと世に数多《あまた》いるバンドやグループは総じてボーカルが一番顔が良く、人気が高いことが多かったが、俺のいる場所はいつも違ってた。伸は甘く優しい顔をしてるけど、おとなしそうな印象だったし。俺がドラムを叩《たた》くせいで、俺のバンドはいつだってドラムが一番人気。場の中心はいつだって俺。自惚《うぬぼ》れでもなんでもなく、単なる事実としてそうだった。やたら顔のいいドラムがいるってことで、別のバンドから引き抜きの話だって結構来た。ヴィジュアル系全盛期って言われた頃で（でも、今考えれば数年に一回全盛期って来てる気もする）、メンバー全員のル[illegible]準以上で固めることが当たり前みたいな風潮だった。

[illegible]その下の泣きボクロが女好きするんじゃないかって当時の女の誰かに言[illegible]「軽薄なホスト顔」って呼ばれたが、俺はそれを賛辞としてありがたく頂戴《ちょうだい》していた。

合コンも飲み会も、あの頃は本当一生分って感じでよくやった。ひどいこともしたし、それなりに面倒にも巻き込まれたが、いつもごまかし、逃げ切って、大きい問題は起こさず済んできた。

昔から、そういうことに関しちゃ俺はやたらと要領がよかった。信じられない漫画のような偶然が味方して、乗り切り、逃げおおせたこともたくさんある。

中学の頃、どうしても嫌なテストがあって、どうにかしてくれって念じてたら、学校に雷が落ちて小火《ぼや》騒ぎになり、しかもそのせいで電気系統が一切プッツンと遮断されて、学校がしばらく休みになった。横には避雷針だってあったのにそうなった。俺の、テッパンでウケが取れる飲み話。テストは結局うやむやになって、実施されなかった。

あと、マラソン大会の前日に急に倒れて、病院に運び込まれたら盲腸だったり。手術が痛いことに変わりはないわけだけど、どうせだったら、何か面倒なことを避けられるタイミングと重なった方が得に決まってる。

そういうことは多々あって、俺は自分をラッキーマンだと思っていた。思い込みかもしれないけど、そういうふうに自分に言い聞かせているからこそ成功できることが世の中にはたくさんある。自分を信じてるからこそ、うまくいく。自己啓発セミナーのあおり文句みたいだけど、実際身をもって知ってる俺には頷《うなず》ける。

貴和子にその日出会えたことも、俺が自分で呼び寄せた幸運の一つだったと思って

俺の[illegible]に出る少し前から、会場に立ってる貴和子の存在には気づいていた。俺た[illegible]催の、五組が順に出演する形式のライブだった。[illegible]の頃決まって来てくれてたファンたちの中で、貴和子は圧倒的に露出度少なめな、地味な恰好をしていた。汗を吸わないシルクみたいな素材のブラウスに、くるぶしの少し上まである長いスカート。右耳の後ろで留めた長く黒い髪の毛が、清楚《せいそ》系って感じで珍しかった。お嬢さんって雰囲気だ。

友達に連れて来られたんだろうか。音楽への乗り方がわからないように、横の女の子が派手に頭や腰を振ってるのを恥ずかしそうに見ている。控えめに少しだけ、戸惑うように体を揺らしていた。

周りにいないタイプだから気になった。普段付き合うのも遊ぶのも、勝ち気な美人か、若さが弾《はじ》けるのに任せたようなマスカラゴテゴテのギャルたちばっかりだから、あんな触れたら折れそうな女もたまにはいいな、と思ったのがきっかけだ。どのバンドが目当てで来たんだろう。

自分たちの出番が終わってしまえば、あとは終わりまで他の客と同じようにステージを見る。全部終わったところで、そのまま打ち上げになだれ込む予定だった。俺たちよりずっとよくない（と当時は思えて仕方なかった）別のバンドたちの歌を聞きながら、ふっとステージから見えたあの子を気にしたら、一人きりで後ろの壁に寄りかかってぼんやりとしていた。もみくちゃになるほど人が入ってるわけでもないのにブラウスに皺《しわ》が寄ってる。照明の光に照らされる顔が青白く見えた。

「大丈夫？」

つい、寄っていって声をかけた。

その頃も、俺には彼女がいた。だけど、つい習性のように声をかけてしまう。癖のようなものだ。

たとえば合コンに行くと、自分に彼女がいようといまいと、女たちの中にタイプがいようといまいと関係なく、その場で一番かわいい子を落としたいと思ってしまう。たとえレベルが低かろうが、この中だったらコイツかな？　ってのを早々に狙い定めて、落とす。誰からもモテない、持ち帰れないってのはプライドが許さない。その場で一番価値があるものは、常に俺の方を見ていて欲しい。一緒に合コンに出かける男友達からは評判の悪い俺のこの狩猟本能を知っていてなお、あいつらだって俺を誘う。理由は二つ。顔がいい俺がいると、男側のレベルがそれだけで高く見えるからだ。あいつらにだって意地がある。

もう一つの理由は、伸だ。うちのバンドのリーダーは面倒見がいいし、長い付き合いだから、高校の時から俺の性格も癖も習性もよく知ってる。その上で俺を見捨てもせず、ただ「陸雄は仕方ねえなあ」って見守ってきた。他のメンバーと俺が揉《も》めた時も伸が「まあまあ」って間に入ると、全てが丸く収まってしまう。飲み会も合コンも、こいつが俺を外すことを嫌ったのだ。きちんと平等に仲間扱いすることをやめなかった。あの頃たくさんきた別のバンドへの引き抜きの話を俺が全部蹴《け》ってたのは、伸のせいだ。こんなよくできた友達は、俺には過ぎた持ち物だと感じていた。

そしてその一方、俺はほとほと自分の女関係の方にはうんざりしてた。絶望してたと言ってもいい。昔から容易《たやす》く手に入って、ほとんど思い通りにならなかったことがない。いずれ捨ててしまったり一回限りだったりはするけど、やりたいと思ってやれなかったことはない。彼女とうまくいかなくなってもほどなく次が見つかるし、去ってった女にはプライドを傷つけられて腹は立つけどそれだけだ。惜しんで追う気になった女なんかいなかった。

恋愛に夢中になれない分、引き出せるものはすべて引き出してやろうと、女たちには金も借りてたし、相当だらしなかった。それも全部、絶望してたからだ。

男友達だってバンド活動だって、強い執着がないのは女と同様で、長い付き合いなのは優しい伸だけだ。それ以外は惜しくない。

貴和子に声をかけた時も、きっと落ちるだろうと確信していた。このままだと、誰かがこの女に本気になって声をかけるだろう。その誰かの可能性の芽を俺が先に摘んで食っておこう、くらいの気持ちだった。何しろいい気になってた俺は、一番じゃなきゃ嫌だった。誰かが俺を差し置いていい思いをするのは面白くない。

その時付き合っていた彼女に「あなたの闇はブラックホールすぎる」とかなんとか言われてムシャクシャしていたタイミングでもあった。どうせ頭悪いんだからそんな詩的な表現使うことはないのに、耳慣れない言葉を使ってみせたがる態度に嫌気が差した。

——いずれ、きっと不幸になるから。人に執着できない、誰のことを裏切っても平気な、今のままじゃ。

呪いのように、ライブの前だっていうのに言われた。

身内の前では照れくさく、思い切りドラムに集中できないという理由で、彼女には毎回ライブに来ないよう釘《くぎ》を刺していた。今も、会場のどこにもいない。身内だなんて、あいつのことを思ったことはないけど。

貴和子は白いレースのハンカチを口元に当てていた。俺に話しかけられて、驚いたように肩がすぼまる。緊張したのか、顔にも腕にも力が入ったのがわかった。

「すいません。大丈夫です」

俺の好きな女優と、声が似ていた。

「本当？　顔色悪いけど、ひょっとして、こういうところ初めて？　一緒に来た友達は？」

「あ、初めてで、一人で来て──」

貴和子が、ゆっくりと俺を見る。観察するような目だ。ひょっとして俺のファンなのかも。こんなおとなしそうな子がこういう騒々しい場所に来るのは勇気もいったろうに、と健気に思いかけたところで、彼女の視線がふっと俺の後ろに飛んだ。

「お兄ちゃん」

「え？」

「陸雄。何、人の妹ナンパしてんだよ」

背後でした声に振り返ると、人の良さそうな顔に苦笑を浮かべた伸が立っていた。え、え？と交互に二人の顔を見つめ返す俺に向けて、伸が「俺の妹、貴和子」と紹介する。

「貴和子、これが陸雄」

「初めまして。いつも、兄から聞いてます」

兄が来たことで気持ちが緩んだのか、貴和子が初めて笑顔を見せた。まだ顔色は悪かったが、彼女の頰にできたえくぼが一気にこの場の空気を暖めるように感じた。

演奏と演奏の合間。前のステージで、別のバンドがどうでもいいMCを語ってる。

「妹って、お前……」

「全然似てないって言いたいんだろ？　よく言われる」

伸が笑った。

妹がいるという話くらいなら、聞いたことはあったかもしれない。だけど、予想外だった。伸とはタイプがまるで違う。

「年離れてて、まだこいつ高校通ってんだよ」

伸が続けた。

「しかも礼華女子。頭いいんだ。癪《しゃく》なことに」

「そんなことないよ」

照れたように首を振る。それから今度こそしっかり俺の顔を見つめ、貴和子がぺこっと頭を下げた。

「改めて、いつもお世話になってます。うちのお兄ちゃん、マイペースだし、天然ボケなとこあるから大変でしょう？」

「いや、そんなことないよ。お兄ちゃんにはマジ、俺の方が世話んなってて」

「本当ですか？」

「何だよ、陸雄。今日はやけに持ち上げるな」

伸が満更でもなさそうに言う。

「貴和子、気をつけろよな。こいつ、相当な女ったらしだから。いいヤツなんだけど、そこだけはほとんどビョーキ。陸雄。一応言っとくけど、手出すなよ」

「バカ、心配するなって」

「でも今声かけてただろ」

「かわいい子がいたら声かけるのが礼儀だろ？　仕方ないじゃん」

当たり障りなく笑いながら、俺はその時すでに貴和子には妙に惹《ひ》かれていた。

高校生。礼華女子。県内一のお嬢様学校の生徒は、このライブハウスには似つかわしくない。——そして、伸の妹。

親友の妹、というのは、普通だったら高いハードルになるのかもしれない。だけど、俺には逆だった。何しろ俺は絶望していたのだ。手に入ってしまう女たちにも、誰にも執着できない自分にも。

「もう、やめて…お兄ちゃん。陸雄さん、困ってるよ。私がね、気持ち悪くなってたのを気…てくれただけなの」

…を振る仕草が、男に全く慣れていない初々しいものに感じられた。

…からかってみたい気分になる。

…いいね、貴和子ちゃん。仲の妹だなんて、まだ信じられない」

…とうございます。でも、お世辞はやめてください。誰からもそんなこと、言…ことない」

…れ、女子校だからだって。親や兄ちゃんがさ、心配してわざと入れたんじゃない？　共学だったら今頃きっとすさまじいモテ方してるよ」

「そうかなぁ？　陸雄さんの褒めすぎだと思うけど」

気分が悪くなっていたのは、見知らぬ場所への気後れもかなりあったのかもしれない。砕けた口調になった彼女の唇にうっすらとピンク色が差し、彼女が本来の顔つきを取り戻していく。化粧もしてないのに、睫《まつげ》だってすごく長い。

「陸雄さんって面白いですね。お兄ちゃんから聞いてた通り」

微笑む顔を見て、脈はあると感じた。

とはいえ仲の妹だから、俺だってすぐに動けたわけじゃない。

いいなと思ったけど、それだけで手を出すにしちゃリスクが大きすぎる。だけど、貴和子はそれからも何回かライブ会場にやってくるようになった。時には制服姿のまま、友達を連れて。大きな赤いリボンのセーラーは彼女によく似合ってた。若いから、女子高生だからいいと思ってるわけじゃない。その証拠に、連れてくる横の友達の誰より、貴和子は断然輝いて見えた。

「通訳の仕事がしたいんです」

話しかけるうちに教えてくれた。

から今、英語を頑張ってて。大学も東京の語学系に行きたい」

、行っちゃうの？　やめなよ。寂しいじゃん」

「寂しに強引なことを口にする俺に対し、顔を赤くして「え」と言う。困ったよし」

いでし。陸雄さんの周りにはいっつもかわいい女の人が他にいる
「どうだっていい、そんなん。貴和子ちゃん以外は全員同じ顔して見えるし。俺、付き合うんだったらギャルは嫌だね」

貴和子はますます困ったように顔を俯《うつむ》け、話題を転じた。

「お兄ちゃんのバンドの歌詞は、陸雄さんが書いてるんでしょ？」

「ああ、全部じゃないけど」

「私、いいと思う」

ふんわりと笑う。騒がしく暗いライブハウスで、貴和子のいる場所だけに別の光が差すようだった。彼女が本音で言っているようで、意外に思う。

「どこがいいと思うの？」

単に乗りだけで選んだ言葉を適当に組み立て、ヒットチャートに上る流行の歌から単語を借りて作ってる自覚はあった。伸の頼みだし、このバンドにいたいから引き受けてるけど、才能なんてあるはずがない。俺に近づくのが目的の女たちが口先だけで「かっこいい」と褒めることがあるけどそれだけだ。意味なんてないに等しい。

「陸雄さん、絶望してるでしょ」

貴和子が言った。黒目の大きな、くっきりとした二重の目が俺をまっすぐ覗《のぞ》き込んでいた。反応が遅れた。絶望は、誰にも見抜かれたことがない、だけど俺が自分を表現する時に必ず思うキーワードのようなものだったから。

煙草を取り出しかけていた手が止まる。顔を引き攣《つ》らせた俺に、貴和子が再び言った。

「絶望と孤独。感じるの。陸雄さんの歌詞、空っぽだけど、きちんとわかる」

「空っぽ」

苦笑してしまう。それも誰にも指摘されたことがない。貴和子が「うん」と遠慮なく頷《うなず》いた。

「否定させない。空っぽでしょ。不愉快にさせたらごめん。だけど、私はそこがいいと思ってるから、これ褒め言葉だよ」

そう言って離れようとする彼女を「貴和子ちゃん」と呼び止める。彼女が振り向いた。夢中で頼んでいた。

「今度、歌詞を英語に訳してもらうのとか頼める？　俺バカだから英語全然できなくて」

「いいよ」

貴和子が頷いた。

「それと、歌詞見てて、陸雄さんが好きかもって思った心当たりの詩集がいくつかあるから、今度貸します。本読むの、嫌いじゃなければ」

「嫌いだけど、全部読むよ。貸して」

貴和子がふっと笑って「ええ」と呟《つぶや》く。

ダメになる人生の岐路には、転落を防ぐストッパーのような存在がきちんとその時々どこかで現れると聞く。昔、そんなことを歌ってる歌手がいた。

だとしたら、貴和子は運命の女なのだと、その時に確信するように思った。

これを逃したら二度と出会えない、俺の救いの女神。全身に電流が走ったように、やられてしまった。

こいつしかいない。

「お前の妹、すごいな」

伸に伝えると、「だろ？」とヤツが頷いた。

「俺より頭の回転速いから困ってんだ。だけどお前、手出すなよ。あれでもうちにとっちゃ大事な箱入り娘なんだ。俺、親からは不良扱いもいいとこだから、本当なら貴和子がここに来ることだって、うちじゃタブーなんだ」

「誰が手ぇ出すかよ。お前の妹なんか」

はぐらかすように笑う。「だよな」と伸も頷いた。

背筋にひやっとしたものが流れる。覚悟を問われている気がした。いつものように軽い気持ちじゃなかったし、遊んでおしまいってわけじゃない。だけど、それでも、動き出せないと感じた。こんなことは、初めてだった。

その頃、深夜のテレビ番組で大御所のお笑い芸人が、素人のカップルを何組か呼んでなれ初めや付き合い方を聞いたり、互いの秘密をつっつき合ったりするトークショーをやってた。

幸せでいっぱい。こんな相手に初めて出会った。付き合いたてで本当に楽しい。絶対に結婚する。

頬をバラ色に上気させて語る男にも女にも、司会の芸人が訳知り顔で告げる。

「今、楽しいやろ？　そうやろ、そうやろ。誰でも十代の頃、『もうこいつしかおらん』いうぐらい、夢中になる相手に出会うもんなんや。せやけどな、年取ってから振り返ってみると、あの頃良かったなあと思う反面、その時のこと薄っぺらかったり、よう見えてくるもんなんよ。だからこそ、君らは今を大事にせなあかん」

芸人の言葉は、素人カップルたちに届いてるかどうかは謎だった。今しか見えてないんだから当たり前。互いに別れることなんて考えないのだから、「あの頃は良かった」なんて懐かしむことなんか、きっとないと思ってる。

そういうの、いいなって思ってた。別れることなんて考えない、ずっと互いに連れ添ってくっていう腹が決まったカップル。いつも別れることが前提の俺とは違う。

貴和子とだったら、そうなれる気がした。きっと絶対、大事にする。

結婚してもいい、結婚したいと感じたのだ。

加賀山妃美佳

10:40

はーい、チーズ。

カメラマンが、手を上げます。

親族が並んでの、両家の記念写真。新郎新婦の横に立つのは、それぞれの両親で、私は鞠香のすぐ後ろに立っていました。

秋の陽光が差し込む窓の向こうに、枯れ葉がふわりと舞うのが見えて、私はすうっと息を呑《の》み込みました。

「花嫁さんは双子だから、そうやって並ぶとどっちがどっちかわかんない写真になるねえ」

ウェルカムドリンクですでにほろ酔いの口調になった、映一さんのおじさまが、背後から声をかけてみんなを笑わせました。私と鞠香も、顔を見合わせて笑います。

いつの間にか、何というきっかけもなく始まった私と鞠香の歴史にも、途中、事件はあります。

たとえば、中学三年生の、桜舞うあの日がそうでした。鞠香と私はいい具合に距離を取れるように別々の中学に行ったのはやはり正解で、鞠香は私の世話を焼こうにも部活や生徒会活動(中学でも、鞠香はやはり中心人物だったのです)が忙しかった。私の学校の様子を尋ねたり、心配はしていましたが、過度に首を突っ込むことはありませんでした。

鞠香から聞く共学の公立中学校の話と比べて、女子校の時間は穏やかでした。女同士がエゲツなく熾烈《しれつ》なものだというのは、型に嵌《は》まった幻想です。異性の存在がなければ、女の世界は平和なのです。

鞠香が心配して手を回してくれるまでもなく、「しめられる」なんてきわどい文化も薄かったし、女同士、互いの裸への恥じらいが薄まり、無頓着《むとんちゃく》になるという意味においては確かにエゲツないかもしれませんが、それだけです。夏の暑い日、だらだらとスカートを派手に捲《まく》り上げ、互いに下敷きで扇《あお》ぎ合ったりするような、ただそれだけなんです。

日曜日でした。

私は珍しく、眼鏡を外していました。レンズが片方ゆるんで取れてしまい、近所の眼科に持っていったのです。

視界はぼやけていましたが、よく知っている道だったし、不安はありませんでした。

眼科では、せっかくだからこの機会にと、眼鏡を作りかえることになりました。臙《えん》脂《じ》色のセルフレームの、今までよりずっとおしゃれなタイプです。レンズも、今までより軽く薄くなると説明を受けて、とても嬉《うれ》しかったのを覚えています。

いい気分のまま、公園に寄りました。ただ、何となく。桜が咲いていましたが、それを見るためというロマンティックな理由でもありません。桜はただ季節になると咲くもので、今は大好きですが、その頃の私には、まだありがたみなどなかったのです。

ぼんやりと、人気のない場所でしばらくベンチに座っていました。

誰かがつけてきていることも、見られているということすら、私は感じませんでした。

制服姿の男の子でした。

ベンチに座った私の前を、彼が通る。自分には関係のない通行人の一人だと、ぼうっと見るとはなしに視界に入れていました。しかし、次の瞬間、彼が急に顔をこっちに向け、私に抱きついてきたのです。混乱し、体を振り払うことも、声を上げることもできませんでした。

彼が告げました。私に向けて。

「好きだ」

あまりのことに、目を見開くことも表情を変えることもできなかったと思います。ただ、唇だけがあっという間に乾きました。自覚できたのは、男の子の唇が私の口を急に塞《ふさ》いだからです。自分の唇の皮がかさかさで、湿り気がまるでなかったことを、覆いかぶさる彼の口の中に感じたのです。

男の子に告白されるなんて、そんな贅沢《ぜいたく》なことが自分に起こるなんて、考えてみたこともありませんでした。

とても、苦しかった。

誰かに、こんなに求められたことはなかった。

私の体を押しやるようにあたる肩が、ごつごつしていて、驚きました。私が抱き合うものの感触は、戯れに鞠香や女子校の友人たちと抱き合ったり、手を繫《つな》いだりする感触の記憶が全てです。男の子の体は、なんて女子と違うのでしょう。この背中は、硬くて、女子のようにはへこまない。

押しつけられる唇の向こうで、彼が息を止めていました。緊張して歯がぶつかり、鈍く鳴る。私の歯を舐《な》める舌が、震えていました。

それがキスだと、しばらく遅れて気づきました。

そして、それと同時に私は感謝に震えたのです。私はキスを経験した。十四歳で。

これから先、大人になって誰かにファーストキスを尋ねられた時、この年齢を、この感触を答えることができる。この先一生、たとえ、もう誰もキスしてくれなくても。

体が溶け出しそうなほど、安堵《あんど》したのです。されるがまま、私は、私の舌をそこに置きました。絡められるまま、男の子の舌に、口の中で差し出しました。

眼鏡をかけた男の子でした。視界に銀色のフレームが見えます。距離が近づきすぎてかえってよく見えないけれど、それでも、知らない顔だということはわかりました。

体が喜びに震えていることが、相手に知られてしまいそうで怖かった。彼の手が私の肩を撫《な》でるように、指を動かします。それがどこに動こうとしているのか、わかりました。私は朝つけたブラジャーが、小学校からずっと使っている古いものだったことを思い出して、消え入りそうに恥ずかしい。咄嗟《とっさ》に体を反らしてしまいたかったけど、キスが気持ちよくて、離れられませんでした。

その時でした。

息継ぎをするように、男の子が唇を私の口からずらしました。微《かす》かにこう、呼びました。

「鞠香」

鞠香は、私と違うのだろうということがわかっていました。

私の姉は、男の子から、それも、変態や痴漢ではない、私たちと同じ年頃のかっこいい男子から、きちんと性愛の対象として見られる女の子でした。

長いキスの終わりの瞬間が、互いにどんな表情だったのか、覚えていません。だけど、男の子の腕からの力が緩み、彼が私を解放しても、私は彼から離れたくなかった。奪ってもらえる、と確信していました。

彼が私の、運命の人だと。

乱れたシャツの直し方が、わかりませんでした。むさぼられた唇が、目に見えるほど腫《は》れ上がっているような気がしました。男の子が私を見て、そして言いました。

「好きなんだ、鞠香。家まで来ちゃってごめん」

私は無言で頷《うなず》きました。顔には出しませんでしたが、とんでもないショックを受けていました。

それは、鞠香がやはり「そうだった」からです。男の子と、もうこんな激しさを経験済みで、しかもそれを、私に一切明かしていなかった。彼の存在を、私は鞠香から聞いたことがなかった。

ショックはもう一つあります。

それは、彼が私を知らないらしい、ということです。これは、本当に私を動揺させ、困惑させました。鞠香は、あんなに「大好き」と言っていた妹の私の存在を、今の学校では離れがたいものとして、一体化して話してはいないということです。

私は、話していました。今の女子校で、華々しい姉の鞠香の存在を、自分のことのように話していました。

だけど、この男の子は私を知らないのです。あんなに激しく求める鞠香の大事な妹なのに、私は蚊帳《かや》の外です。

男の子が、上目遣いに、私を気にするように見ました。嫌われてしまったのではないかと、怯《おび》えているのがわかりました。

私は、今、鞠香。

いつもの眼鏡の妃美佳ではなく、男の子から視線を浴びる権利を持った、別の女の子なのです。

そう思ったら、大胆なことが言えました。

「もっとして」

男の子の体が、電流でも走ったように直立しました。見つめ合います。腫れ上がっているかもしれない私の唇には、彼の唾液《だえき》がまだついていたはずです。私の体は再びベンチに倒されました。

体が熱かった。私たちは夢中で、互いにどうしていいかわからず、それ以上には先に進めないまま、もどかしく、ただ何時間でも何時間でも、していました。桜の季節が、好きになったのはそれからなんです。今でも、思い出すと切なさに胸が焦がれそうになります。眼鏡をかけた人を今も好きなのは、彼の影響もあると思います。だって、私は彼の顔を、銀縁の眼鏡でしか覚えていない。

多分、私の初恋でした。

怒り狂った鞠香が、友達と一緒に私の学校にやってきたのは、その次の週です。どうして友達を連れてくる必要があったのかわかりません。だけど、校門のところで泣きそうな顔をしながら、先生方に頼んだのです。とても大事な話があるから妹を呼んで欲しい、と。家に帰って確認するまでは、とても待てなかったのだと言います。私はそこで、一人の男の子の名前を聞かされました。知らない名前でした。そう答えると、鞠香からさらに聞かれました。最近、誰かにキスされた？

頷くと、鞠香が放心したように目を見開きました。私を見たまま。

鏡を見るように見つめ合う私たちの表情は、けれど、全く違う表情を浮かべていました。鞠香が悲鳴のような声を上げて、泣き出しました。

「妃美佳、妃美佳、妃美佳。ごめんね」

鞠香の友達が、後ろで「あいつ、許せない」と呟《つぶや》きます。「マジムカつく」「妃美佳ちゃん、かわいそう」「信じらんない」「ストーカーだよ」「先生に……」

鞠香が顔を覆って泣きながら、私を抱きしめました。

「言えなかったんだね。ごめんね、私のせいなんだ。巻き込んでごめん」

「鞠香の彼じゃないの？」

「違う。告られたけど、断った。妃美佳、私……」

「好きな人じゃなかったの？」

尋ねる私の声は、若干驚いていたものの、自分でも不思議なほど平然としていました。その抑揚のなさに、勝手に何かの感情を読み取ったように、鞠香は、夢中で、泣き叫んで謝っています。

「違う、違うよ。あんなヤツ、好きじゃない。ごめん、妃美佳。謝って済むことじゃないけど、本当にごめん」

好きじゃない。

言葉が突き刺さりました。

彼の感触、差し出した自分の舌。もっとして、と言った私の言葉を、彼は鞠香に伝えたでしょうか。鞠香が好きじゃない彼のことを、だけど私は好きです。私を求め、触ってくれる男の子。

もう、彼に会うことができないのだ、と絶望的に悟りました。

許せない、と憤る鞠香。今日会ったばかりなのに、その妹だからという理由で、私を親しげに「妃美佳ちゃん」と庇護《ひご》下において呼ぶ、鞠香の友達。彼女たちが、きっとあの男の子から身動きを奪う。彼はもう、私に会いにくることができないのです。信じられませんでした。

私はその時まで、期待していたのです。彼と最後まで、きちんとすることを。

「妃美佳、もう、帰ろう。言えなくて、つらかったよね。びっくりしたよね」

違うのです。つらいのですが、その理由は違う場所からやってくるのです。

だけど、正しい顔して話し込む鞠香にもその友達にも、私は反論する言葉を持ちませんでした。

正義と復讐《ふくしゅう》に燃える鞠香は、学校と両親を巻き込みました。大騒ぎになりました。

私はほとんど、話をさせてもらえなかった。説明するのは鞠香です。聞かれたことに黙っていてさえ、「そうだよね？」と横で話す鞠香によって話は進んでいきます。

謝りたい、と言った男の子を、鞠香は私に会わせませんでした。彼の言葉と土下座を受けたのは、私の両親と「姉」なのです。

私は知りたかった。彼がまだ、私を抱きたいと思ってくれるかどうか。鞠香ではない私の身体を、あんなふうにそれでも愛してくれるに違いないと、確信していたのです。

だけど、その答えを知ることもなく、私は守られてしまいました。私は彼を、姉に奪われたのです。

「はーい、もう一枚いきまーす」

カメラマンの合図に、表情を適度に笑わせる時、胸が痛みました。目の前の、ベールに覆われた鞠香の小さな頭を、とても正視できません。

――覚えてる？　鞠香。

呼びかける声が届かないことを、私は知っています。

姉はきっと一生、自分が私から何を奪ったか、気づかないままでしょう。こちらを振り向かないのです。

山井多香子

10:40

美容室に向かう途中、写真室の前でフラッシュが焚《た》かれる音が聞こえた。一緒に閃《せん》光《こう》が廊下まで届く。

「……どっちがどっちかわかんない写真になるねえ」

　声が聞こえ、朗らかな笑い声がわき上がる。今日、一組目のカップルだろう。もう親族写真ということは、この後で場所を別室に移し、次に親族の顔合わせに入る。――私が担当する玲奈たちの写真撮影は、その後だ。

　腕時計を見た。

　今日の昼間の挙式は、十一時半、十二時半、一時半の、それぞれ一時間間隔。玲奈の式は二番目の十二時半。

　大丈夫、間に合う。

　ドライヤーが風を吹き出す音、ピンを一本一本台に置くカツンという金属音が響く美容室の中、問題の彼女は俯《うつむ》くように座っていた。その姿を見て、呼吸を整える。彼女の横に、蓋《ふた》が開けられた木箱が見えた。長方形の畳紙《たとうがみ》の下から、濃い緑色が透けている。

「野原《のはら》さま、申し訳ありません」

　背後から声をかけると、鏡の前の彼女がはっとしたように顔を上げた。慌ててこちらを振り返る。私は腰を落とし、彼女の目線に自分の目を合わせた。

「予約がお受けできていなかったようで、大変ご迷惑おかけしました。確実に間に合うように今手配しましたので、もう大丈夫です。ご心配おかけしました」

「いえ……」

あの大崎玲奈の親友とは思えないくらい気弱そうな、線の細い女の子だった。髪も染めた様子のない黒髪だし、パーマもかけていない。化粧もごく薄かった。眉《まゆ》も自前で、整えてはいるが、描いた様子がない。困ったように伏せた目と、力が入った様子の肩を見て、随分不安な気持ちでいたのであろうことが自然と察せられた。

電話のあるフロントと、薄い仕切り一つ挟んだ席だった。さっき若槻と電話で明け透けに話した時の「無理です」「私は絶対に話した覚えがありません」というあの子の声が、ここまできっと届いていたに違いない。

再び下を向いてしまった彼女に向け、「きれいな着物ですね」と声をかける。彼女が声を出さずに、目だけ瞬《しばた》いて私を見た。私は横に置かれた木箱に顔を向ける。

「振袖《ふりそで》ですか。着物はただでさえ水平に持たなければならないし、振袖は特に重たいから、大変だったでしょう？　ここまではお車ですか」

「あの、電車で……。私、県外から来たので」

「まあ、それは本当に大変だったでしょう！」

誇張でなく、声が出た。彼女が恐縮したように首を振って、慌てたように続ける。

「他には誰も着物の人がいないから、着物で来てくれると場が華やいで嬉《うれ》しいって、玲奈ちゃんから言われたんです。私も、他の友達だったら一人だけ着物で行くと、張り切った勘違いした人みたいになっちゃうから嫌だったんですけど、玲奈ちゃんの式なら、と思って」

「今日のスピーチも、お着物ならとてもいいと思いますよ。今、スタッフが来ますが、帯の締め方なども相談に乗れるベテランですから、希望の形があったら考えておいてくださいね」

「あ、はい」

ようやく彼女の顔に薄い笑みが差す。軽く頭を下げて、立ち上がろうとしたところで「あの」と再び彼女に呼ばれた。

「何でしょうか」

「……私、美容室に直接予約したわけじゃないんです。玲奈ちゃんに、お願いできる？って頼んで、時間も、だいたいこれぐらいって、玲奈ちゃんから聞いて。だから、きちんと予約が取れてなかったのかもしれない。すいません、自分で確認、すればよかった。ご迷惑かけて、飛び込みみたいになって、本当にごめんなさい」

か細い声が、泣き出しそうだった。

その声を最後まで聞いてから、「大丈夫ですよ」と私は大きく頷《うなず》いてみせる。

「必ず間に合いますから、心配しないでください」

花嫁、大崎玲奈の控え室をノックする。ヘアメイクスタッフの「はい」という返事を聞き、ドアを開けるまでの間に、心の準備をした。

花嫁になりたい、と願う子供がいたとしても、ウェディングプランナーになりたいと願う子供はまずいないだろう。華やかな式の、あくまでも日陰の存在。世の中では、そういう職業があること自体、機会がなければ認知もされない。それこそ自分が結婚を考えるようになるまで、知られていないに違いない。

玲奈は今、花嫁なのだ。

皆の憧《あこが》れの存在。私自身もかつて憧れ、今も夢見ているかもしれない花嫁。彼女のドレス姿を自分が正視できるかどうか、今日まで、私は心の片隅でずっと心配していた。

「失礼します」

鏡の前に座った玲奈は、すでにメイクも着替えも終えていた。純白のウェディングドレスに身を包み、大粒パールのネックレスとピアスが鏡に反射して輝いている。ほおっとため息が出た。こんな場合でも、日常の打ち合わせと違う、花嫁になった姿を見る感慨は等しく存在するのだということが、自分でも驚きだった。

「あ、山井さん」

玲奈が鏡に映り込んだ私を確認し、こちらを振り向く。

「素敵です。よくお似合いですね」

普段の乱暴に派手な化粧より、顔がずっと柔和に優しく見える。アイラインの太さも囲み方も本人の希望なのか普段と変わらないが、さすがにプロの手が入ると上品な仕上がりだった。

顔の大きさや体型、顎《あご》の形も、完璧《かんぺき》な美人ではない分、結婚情報誌のCMに使いたいくらいの自然な愛嬌《あいきょう》がある。式のために無理なダイエットをする花嫁の多くが折れそうに細い中、玲奈のドレスから覗《のぞ》く豊満な胸は逆に好感が持てる。上半身が太くて嫌だ、と最後までデコルテや二の腕を出すかどうか揉《も》めていたドレスだったが、違和感なく似合っている。

玲奈が、「ありがとうございます」と唇をすぼめ、照れくさそうに笑う。

「当日が来たなんて信じられない。今日で全部、終わりなんて」

「まだ今からですよ。楽しんでください。新郎もそろそろ準備を終えて、こちらに向かう頃だと思います。――それと、申し訳ないのですが、ちょっとお話が」

「話？」

トラブルや問題という言い方を避けて、ごく手短に予約の手違いの件を話す。話の途中、野原の名前が出たところで玲奈の表情がごく僅《わず》かだったが固まったのに気づいた。打ち合わせの日程ミスで手帳をしまい込んだ時と、そっくり同じ表情だった。野原が予約を玲奈に頼んだはずだと言っていたことについては、黙っていた。

「確認を怠ったこちらの手落ちです。申し訳ありませんでした」

「……間に合うんでしょう？」

玲奈が上目遣いに私を見た。瞳《ひとみ》の表面が微かに揺れている。

「山井さん、どうにかなりますよね？」

「もちろんです。式までには確実に」

「なら……、いいです」

玲奈が気まずそうに私から視線を外して言った。「はい」と頷く。気性に問題はあるけれど、察しが悪い子では決してない。今のやり取りだけで充分だった。

「大変失礼しました。では、また後で」

「山井さん」

部屋を出ようとして、立ち止まる。玲奈がこっちを見ていた。躊躇《ためら》うように短い間の後で、「……絶対、お願いね」と念を押された。

「はい」

謝ることも、礼を言うことも満足にできない。大崎玲奈は、そういうお客さまだ。

白須真空

11:00

ジュースを飲み終え、またりえちゃんのいる花嫁さんの部屋に戻る時、下を向いてたら、お父さんから「緊張してるのか」と聞かれた。

「今から出番だもんな」

「ん」

結婚式で、指輪を運ぶ役——リングボーイっていうらしい——を、やって欲しいってりえちゃんに言われた時、お父さんもお母さんもやってあげたらって言ったけど、オレは最初、断った。断って、他にやる子が見つからなければ、結婚式は中止になるかもしれない。りえちゃんは、あの人と結婚しないかもしれない。

りえちゃんの結婚について、オレだけが知ってることがある。

東さんは、よくない人だ。

オレは、誰にも言ってないけど、本当はりえちゃんの働いてる薬局に行った。少し遠かったけど、通ってる塾の近くだったから、自転車こいで寄ろうと思えば寄れた。一緒に働いてる東さんとりえちゃんを見てみたいと、何となく思っただけだった。

そこで見たもののこと、東さんと話したことを、オレはお母さんにもりえちゃんにも、誰にも言っていない。

話したら、今は収まりかけてる家の中のケンカがまた激しくなる気がした。りえちゃんも、また泣く。言っちゃダメだって、東さんからも、見た時、直接言われた。

オレがリングボーイを断ったのに、りえちゃんたちは予定通り結婚する、と聞いて驚いた。

「どうして」

「リングボーイがいなくても、普通に式はできるのよ。いた方がかわいいけど、真空以外の子にしてもらう気はないし」

りえちゃんが答える。

たっぷり悩んで、散々迷った末にオレはリングボーイを引き受けた。止まらない。オレが断っても、もう、全部、予定通りで止まらない。東さんの思い通りに進んでしまう。

りえちゃんが東さんをうちに連れてくる前、おばあちゃんたちは最初、「同じ薬局の人」と聞いて、盛り上がって喜んでいた。いよいよ、りえも結婚か。そんな人がいたなんて、りえ、おめでとう。よかった、これで安心。早く会わせてよ。

だけど、そのすぐ後にりえちゃんが続けた。

「私の、七つ下なの。二十六歳」

普段明るく、なんでもずけずけ言うりえちゃんの口調が、その時に限ってオレにもわかるくらいゆっくりとしていた。どう言っていいか、迷ってるような声だった。

「それと、薬局勤務だけど、薬剤師じゃないよ。同僚だけど、売り場の方」

りえちゃんの薬局には、オレも何回か行ったことがあった。白衣を着たりえちゃんたちがいる奥の部屋とは別に、入り口の近くに洗剤やジュースやカロリーメイトとか売ってるスペースがある。そこでレジを打ったり、棚を整理してるのは、白衣を着てない、エプロン姿の人たちだ。

「七つ、下？」

おばあちゃんが言う。

関係ないけど、オレはその時、七歳の誕生日を迎えたばかりだった。七つってすごい時間だ、とそのせいで思った。お母さんたちもそうだったかもしれない。りえちゃんが「そ」と頷《うなず》く。

「私が面接で採ったんだから。すごいでしょ？　恋人を試験して通したようなもんだ、かっこいいって先輩たちから言われちゃった」

はしゃいだ声だったけど、りえちゃんは今度はやけに早口だった。おばあちゃんが聞く。

「面接って、りえ、人事のことまでやってるの？」

「あ、社員じゃなくて、バイトの面接。頼まれてやったの」

おばあちゃんもお母さんも、おじいちゃんとお父さんまでもが息を詰めた気配があった。誰も何も言わない。

「来週連れてくるつもりだけど、人見知りする性格だから、みんな、よろしくね。普通でいいから。普通で」

みんなからの視線を浴びながらも、りえちゃんは誰とも目を合わせずに一口ご飯を食べた。

翌週の日曜日、みんなで、近所のお寿司《すし》屋さんでご飯を食べた。東さんと、そこで初めて会った。

人見知りする性格だからって先に聞いていたせいか、おばあちゃんたちは気を遣って、東さんにたくさん話しかけていた。

ご両親は何をしてるの、家族は、兄弟構成は、趣味は。

東さんはおとなしくて、聞かれたことにだけ短く答えていた。あ、親は、普通の会社員です、家族は四人家族です、弟がいます、趣味は映画を観ること。

あんまり質問攻めにしたらかわいそうだと思ったのか、オレのお父さんが「映画、ボクも好きなんですよ」と笑いかけた。

「家族にはあまり付き合ってもらえないんですけど、たまに一人で行ったり、好きなDVDを小遣いで買って、深夜に観るのが楽しみで。どんなの観るの？」

だけど、東さんは、お寿司を食べるのに夢中でお父さんの質問に答えなかった。自分に話しかけていると気づかなかったのかもしれない。それか、おなかが空《す》いていたのかも。「ねえ」とりえちゃんが東さんを横からつつく。

「映画、どんなの観るの？　って」

「え、あ、いろいろ」

「へえ、いろいろ……」

りえちゃんだけを見て答えた東さんに、お父さんは他にどう言っていいかわからなかったみたいだった。話題を続けるのをやめてしまう。

「りえは小さい時から、すごくしっかりしてるところと夢見がちなところが両方ある子でね」

おばあちゃんが明るく声を張り上げた。

「白雪姫やシンデレラなんかが大好きで、ディズニーランドに行くと、白雪姫の乗り物に何度も何度も乗りたがって。意外でしょう？　今もよく甥《おい》っ子の真空とビデオなんかよく観てるんですけどね。そういうものが好きだと思えないくらい、自分のおしゃれには無頓着《むとんちゃく》だし、女の子らしいものにも興味がないのかと思ってたんですけど、だけど、きちんとねえ、恋人がいるっていう報告を受けて嬉《うれ》しく思ってるんですよ」

「はい」

東さんは、おばあちゃんの声にも、一言返事をするだけだった。壁に投げられたボールが、弾まず力を失って真下に落ちるような、手ごたえのない感じ。みんながしんとなってしまうと、何か話さなきゃいけないと思ったのか、「ディズニーランドには、白雪姫の乗り物があるんだ」と独り言のように言った。「へえ、白雪姫の……」と呟《つぶや》きながら、視線をまたお寿司のおけに戻してしまう。

東さんは、お酒にもあんまり強くなかった。一杯呑《の》んで、すぐに眠くなってしまったみたいだ。分厚い瞼《まぶた》がさらにとろんとなる。りえちゃんが困ったように「何か、他の頼む？」と聞くと「じゃ、ウーロンハイ」と答え、オレの横に座ってたお母さんの顔が凍りついた。りえちゃんが驚いたように言う。

「まだ飲むの？　やめなよ。ウーロン茶ね」

お寿司屋さんを後にして、みんなして駐車場に出た時、オレは初めて東さんに話しかけた。

「ゲーム好き？」

と聞くと、東さんは首を振った。

「あんまりやらないよ」

「そうなんだ」

りえちゃんと話す時、ゲームの話は絶対出る。東さんはりえちゃんと二人でいる時、一体何の話をしてるんだろう。

うちのおばあちゃんたちと一緒だった時はあんまり喋《しゃべ》らなかったのに、りえちゃんと二人だけにわかることを話す時だけ、よく喋った。「りえ、明日《あした》さ、井上さん休みかな」

東さんが帰った後で、りえちゃんが家族みんなに「極度の人見知りでごめんね」と謝った。オレにまで。

その日の夜が大変だった。

一番キレてたのは、うちのお母さん、次におばあちゃん。おじいちゃんとお父さんは直接言わなかったけど、ずっと難しい顔をしてた。

「りえ、あの人のどこがいいの」と、お母さんがはっきり言った。

「あの人で、本当にいいの？　結婚するつもりなの？　彼、これからどうするつもりなの。一生フリーターでいいと思ってるの？」

「考えてるって言ってるよ。うちの薬局だって、正社員に上げるかもしれないし、ま

「まだ若いって、それでも二十六でしょ？　わかってる？　二十六は私が結婚した年だけど、私はもっとしっかり向こうのご両親にも挨拶《あいさつ》したと思う。だけど、あの人は呑み方も食べ方も、まるで子供じゃない。年下でもしっかりしてるならいいと思ってたけど、あんたとは合わないよ」

「そんな……。確かに、お姉ちゃんはしっかりしてたかもしれないけど、あの年の子なんて、普通、みんなあんなふうで当たり前だよ」

「りえの七年前も、ああだった？　あんな頼りない人で、本当にいいの？　人見知りって言葉でごまかさないで。人見知りと、中味がないのとは違うのよ」

お母さんがぴしゃりと言ったところで、オレはお父さんに居間から連れ出された。お風呂《ふろ》に入って、二階の部屋で寝るように言われた。だけど、お風呂場にも布団の部屋にも、声は聞こえてきた。内容がところどころ、聞き取れた。

挨拶をきちんとしなかった。

家族の前だっていうのに、りえを呼び捨てにするのはどうかと思う。

お酒を呑んだ口元がだらしなかった。

今日のお寿司代のお礼もない。

眠ろうとして目を閉じても、声と、今日会った東さんの顔、その横で困ったようにしてるりえちゃんの姿がごちゃまぜに頭にちらついて、なかなか眠れなかった。

　東さんは、悪い人じゃないんだと思う。りえちゃんを困らせようとしてそうしてるわけじゃない。だけど、うちの家族はみんな、何だかがっかりしたのだ。東さんにも、東さんを連れてきたりえちゃんにも。

　二階が静かになって、いつの間にかオレは眠ってて、だけど、トイレに行こうと二階のりえちゃんの部屋の前を通ったら、中から泣き声が聞こえた。洟《はな》を啜《すす》る音。ドアに、細い隙間が開いていた。りえちゃんが泣くのを見るのは、初めてだった。

　俺たちの披露宴が予定されている会場、二階のゴールドルームは、このホテルで一番人数が収容できる、目玉の部屋なのだという。噂だと、知事の娘や県内出身の芸能人やスポーツ選手も、同じこの部屋で披露宴をしたそうだ。
『鈴木家・三田家』

達筆な文字で書かれた入り口の表示を横目に、そっと扉を押す。

きっちりとテーブルクロスが敷かれ、キャンドルが並べられた丸テーブルが目に入る。式は夕方からだというのに、もうほとんど準備が調っている。生花までがすでに会場中に盛られているのを見て辟易《へきえき》する。夕方までに萎《しお》れたらどうするつもりだ。本当だったら、一番活《い》きのいい状態なのを直前に搬入するべきじゃないのか。文句をつけたくなったし、ご丁寧なことだ、と舌打ちも出そうになる。椅子も人数分がしっかりと用意されているようだった。――招待客の人数、ホテルに渡したリストの合計数は百九十人。

奇《く》しくも覚えのある人数だった。

貴和子と出会ってしばらくした頃、地元のテレビ局がうちのライブを取材に来ることになった。

県内で活動してるバンドを何組か観るらしい。東京で行われるバンドフェスタに、各県から代表を出すという企画があるんだそうだ。スポンサーについてる事務所のスカウトや音楽関係者も観にくるっていう話だった。

デマかもしれないが、噂が立った。客の入りが三百人以上だったら、東京のフェスに出られるし、メジャーからも声がかかる。目をつけてもらえる。誰が言い出したか知らないが、取材を前にいつものライブハウスは異様な盛り上がりを見せていた。

「三百人はムリだろー」

伸も俺も、他のメンバーも笑った。ライブハウスのマックスの人数だ。普段の客は百人にだって満たないし、俺たち以外も同じようなもの。どのバンドもせいぜい気張って知り合いに声をかけ、サクラを頼むのだろうけど、それにしたって限度がある。

プロになりたい、もっと上に行きたいという気持ちはあったけど、ムリだってこともわかってた。田舎だし、そもそも音楽ファンの人口が都心とは違うのだ。

テレビが入るライブ当日。

深夜のローカル番組なのだ。期待しない。——そうは言っても、三百人はムリだろーって笑ってても、俺たちはみんな、頼める範囲の知り合いという知り合いに声をかけまくっていた。チケットの値段を普段より下げて、勝負をかけるように、祈って当日を迎えた。やったところで効果なんてたかが知れてる。それでも、やらずにはいられなかった。

驚くべきことが起きた。

その日の客の入りが、かつてないほどの盛況だったのだ。楽屋に入る前、フロアを見て目を疑った。満員だった。そのほとんどが若い女。これが俺たちのバンドの底力なのか？　隠れファンのように、みんな団結して来てくれたのか？

その日、俺たちは、これまでにないくらい気分よくやった。やりきったと言っていいし、あんな盛り上がった気持ちいい体験は、これから先どんな場面でもきっとできない。テレビでは、五分程度しか流れなかったし、東京のフェスにも呼ばれなかった。スカウトの声もかからなかった。

動員人数は、結局二百七十人。三百人の三十マイナス。

「やっぱりあの噂は本当だったかー。少しくらい水増しして数えてくれたっていいのに、偉い人たちってのは、融通が利かないのかよ」

伸が言ったけど、顔は晴れ晴れとしていた。マイナス分の三十だって、俺たちの知り合いではない純粋なファンの人数がきっとギリギリ満たせるくらいの高望みの数字だった。ファン数の問題じゃなく、自分たちの演奏や曲のセンスの問題だってことを理解した上でそう言う伸のことが、俺は好きだった。他のメンバーが分不相応な夢を単純に口にして語ってしまう時も、こいつはどっかわかって諦《あきら》めてる。俺たちはどうしようもなく刹那《せつな》的にバカなことをやるのが好きだったけど、伸の絶望は俺と共通して、だからこそ、周りから浮いてしまい、心の底からその場を楽しむってことができていなかった。

俺たちは、親友だ。

テレビもスカウトも帰った後の打ち上げで、貴和子が泣いていた。それまでそんなに感情を見せることがなかったから、びっくりしてしまう。伸の彼女に慰められながら、チェーンの安居酒屋の端っこの席で、運ばれてきたウーロン茶に手もつけず、しゃくりあげている。

泣き方があまりに激しいから、近づけなかった。伸とその彼女が、あやすように話しかけている。貴和子はむきになったように首を振っていた。

その日の客の半分以上にあたる百九十人が、貴和子が集めた客だったと、後から聞いた。

その場では頑なに言おうとしなかったが、「聞きだした」と伸がこっそり教えてくれた。自分の学校の同級生や卒業した先輩のつてを頼って、地道に歩いた結果の数字だった。どうりで女の客ばっかりだったはずだ。

「悔しい、悔しい、悔しい」

普段のお嬢さん然とした顔を引き攣《つ》らせ、白い手に拳《こぶし》を固めて言う。

悔しいのは、人数を揃えられなかったこともだけど、一番の理由は違う。貴和子はいつまでも泣いていたという。

「お兄ちゃんの曲も、陸雄くんの歌詞も私はすごくいいと思う。なのにプロが見抜けないなんて、どうかしてるよ。悔しい」

彼女の通う、礼華はお嬢様学校。そこの教師陣には、俺たちの汚いライブハウスはきっと不良の溜《た》まり場のようにしか見えなかった。そこに大量の生徒を誘い込んだということで、貴和子は学校からも両親からも、かなりきつく灸《きゅう》を据えられたらしい。

「俺たちの実力がなかったんだから、仕方ないよ。お前が高く評価してくれてんのは嬉《うれ》しいけど、これが現実なんだ」

伸が謝ると、貴和子はこれまで見たことないくらい鋭い目で睨《にら》んできたらしい。

「そんな志だから負けちゃったんでしょ？　私は本当にいいと思ってるのに、バカにしてる。それ以上、喋《しゃべ》らないで」

周囲からライブハウスへの出入りを禁じられた貴和子が、再び俺たちの前に姿を現したのは、その数ヵ月後だった。

もう、躊躇《ためら》うことはなかった。その日のライブの打ち上げで、俺は貴和子の隣に座った。付き合っていた彼女とはもう別れていたし、身辺はきれいなものだった。

「俺と付き合わない？」

貴和子が驚いたように目を瞬かせた。横で聞いてた伸もそうで、飲みかけのビールを倒しそうになってた。普通だったら、兄貴の前でなんて言わない方がいいに決まってるけど、何しろきちんと付き合いたいのだ。堂々としていたかった。

「本気で言ってるの？」

「うん」

貴和子が「うーん」と首を捻《ひね》った。答えるまで、それから何十分もかかっていたと思う。渋い顔した兄と俺の顔をおかしそうに見つめ、はぐらかすように笑いながら、俺が諦めるのを待っている。たっぷりごまかした後で、「ごめんなさい」と言った。

「別にいいよ。諦めないから」

俺が言った。伸も笑っていた。

伸とのバンドは、それからも二年くらい続けた。貴和子があの日半ば強引に呼び込んだ客の何人かは俺たちを気に入ってくれたらしく、その後も足しげくライブに通ってくれた。

俺がバンドを抜けたのは、これまでのフリーターじゃなく、きちんと正社員になれる今の仕事に就くためだった。時間の自由が利かない小さな会社の営業職では、バンドを今のままの形で続けるのは無理だった。伸は今でも、趣味と割り切っているのかどうか知らないが、音楽を続けている。今や三十八歳。結婚して子供もいるっていうのに、もういい加減、親父バンドだ。

貴和子については、あの後が大変だった。冗談めかしてかわしてしまおうとする貴和子に、真剣なのだとわかってもらうまで、一年近くかかった。伸の許しを得るには、さらにそれ以上。ただ、貴和子が付き合ってくれるまで、俺は飲み会も女も全部断ってたし、それを別段惜しいとも感じていなかった。だって、真に特別な女と出会えたのだ。他のものなど、何も要らない。

いつかのテレビ番組の芸人の気持ちが痛いほど理解できた。ただし、あの芸人の言葉と俺とでは違うところもある。年を取って振り返っても俺はきっと貴和子と俺の出会いを薄っぺらく感じたりはしないだろう。俺たち二人は特別だ。こんなに誰かを好きになれたことはない。

貴和子の承諾の言葉は「一生、大事にしてくれるなら」。

俺はお安い御用だと請け合った。厳しい親もシスコンの兄も怖くない。その面倒まで含めて貴和子を愛せる、と快諾した。

絶対に一生離さない。

こんな子に初めて会った。こんな女、他にはいない。ペラペラと、たくさんの女に口先だけでかけてきた言葉。だけど、それを実感できたのは貴和子に対してだけだ。

――百九十人。

ゴールドルームの真ん中で、俺は立ち尽くす。奇《く》しくも、貴和子が昔俺のために集めた人数と同じ。

披露宴の招待客の人数とすれば、きっと多い方だろう。彼女の父親が地縁を大事にする性分だとかで、仕方なかった。彼女本人も会ったことのない、近所のおじさん、おばさんさえ招待するのだという。

時計を見て、ため息をつく。

どうして今日を迎えることになってしまったのか。どこかで俺にストッパーが微笑むことはなかったのか。――本当に、気がつくと今日だったとしか、言い様がない。あと数時間で、彼女がここにやってくる。おそらくは自分の両親や親戚《しんせき》を連れて。ドレスの試着も、メイクのリハーサルも、プランナーとの打ち合わせも、全部、途中で止めようとした。だけど、まだきっとどうにかなると思っていた。俺がいちいち口にしたせいでその場が面倒になる方が、心にはずっと負担が大きかった。揉《も》め事にしないで自然にどうにかなるなら、そっちの方が誰も傷つかないし、ずっといい。

結婚。

いまさら。

右胸のポケットで、携帯電話が振動する。思わずびくっと背筋が伸び、慌てて取り出す。周囲に誰もいないことを確認して、振動音を止めたくて咄嗟《とっさ》に電話を取る。顔と口元を隠すように手を当てて、トイレの方向まで忍び足で歩いていく。

「もしもし」

着信の表示は『三田あすか』。

――彼女だ。本当なら、取りたくなかった。

『もしもし、陸雄くん。今どこ？』

はしゃいだ声が受話器の向こうで言う。

『とうとう当日なんだって思ったら落ち着かなくて。陸雄くんのお父さんお母さんにも初めて会えるから、緊張しちゃう。私、気に入ってもらえるかな』

「ああ」

答える声が喉《のど》に絡んだ。

「多分。あすかなら、大丈夫だよ」

どうしてこんなことになってしまったんだろうと、頭を抱える。トイレの個室の一つに飛び込み、声を抑える。

花嫁さんの部屋の前に戻ると、前には東さんが一人で座ってた。オレとお父さんが戻ってきたのを見て、「あ」と声を出して頭を下げる。東さんは服を花婿用のに着替

えて、もうすでに支度を終えていた。急にちゃんとした恰好《かっこう》になってて、ちょっと緊張する。

「りえちゃんは？　さっきのカチューシャ見つかった？」

「それが……」

うちのお父さんが聞いた声に困ったように首を振り、閉まった部屋のドアを見る。

「どこにもないので、とりあえず他の準備を先にしようってことになって、今、中で──。僕は終わるまで外で待つようにって、出されちゃいました」

「ああ、そうなんだ。それはそれは」

お父さんが同情するように笑った。それからオレをちらっと見て言った。

「失礼して、ちょっとお手洗いに行ってきてもいいかな」

オレはえ、と目を見開いた。咄嗟に「オレも」と言いかけたけど、それより早く東さんが「どうぞ」と答えてしまう。

「真空くんとは、僕が一緒にいますから」

「悪いね、じゃあ」

お父さんが行って、オレと東さんは、部屋の前に置かれた長い椅子に隣同士になって座った。気まずくて、逃げ出したくなる。何か理由をつけて、オレだけりえちゃんのいる中に入っちゃダメだろうかと思っていたら、東さんが話しかけてきた。

「ねえ」

まるで、お父さんや、周りの人がいなくなるのを待ってたような気がした。

「真空くんに、聞きたいことがあるんだけど」

胸がぎゅっとなる。オレは目だけ上げて東さんを見た。何も、言葉を返せなかった。

「りえはさ、ようやく白馬の王子様が迎えにきたつもりでいるのよ」

東さんと最初に会ってお寿司《すし》を食べた次の日から、家族はみんな、うちのお母さんでさえ、りえちゃんと東さんの話をするのをやめた。あれだけ激しく言い合ってたのに、表向きは何もなかったみたいに、これまで通り。テレビを見て笑ったり、ニュースを見て「不景気だね」「この大臣が悪いよね」って話したり。だけど、結婚の話は絶対に出なかった。

忘れちゃったのかなって不思議に思うぐらいだったけど、オレも口止めされた。

「いい？　お母さんたちが、あの人のこと何か言ってても、それをりえに言うんじゃないわよ」

みんな——特におばあちゃんとお母さんは——りえちゃんのいないところでは、東さんのことを悪く言い続けていた。「あの人」って呼んで、名前で呼ばない。

「ママも言ってたけど、りえ、昔から夢見がちだったじゃない？　進路を決めるにも、がっちゃってる。若い男の子が向こうから来るなんて」

資格を取るにも堅実で、でもその分、やっぱり恋愛には奥手だったしさ。今だって、お化粧一つ満足にできないし、完全に受け身だったのよ。初めて告白されて、舞い上

「あの人はまた、なんでりえを選んだんだろう」

恨み言のように、おばあちゃんが言う。テレビの部屋で杏《あんず》を乾燥させたお菓子を食べながら、まるでワイドショーについて話すような感じで喋《しゃべ》ってる。

杏は、うちのおばあちゃんやお母さんの大好物だ。東京にある『あかつき』っていうお店のもので、家族の誰かが東京に行くと、大きさや味が違うもの三種類をまとめて買ってくる。お店が遠いせいで滅多に食べられないんだけど、オレも大好きなお菓子だ。

砂糖がけした小さい杏を一つ、口に放り込んでお母さんが言う。

「それが腹立つのよ。同じくらいの年の人を選べばいいのに、なんでよりにもよってうちのりえなの？　ヒモにでもなるつもりなんじゃないかって、それ考えただけで嫌になる。りえの貯金めあてとかね」

「大丈夫かしら。この間もほら、物騒な事件があったでしょ、確か埼玉の……」

「あ、保険金殺人？」

「ええ……。あとは結婚詐欺とか」

「ママ。それはまあ、ちょっと心配しすぎかもだけど」

　お母さんが首を振り、ため息を落とした。

「あの男の子はそんなことまでは考えられないわよ。自分ってものがないんだもん。なあんにも考えてないだけ。りえとだって、深く考えないで付き合ってる」

　吐き捨てるようにお母さんが言った。

「あの人が騙《だま》してるわけじゃなくて、りえが夢を見てるだけ。冷静になって欲しい。あんなの、白馬の王子様じゃないのに。絶対に幸せになれない」

　りえちゃんとお母さんたちとの話し合いは、それからも何回か行われていた。ほとんどが、オレが寝てしまった後に、大人たちだけで。りえちゃんが明らかに泣いた後みたいに目を赤く腫《は》らしながら朝ご飯食べてる日もあった。

「またケンカしたの？」

　りえちゃんにこっそり聞くと、りえちゃんはこくっと頷《うなず》いて「もう、うんざり」と呟《つぶや》いた。

「私、やっぱりこの家で一番、真空のことが好き」

「ふうん」

　りえちゃんと東さんの結婚がきちんと決まるまで、随分長くかかったような気がする。結婚してもりえちゃんは仕事をやめないこととか、式と披露宴を親戚《しんせき》も呼んでやって欲しいとか、いろんな約束があったらしいけど、結局、お母さんたちは認めたらしかった。説明されたわけじゃないけど、家の雰囲気が変わっていった。東さんの呼び方も、「あの人」から「東くん」になった。

「もう、いいわ。本人が幸せらしいから何も言わない」

婚約して、うちと東さんの家で記念のご飯を食べることになった時、お母さんたちとりえちゃんはまた少し揉《も》めていた。

「婚約指輪、ないの？」

「別にいいじゃない。結婚指輪は用意するつもりだし、婚約指輪なんて、何十万も払ったところで結局、その時だけでだんだんしなくなっちゃうもんなんでしょう？　お姉ちゃんだってしてない」

「そりゃ、普段は家事があるし、しないけど、でも、たとえばあんたの結婚式にはするわよ」

お母さんが顔をしかめた。

「格式ばったのが嫌だから結納しないっていうのも、本人たちのことだからって、ママたち、一応諦《あきら》めたみたいだけど、それでも大事な娘のことだもん。本当はきちんとして欲しかったと思うな。せめて、記念に指輪くらい」

「だから、結婚指輪は用意するってば。結婚はただでさえ引っ越しや新しい家具なんかでお金がかかるのに、生活に必要ない記念品なんかいらない。東くんには、私からいらないって伝えたの」

　結婚に指輪が必要で、お母さんとお父さんが左手の薬指にしてるのがそうらしいってことは知ってたけど、他にもいるのか。頭がごちゃごちゃになるけど、お母さんにとって、それは大事なことだったらしい。

「引っ越し費用だって、家具や家電だってあんたがもつんでしょう？　東くんにお金がないってこと、今はいいかもしれないけど、この先、何かで夫婦ゲンカするたびに、しこりとして残るわよ。あの時だって私がお金を出した、婚約指輪がなかったっていうのは」

「お姉ちゃんはそうかもしれないけど、私は気にしない。式だって、別にしなくてよかったんだから」

「親に式のお金出してもらうくせに、よく言うわよ。いい、りえ、わかってる？　うちの旦那《だんな》がただでさえママたちと仲良くて評判いいのに、これじゃ、東くん、差がついて株が下がるばっかりだよ」

「何それ。お義兄《にい》さんがいい人なのも婿養子に入ってくれたのも、お姉ちゃんの手柄ってわけじゃないでしょ」

「手柄よ」

　お母さんがはっきりと言い放った。それから呆《あき》れたように続ける。

「東くんとうちの家族がうまくやれないとしたら、それはあんたのせいでもあるのよ」

ケンカはいつも、お母さんたちとりえちゃんだけでやってて、そこに東さんが直接登場することはなかった。

家の中で言い合う声がしてると、自分が怒られてるようで嫌な気分だった。りえちゃん、もう結婚なんてすることないのにって、何回か思った。

「なんで、結婚するの？」と聞いたら、りえちゃんは「んー？」と背伸びして、「マコトくんとずっと一緒にいたいからよ」と答えた。縁側に疲れたように座って、庭を見てた。

「私のこと好きって言ってくれた人、初めてだもん」

軽く言ったように見えたのに、りえちゃんの目にまた涙が滲《にじ》んだ。パジャマか普通の服かわかんない上着の裾《すそ》で、目を拭《ふ》いていた。

マコトくん、とりえちゃんが呼ぶのを、初めて聞いた。

黙ったままのオレの目を、東さんはまっすぐに見つめた。そして尋ねる。

「こないだのこと、誰にも言ってないよね？」

答えられなかった。唇を噛《か》んで俯《うつむ》くと、東さんが、わざとらしいほど明るい声を出した。

「いいんだ、いいんだ。ただの確認。一応、ね」

笑って続ける。

「真空くんのこと、疑ってるわけじゃないんだ。だけど、ナイショにしてね」

「……りえちゃんは」

どうなるの、と尋ねようとしたところで、先回りするように東さんが笑った。そして答えた。

「白雪姫になるんだよ」

お父さんが、トイレから戻ってくる。そのせいで、そこから先はもう話が続けられなかった。

いつかのお母さんの声が、頭の中でわんわん鳴る。あんなの、白馬の王子様じゃないのに。絶対に幸せになれない。

りえちゃんに見せてもらった、白雪姫そのもののドレス。あれを着て、式のクライマックスでりえちゃんは白雪姫になる。

何が起こるのか、はっきりとはわからない。だけど、落ち着かない。このままだと、よくないことになる。

オレは、東さんが言う、「こないだ」見たものを思い出す。

薬局の駐車場、自転車置き場近くの裏口で、東さんとくっつくように笑って話していた白衣の女の人は、りえちゃんじゃなかった。もっと背が高くて、すらっとして、お化粧もしてる女の人。指の長い手を東さんの顔の前で振り動かしながら、「マコトくん」と呼ぶのが聞こえた。――りえちゃんが呼ぶのと同じ、「マコトくん」。

「りえに言うなよ」

「当たり前じゃない」

額を近づけて、東さんが女の人に言い、女の人も嬉《うれ》しそうに、くすぐったそうな笑い声を立てた。

あれはすごく、やな感じだった。

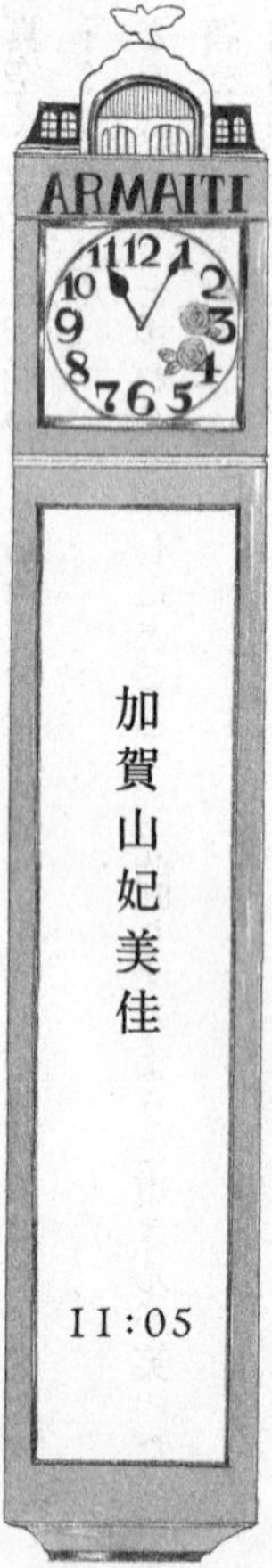

結婚式当日は、式の前も、やることが山積みです。

互いの親族を両家の父親が紹介し合う「顔合わせ」のため、私たちは写真撮影後、親族控え室に場所を移されました。

鞠香と一緒に歩きたかったけど、途中、おしゃれな雰囲気の螺旋《らせん》階段や、陽光差し込む窓辺などで、新郎新婦はいちいち写真撮影のため足を止めます。二人が写真を撮られています。

私はその姿を遠目に見ながら、時折、鞠香か、それか、ないことはわかっていますが、映一さんと自分が目が合うことがないかどうかを、期待してしまいます。

高校に進学した、後のことです。

私は女子校の高等部にエスカレーター式に進みましたが、公立中学校に通う鞠香は、どこかの高校を受験しなくてはなりませんでした。鞠香は、明るく人望がある学級委員タイプでしたが、幸いにして、勉強の成績はそこまで振るう方ではありませんでした。「幸いにして」というのは、もちろん、私にとってです。学級委員を務めることこそありませんでしたが、中学時代、私の方が勉強ができたのです。ピアノもそうですが、目に見えて勝っているものがなければ、一卵性双生児なんて、やっていられません。

鞠香の進路希望を聞かされて、私は驚きましたが、その一方でやっぱりな、という気もしました。彼女が望んだのは、私の女子校の高等部でした。内部生にとってはあっさりとした受験も、外部からの生徒にとっては狭き門になります。それでもなお、彼女は「私と同じ」を希望したのです。

「心配だし、やっぱり妃美佳の学校に通いたい」

「心配って何が」

「だって……。変なことだって、あったでしょ？　大騒ぎになっちゃったし」

言葉を濁して言う「変なこと」ですが、大騒ぎにしたのは鞠香です。おかげで私は自分の学校でも、ちょっとしたキズモノ、ハレモノ扱いです。だけど、仕方ない。無神経にならざるを得ないほど、鞠香にとって私は大事なのです。

あんなに勉強している鞠香は見たことがありませんでしたが、結果は不合格。鞠香は泣きながら私の手を取り、「寂しい」と言いました。温かい涙を手の上に受け止めながら、柔らかなこの子の肌を触りたくてたまらない男の子がたくさんいることを思って、私は彼女が羨《うらや》ましく、それと同時に微《かす》かに興奮しました。

鞠香はすべり止めの公立高校に通うことになりました。もちろん、共学です。

その頃から、家の洗面所に、鞠香の化粧品が並ぶようになりました。顔を洗う時、歯を磨く時、自然と眺めてしまいます。薄ピンク色の香水や、ブランド名の入った美容液の瓶。中には、コンタクトレンズの消毒液も並んでいます。私に数年遅れて視力が落ちた鞠香は、眼鏡と一緒に、両親にコンタクトレンズをねだったのです。ブスになる隙なんて一分たりとも残さなかった私の姉は、高校生になって、さらに美しくおしゃれにも磨きをかけていました。男の子の目もあるのですから、当然だったのでしょう。

その一方で、私は高校に入って、ますます自分に見切りをつけていました。慣れない努力をすることほど、痛々しく、みっともないことはないと思っていました。髪も、朝に一度梳《と》かすだけで、黒いゴムで一つしばりにしています。もっと気を遣えばいいのに、と鞠香に言われていました。

高校二年生の六月。

私が所属していたブラスバンド部は、文化祭での演奏準備のため、練習を重ねていました。この年、私は部内での揉《も》め事に巻き込まれました。指揮者を決める権力争いです。

私は目立つ方ではありませんし、本来なら楽器を演奏することだけに集中していたかった。私のパートはトランペットでした。中学の頃と比べて、だいぶ強い音も出せるようになり、演奏も練習も好きでした。

だけど、政治の世界の党首争いと同じように、大きな派閥同士がにらみ合っている時は、どちらにも属さないグループから中立の人間を出してしまうのが一番いい解決法なのです。私たちの学年の何人かが、私の名前を挙げました。たちまち、反対意見が起こります。何となく私を担ぎ上げた人たちは、これにより引っ込みがつかなくなって口調を激しくし、とうとう、私は自分の希望でもないのに、矢面に立たされることになりました。

反対派の女子が言いました。天然ものだと言い張る、パーマをあてた茶髪。髪をいじるのも化粧をするのも、高等部になると、当たり前に見られる光景です。

「妃美佳さんがやったら、発表がさえない印象になる」

人に嫌われることを厭《いと》わず、はっきりと明け透けにものを言うことを許された人というのが、世の中にはいるものです。

「私が代わりに指揮者をやります。発表を華やかにします」と言い張る彼女は、他校に何人もボーイフレンドを持つ、つまりは私が羨む、「そういう子」です。

指揮者の問題は、途中から私への個人攻撃へと様相を変えました。私が黙ったままでいると、言葉はどんどん遠慮をなくしていきます。様々な言い方で言葉を浴びせられましたが、要約すると、それらは全て「加賀山妃美佳は地味でブスなので、先頭に立つのにふさわしくない」ということでした。話し合いは保留のまま、持ち越されました。

家に帰って、泣きました。わかっている、理解している。日陰にいるのだとわかって、それで満足しているのにどうして巻き込まれるのだと、自分の境遇を呪いました。

鞠香が、やってきました。

私の肩にそっと置いた手が、震えていました。

私は何も言っていません。だけど、鞠香の情報網はあなどれません。私の学校にもスパイか防犯ブザーのように、鞠香の友達がたくさんいたと思います。

「妃美佳。明日《あした》、学校休んで出かけよう」鞠香が言いました。何故、彼女がこんなに何かをこらえるような表情をして唇を噛《か》み、瞳《ひとみ》に涙がこぼれ落ちんばかりにたまっているのか。理解できるけど、わかりたくありません。泣きそうになり、胸がつぶれそうになります。

鞠香は私を、自分の行きつけの美容院に連れて行きました。私の通っているところとは別の、初めて行く場所でした。

彼女が、そこで担当の美容師と付き合っていることは知っていました。私には想像もつかない世界です。美容院で座って髪を切ってもらう間、私はいつも俯《うつむ》いて雑誌を読み、その時間に耐えます。話しかけられるのは苦痛で、知らない人と当たり障りのないことを話すなんて、空々しく感じられます。だけど鞠香は軽々と相手との話を楽しみ、仲良くなってしまう。何歳も年上の美容師から口説かれ、恋人同士にだってなれてしまう。

その美容師は、私を、鞠香の他の友達と同じように「妃美佳ちゃん」と呼び、あっという間に自分の懐に入れてしまいました。背が高い、芸能人のようにスマートな男の人でした。かっこよかった。

伸ばしっぱなしだった髪を切り、丁寧にカールを巻き、生まれて初めて、化粧をしました。派手にならない、制服でも違和感がないナチュラルメイクだそうですが、鏡の中の私から眼鏡が外れ、しょぼくれて下を向きがちだった目に、輪郭ができていく。化粧というのは、より鮮やかな目でそれまでの目を、より美しい唇でかつての私自身の唇を奪っていく作業でした。

出来上がった私は、「私」を捨てていました。

息を呑《の》みました。眼鏡のない、ぼんやりした視界でもわかります。きれいだった。だけどそれは、私の知る加賀山妃美佳ではないのです。誰でしょうか。この、鏡の中の、私の身体を持つ「他人」は誰でしょうか。

「妃美佳！　やっぱり、超かわいい」

鏡を見つめる私の後ろから、すっと顔が伸びて、手が私の髪を摑《つか》みます。彼女を見た途端、叫び声を上げそうになりました。

私は今、鞠香でした。白く歪《ゆが》んで見える鏡の中には、私の姉が二人いるのです。

「かわいい、かわいい、かわいい」

鞠香が続けます。はっきりと、勝ち誇った顔で言います。

「これで、バカにされない」

美容院での別れ際、鞠香がおしゃれで大人な自分の彼氏と、満足げに笑みを交わします。触れ合う二人の手を見て、私は自分の手がじんわりと熱くなるのを実感しました。

コンタクトレンズを買いにいきました。眼球が丸いから、私たちはハードレンズ向きだよ、と鞠香が教えてくれました。「私たち」で自分の存在を括《くく》れてしまうことに、私も鞠香も、微かにいつも、気持ちが高揚するのです。

私たちは、同じ。

眼鏡店の洗面所でレンズを入れます。自分の目が、薄い異物を受け入れた瞬間、どうしようもなく、涙が出ました。

私は鞠香に、されてしまった。

放課後、部活動をしている音楽室の手前まで、鞠香が一緒についてきました。廊下で「大丈夫」と私の背を叩《たた》きます。「しっかり、頑張ってきて」と、私を送り出します。

ドアを開け、中に入った時、皆が驚きに言葉もなく私を見ていました。彼女たちは、今、誰一人として妃美佳を見ていない。胸を張って堂々と話すことができました。私をブス呼ばわりした誰よりも、鞠香であれば美しいからです。

「指揮者をやらせてよ」

人が変わったようだった、と噂されていたことを、後から知りました。イメチェンしたね、と囁《ささや》かれていたことも。

そんな、生ぬるいものでしょうか。

私はその日から、毎日、コンタクトレンズを嵌《は》めました。お化粧をしました。

それは、妃美佳を消してしまう殺人です。

「では、これより、相馬家・加賀山家の、ご親族さま顔合わせを執り行います」

会議でもするようなかしこまった場所でした。年季が入った木製の長テーブルを挟み、互いに顔を見合わせる。私の向かいには、映一さんのおじさまが座っていました。

彼は一人っ子なので、そこに座るべき兄弟がいないのです。

新郎新婦は、その中で、全員を見渡すことができるお誕生日席の位置、先頭に座る父たちの斜め前の上座に二人して座っていました。

親族の紹介に立ったのは、それぞれの父親でした。相馬家の紹介が和やかな雰囲気で終了し、続いて、私の父が、普段することのないわざとらしい咳払《せきばら》いを一つして、立ち上がりました。

「えーと、ご紹介にあずかりました、新婦の父、加賀山毅彦《たけひこ》でございます。どうぞよろしくお願いします」

父が頭を下げると、相馬家の人たちも全員、頭を下げました。父の目が上座の花嫁を見ます。そして、言いました。

「まずは、本日の主役ですね。相馬家の皆さんには、本当にお世話になります。新婦で、私の娘の、加賀山妃美佳です」

「妃美佳です。よろしくお願いします」

鞠香が立ち上がり、頭を下げました。瞼《まぶた》を伏せ、気弱そうに目を瞬く。その仕草は、私がよくやるものでした。目を潤ませ、ぎこちない瞬きを二回、マスカラを気にして睫《まつげ》に手をやりながら、します。

完璧《かんぺき》だ、と思ったら身震いがしました。今日、何度そうなったか、もう知れません。感極まって、涙ぐみそうになるほどでした。鞠香を見つめる私の視線に気づいた父が、

「ああ、じゃあ、先に」と私の方に手を動かします。

「妃美佳の双子の姉の鞠香です。花嫁とよく似てるので、さっきから、気になってる方もいらっしゃったかもしれませんね」

「鞠香です。よろしくお願いします」

私が頭を下げる時、新婦姿の鞠香が私の方をじっと見ているのを感じました。

その表情。

私を見つめる、目。首の角度、微笑み方。今、鞠香は完璧に、私です。私は首を傾げながら、鞠香に向け、自分の名前を呼びかけます。私の姉ならば、きっと妹にこう言ったに違いないのです。

「妃美佳、おめでとう！」

「鞠香、……ありがとう」

声を詰まらせ、鞠香もまた、自分の名前を私に呼びかける。瞳が潤んでいます。それを見たら、私の身体が勝手に動きました。

妃美佳がもし結婚することになったら、私はきっと大泣きする。想像しただけで、涙が出そう。昔、鞠香が予言していた通りです。

本当に感極まって、涙が出ました。

結婚式当日に花嫁として入れ替わって欲しい、という私の頼みを最初に聞いた時、鞠香は驚いた顔をしていました。本当に？　本当に？　と何度も確認します。けれど、説得の言葉はそんなにたくさんいりませんでした。

「賭《か》けを仕掛けたいの、映一さんに」

持ちかけたのは、私です。

「鞠香、泣かないで。まだ、式はこれからなんだから」

静かに首を振る鞠香の仕草が、ぞっとするほど私に似ていました。昔、ビデオカメラで撮影した自分を見た時、仕草や立ち方の癖が、やはり鞠香とは違う人間のものだ、と思ったことがありました。だけど、今の鞠香は、その時の私の理解を超えています。不思議でした。お互いの演技を、こんなに完璧にこなせることが。

私の場合は、自分のことなので納得です。あれだけ比べられ、奪われ、守られてきた「姉」。とうとう今日まで、私が自由になれなかった「姉」。

支配と守護は、お風呂《ふろ》の泡のようでした。身体を洗って水を流し、もうきれいになったと思ってふと鏡を見ると、首筋とかひかがみとか、よく見ないとわからないところに、まだ白く、石鹸《せっけん》がついていることに気づく。私はがっかりして、まだなのか、と泣き出したい気持ちで、再び、飛び込むような気持ちで水に身体をさらします。

鞠香は、そんな泡、気にしないと思っていました。完全に気にしないでそのままあがってしまうか、意識もせずにさっと流して終わりなんだと。

だけど、この、「私」のうまさはどうしたことでしょう。

控え室で最初に会った時、介添えの女性から、手袋の嵌め方、外し方、裾《すそ》の持ち上げ方のレクチャーを受ける鞠香は生真面目で、それは、今まで「鞠香」の表情として一度として見たことない、「妃美佳」でした。

嬉しくなってしまうほどでした。私が鞠香を見ていたように、鞠香もまた、私を見ていたのかもしれないと、ほとんど初めて思い当たりました。

愚かなことだと、人は言うかもしれません。

だけど、やらなければならないことでした。ずっと互いを見てきた私たちは、相手に実らない片思いをえんえん続けてきたようなものなのです。全てをかけて、お互いになりきれなければ嘘です。

映一さんは、さっきから何も私に話しかけてきません。きっと、何も気づいていないのです。親ですら、恋人ですら気づけない。改めて思い知ります。私たちの間に流れるものは、どんな血や情よりも濃いのでしょう。

自分の名前を姉の鞠香に呼びかけながら彼女を抱きしめていると、映一さんと、目が合いました。私は彼に微笑みます。姉がいつも、将来の義弟にするように。

「えーいちも、本当におめでと」

「ありがとう」

白手袋を摑《つか》んだ手を振り動かして、映一さんが言います。

ひどいことをしているでしょうか。だけど、気づかない映一さんが、誰より一番、ひどい。

私はあなたに見つけてもらえるのを、待っているのです。

本当にいいの、と何度も確認しました。

いい、と妃美佳は答えました。だから、昨夜、妹がいまさらのように告げた言葉は、私を仰天させました。

——鞠香、ウェディングドレスを着せることになっちゃってごめんね。

「本当は、自分が結婚する時に初めて着たかったでしょ？」

彼女は語りました。自分の友達の花嫁姿を見て、招待された式で感動して涙したこと。いざ自分の式のために衣装合わせをしてみたら、自分もドレス一つで彼女たちと同じ「花嫁」になれるものだと、鏡を見ながら不思議な感慨に襲われ、そして喜びを感じたこと。

最初にドレスを着た興奮と驚きは、特別なものだった。鞠香もそれをきちんと自分の式の時にこそ経験するべきだったのに、申し訳ない、と謝るのです。

「何を言うの、妃美佳」

そう答えた私の言葉に嘘はありません。むしろ、なんて見当違いなことを、と嘆き悲しむ気持ちすらありました。

初めてドレスを着た雰囲気、自分が衣装一つで「花嫁」になることへの感慨なら、妃美佳はすでにもう私に体験させてしまったはずです。

衣装合わせや、アクセサリーなどの小物合わせ。私がどれだけ妹に付き合ったと思っているのでしょう。そのたび彼女の花嫁姿を見て、何も感じないとでも思ったのでしょうか。純白のドレスを着て、鏡の前でポーズを決め、写真を撮り、微笑む顔は、私と同じ。一卵性双生児である私たちは、年を経てますます周囲から「似ている」と言われることが増えていました。たとえ同一のDNAを持ち、同じ場所からスタートしても、環境や経歴の違いから差が出てきてもよさそうなものです。しかし、高校二年生までかけていた眼鏡をやめ、お化粧も覚えた妃美佳は、昔よりさらに私に似ています。

背伸びするようなそのおしゃれが、姉の私に懸命に追いつこうとしてのことに思えて、愛《いと》しかった。私もまた、彼女を先導するような気持ちでいたのは事実です。

だからねえ、妃美佳。

あなたが言う「初めてのウェディングドレス姿の感慨」は、全部、あなたを見た時に体験済みなの。私とあなたは、それほど似ている。

妃美佳と違い、私は、友人たちの結婚式に招かれても彼女ほど感じやすくないのか、純粋な感動はありませんでした。「ああ、こんなものか」と、テレビで芸能人の花嫁衣装を見ている時と同じ程度の感想です。所詮《しょせん》、他人事《ひとごと》だったからだと思います。

その意味で、私が特別に思ったウェディングドレスは一着だけ。妃美佳に着られている、あの一着だけです。妃美佳は私にとっては文字通り、他人ではない唯一の存在なのです。

「鞠香、泣かないで。まだ、式はこれからなんだから」

呼びかける私と、声を受ける妹を、両家の人々が包み込むように優しい目線で見ているのが感じられました。誰も——横の映一くんでさえ、おそらく、私たちの入れ替わりを見抜けない。

ごめんなさいね、映一くん。

私は、内心の誇らしさをひた隠しにしながら、涙を浮かべ、そして微笑んで見せます。妃美佳が選んだ、かわいそうな義弟候補に、心の中でだけ呼びかけます。

この賭けはおそらく、私たちの勝ちです。あなたに勝ち目はありません。

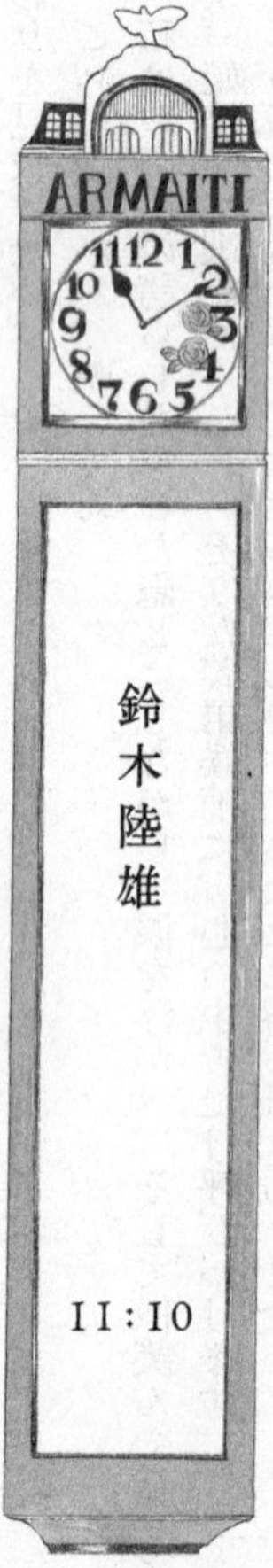

どうしてこんなことになってしまったんだろう。あすかの電話を受けながら、俺は、頭を抱える。

豪華なホテルのトイレは広く、床が大理石でできていた。その色を見たら、無性にやりきれない気持ちになってくる。

貴和子と結婚した時、俺はまだ金がなくて披露宴すらろくにできなかった。もう、十年以上前の話だ。指輪も、披露宴も、ドレスの写真撮影も何もなし。貴和子は文句一つ言わなかった。

「いつかおばあさんになる頃には、きっと生活も楽になってるでしょ？　そしたら、結婚五十周年くらいで盛大なパーティーをしようよ。その頃にはきっと子供だって孫だっているだろうし。みんなに囲まれて祝福されるの、私は今から楽しみだけどな」

貴和子との結婚は、幸福だった。

望んで手に入れた運命の女。義理の兄は親友。絶対に離れてはならない、俺の人生のストッパー。貴和子に執着できないなら、俺の人生は終了したも同然なのに。

困難も、今ここでこうやって、別の女と式を迎える要因になるものも、あるにはあった。振り返れば、思い出せる。

たとえば、付き合い始めてすぐの楽しい時期に、四年も離れるのは耐えられないと貴和子に東京の大学を断念させたこととか（今考えると、きちんと送り出して通訳の仕事に就かせてやればよかった。今みたいなパート勤めじゃなく）。

そのことで、貴和子の両親から俺への心証が悪くなって、いまだにわだかまりが残ってることとか。貴和子がどれだけ同席の機会を作っても、仕事とか仮病とか、いろいろ使って、俺が向こうの両親を避けたせいで、それが何年も積もり積もって、もう関係が修復できないこととか（あの時逃げ続けた自分に腹が立って仕方ない。今よりはきっと向こうとの仲だって最悪な状況じゃなかったんだろうから、きちんと向き合って話をするべきだったんだ）。

修復の機会にもなりうると思って、待ちわびてた貴和子との子供が一回流産でダメになって、それからはもう、どれだけ努力しても、子供ができなかったこととか（そのせいでナーバスになった貴和子を、俺がもっとナーバスになって叱ったこととか）。

――あすかと出会ったのは、二年前だった。

彼女は会社の取引先で働いていた。県内の美容院や床屋にシャンプーや髪染めの溶剤などを卸すのがうちの主な業務で、彼女の母は県内に三店舗を持つチェーンのサロン「トゥルー・トラスト」のオーナーだ。あすかは母親のアシスタントのようなことをしていた。

本当はサロンの一つで美容師をしていたのだが、本人いわく「向いていない」とかであっさり音を上げたらしい。周りの美容師からも、オーナーの娘相手では仕事がしづらいと文句が出ていたと聞く。

出会った頃、あすかは二十五歳。

都会の美容専門学校に通っていたせいか、垢抜《あかぬ》けたファッションに身を包んだあすかは、自分の魅力を最大限にわかった身のこなしをしていた。長い手足のやり場を理解し、細い腰と大きな胸を強調することを忘れない。すぐにうちの男性社員の間でも評判になった。

営業で何度か出入りするうち、俺は彼女に気に入られたようだった。

「陸雄さん」と親しげに名前を呼ばれ、携帯の番号とメールアドレスを聞かれた。相談がある、仕事で悩んでいる、話がしたい。何かと理由をつけて呼び出されるようになり、彼女は、周囲にも俺のことを「かっこいい」と洩《も》らしていると聞いた。

たいしたことはしていない。

懐いてくるあすかに、ある種の予感があって、彼女の美容院と付き合いのある同僚や知人に口止めをしただけ。大人なんだからわかるだろ？　と、俺が既婚であることを黙っておくように言った。でもさあ、普通バレるだろ？　だって俺、結婚して長いし、あすかだってすぐ気づかなきゃおかしい。同じ業界なんだし、誰かから洩れて当然だ。深い関係になったところで彼女から指摘され、「実は……」と説明するのは、全然アリなことだと思ってた。後はあすかが別れるなりなんなり、結論を出せばいい。だけどまさか、気づかないなんて。もっと勘が鋭い女だと思ってたのに。何も気づかないなら、自分から波風立てる必要もないわけで、俺が告白する隙がなかったのは、もう仕方ない。不可抗力だった。

あすかは抜群に目立つ女で、俺は昔からたいして欲しいわけじゃなくても、手に入るなら入れておく癖がある。その場で一番が誰かってことを見定めて落としておく。代わりの誰かがいい目を見るのは面白くない。

得意先の娘。

面倒なことになる、と忠告してきたヤツもいるけど、身近に置かれた据え膳《ぜん》を食べずにむざむざ人に持っていかれることの方が、先の心配なんかよりよほど不快で回避したい事態に思えた。

「陸雄くん。ね、私もう年だよ。周りの子たち、ここ数年で結婚ラッシュなの。いいなぁ。この間なんてね、アールマティのイブニングの式に行ってすごく素敵だったんだから。私、今年は占い的にも節目の、いい年らしいよ」

甘く囁《ささや》くような催促の声が一年くらい前から聞こえ始めた頃、そろそろ潮時かなとは、思ってた。

でも年だといっても、まだまだ二十代だ。うちの貴和子なんて三十過ぎ。子供がいないせいか、相変わらず若い外見をしてるし、同年代の女に比べたら圧倒的にきれいだが、あすかの身体の誘惑には抗《あらが》えない。貴和子とのセックスは、今や子供を作ることを念頭に置いた儀式か社交辞令のようなもの。愛してるけど、あいつ感じてないし、だいたい子供、できないし。

あすかが期待に満ちた目で俺を見つめていた。うるうるとした、鬱陶《うっとう》しいけどかわいい瞳《ひとみ》。

結婚するか、別れるか。

迫られた時、バカな男は動揺するから、相手に逃げられるに違いない。俺はそんなヘマはやらない。欲しいものを全部もらって何が悪い。できない約束をしてはいけないなんて誰が決めたのだろう。俺はあっさりとその上を行ってみせる。

こんなにも俺を好きな女を、口先の言葉一つで喜ばせ有頂天にさせることができるなんて名誉なことだ。

「指輪、買ってやろうか」

結婚するつもりなんかなかったけど、指輪の意味は理解してた。いざとなったら、いつでも開き直って、本当のことをまだ話せる。逃げられるし、やめられる。

「本当？　いいの？　それ、プロポーズ？」

「どこの、どんなヤツがいい？　あんまり高いのは買ってやれないと思うけど」

「そんなのいいよー。ねえ、私でいいの？　本当に結婚してくれるの？」

指輪の言葉で濁しても、女は言葉を欲しがる生き物だ。「ああ」と頷《うなず》いた。その日はあすかの車で酒を飲みに来てて、俺は家の近くまで送ってもらうつもりだった。ここで返事を渋ってへそを曲げられ、すねられた後の気まずい車内の空気や、あすかに帰られ、五千円近くなるタクシー代を払う羽目になることを考えたら面倒だった。円満にいくうちは、ＭＡＸに幸せな状態をキープしておきたかった。

「あすかと結婚できるなんて、俺は幸せだよ」

できるわけないし、しないけど。いつか終わりにするその時までは、あすかを幸せにできるのは俺しかいないと思ってた。ここで俺と別れ、放り出された後のあすかは立ち直れるだろうか。かわいそうに、と心配だった。

貴和子の時と比べたら、多少の蓄えはある。一度できなかった儀式のようなプロポーズをやるのが楽しかった。そう、ウェディングフェアも会場の下見もドレスの試着も、楽しかったのだ。

あすかは失いたくないと強く思えるぐらいには魅力的で、今の俺には必要だ。浮気と呼ぶべきか、本気と呼ぶべきかも曖昧《あいまい》になるほど。

——そもそもどうして浮気っていけないんだろう。

二人必要だったら、どちらもそれぞれに足りない要素を補いあって、まとめて一人分の俺の女ってことじゃいけないのだろうか。それに、浮気か本気かなんて考えること自体が、あすかに対してしっくりこない。

貴和子と別れる気なんてない。考えるだけでぞっとする。

口論も、いろんなことも乗り越え、それがあったからこそ消耗したけど、それでもあいつが俺の運命の女だってことに変わりはない。二十代只中《ただなか》の俺の絶望と孤独を照らした光。貴和子に執着することをやめたら、俺は人間として最後の一線を崩壊させてしまう。今も折り合いのよくない貴和子の両親と俺の間を取り持つ義兄の伸にだって、申し訳が立たない。

招待客は何人で、誰を招《よ》んで、誰にスピーチを頼むか。

お色直しは何回で、何を着るか、BGMに使うのはどれで、披露宴のどの場面で使うか。

額を突き合わせてあすかと相談しながら、俺はきっと、選んだ衣装を着ることも曲をかけることもないんだろうと漠然と考えていた。今日の式まで一ヵ月を切っても実感は全然ないに等しく、このままだと大変なことになるんだろうなぁと思いながらも、どっかできっとストッパーがかかると思っていた。

あの時、俺の前に貴和子が現れたように。

出てきてくれよ、ストッパー。まさか、本当に今日になっちまうなんて。

電話の向こうで、あすかの声は続いている。

内容は、半分も頭に入らなかった。

ボストンバッグの中から、持ってきたペットボトルを取り出す。内側で、粘度の高いとろっとした透明な液体が揺れる。つんとした、中毒性の高い、特有のあの匂い。

バッグの中には、まだまだある。

些細《ささい》なことで構わない。

焦げた絨毯《じゅうたん》、火に焼かれたカーテン、汚れた壁やきな臭いテーブルでは、式なんかできない。駄々はいくらだって捏《こ》ねることができる。

そこは、腕の見せ所だ。

こんなことになったけど、だって、貴和子は運命の女神だ。切ることは、俺の存在全部を否定することと一緒だ。すぐに無事帰るから。言い聞かせて、ペットボトルを元通りバッグにしまう。

『聞いてるの？　陸雄くん。ねえ』

「ああ」

返事をすると同時に、手が震え出した。

十倉家・大崎家の新郎新婦が着替えを終え、美容室横の写真室で撮影に入ったのを見届けてから、今度は別室で追加された野原の着付けを見に行く。広々としたゴールドルームの控え室で、準備は着々と進んでいるようだった。覗《のぞ》き込むと、野原は髪のセットもすでに済んでいた。着付けのスタッフと、手が空いたのか、美容室オーナーの和木が、二人がかりで彼女の帯を締めている。
「お疲れさま」
外の壁に背中をもたせかけ、終わるのを待っていると、部屋から出てきた和木が横に並んだ。薄い色が入った大きな眼鏡を押し上げる。他の美容室スタッフと同じ黒のパンツスーツスタイルが、彼女の場合はまた抜群に似合っている。瘦《や》せた手の甲と顔に刻まれた皺《しわ》が、ファンデーションによりくっきりと線になって目立つのさえ貫禄《かんろく》に見えて絵になる。白髪を染めた髪の色は思い切りがいいほどの赤毛だ。聞いたことはないが、年は多分、五十代前半に見える六十代。「もう、後は任せて大丈夫でしょう。大変だったわね」

「こちらこそ、ご迷惑かけてすいませんでした」

「山井ちゃん、今日、他にも打ち合わせ入ってるんでしょう？　行かなくて大丈夫？」

「ええ、まだ」

仕事の都合上、土日や祝日でなければ打ち合わせの日程が取れないカップルは多い。自分が受け持つ式や披露宴も、いったん始まってしまえば後は司会者やホテルのマネージャーにバトンを渡した状態になり、大きな問題でも起きない限り、関わることはほとんどない。立ち会うことなく、その時間は別のカップルとの打ち合わせを違うフロアで行うことが通常だった。

少々味気なく思う。私たちの仕事はあくまでもお膳立《ぜんだ》てで、当日ではないのだ。せっかくの土日だって、次に向けてフルに活用する必要がある。当日になってしまえば、仕事は出来上がりと同時に終わりを迎える。

「ここ、煙草いいんだっけ」

和木オーナーが尋ねる。

「トイレの前、あそこの脇が喫煙所です」

「年々厳しくなるよね。昔なら考えられなかった」

苦笑いして、私が手で示した場所まで歩いていく。今、うちのホテルは共有のスペースについてはレストランですら全面禁煙が徹底されている。式場内も、喫煙可能にするかどうかは本人たちの意向に任せているが、禁煙の場合が圧倒的だ。

私は煙草を吸わないが、和木についていく。今まさに着付けの仕上げが行われている部屋のドアを眺めながら、和木が煙草を一本取り出してくわえ、火をつけた。私を見つめて笑う。

「楽しいよね。トラブル起きると。大変だけど、私、アドレナリン全開になる瞬間がわかって興奮する。非常事態だ、さあやるぞって思うわ」

「それ、認めていいんですか」

つられたように、私も笑う。「いいの、いいの」とさも簡単なことのように和木が煙草を持つ手を振り動かす。

「じゃなきゃ、この仕事続けてない。私、若く見えるでしょ。きっと、そのせいだよ」

おいしそうに煙をくゆらせ、「山井ちゃん、いくつだっけ？」と私に尋ねた。

「三十二です」

「そっか。それじゃあんまりよくないかな。確か独身だったよね？　非常事態が楽しいなんて、ワーカホリックにどっぷりハマってる。私くらいになっちゃうともういいけど、あなた、結婚しないの？　人のことばっかりじゃなくて」

私が返事をする前に、下から、歓声とも嬌声《きょうせい》ともつかない声が上がる。このたびはおめでとうございます、という遠い声が聞こえた。どうやら一階ではもう受付が始まっている。中庭のチャペルにも人が集まり始めていた。時計を見る。イブニングの式のゴールドルーム側はまだ静かだが、階段を挟んで反対側にある玲奈たちの式も、そろそろ受付の女の子たちがスタンバイを始める頃だ。

視線が自然とエメラルドルーム側を向いてしまう。顔を戻して首を振った。

「結婚、しようと思ったこともあったんですよ。もともと、プランナーに憧《あこが》れたのは自分の式の準備の時でしたから」

「へえ」

和木が社交辞令ではなさそうな、興味を引かれた声を出した。

「ってことは、結婚、ダメになったってこと？　それでよくこの業界に入ろうなんて思ったわね。準備の段階でプランナーに憧れたとしても、よ。嫌にならなかった？」

「自虐的だってよく言われますけど、まあ、仕方なかったんですよ。結婚するって周りに公言していたせいで、仕事を辞めることになってたんです。上司にもう話してしまった後で、私の後任の入社まですでに決まってた。職を失って途方に暮れてたんです。だったら、次は一度憧れたウェディング業界でもいいかなって。バカみたいですけど、結婚後に通おうと思って、プランナーの専門学校についても調べてたんです。幸い、通うための貯蓄はあったし」

「変わってる」

　言いながらも、和木は楽しそうだった。

「どんなとこがいいと思ったの。自分じゃ結局、式挙げずじまいだったんでしょ？　憧れが不発に終わったわけじゃない」

「プランナーについては、憧れともちょっと違うんですけど。――どこのホテルで挙げようか、フェアに通ううちに、段々、私、高級な場所やサービス内容に慣れてきたんです。もっと若い時なら緊張してたかもしれないけど、何しろこっちは何百万のお金を落とす可能性のある客なんだからって、視線がどんどん選ぶ側の傲慢《ごうまん》な見方になってく。そうなると、応対してくれたスタッフやプランナーの態度に求める水準も高くなって」

「うん」

「最終的に、候補を二つに絞って迷ったんですけど、その時、当時付き合ってた彼に聞かれたんです。どちらの式場でも構わないから、どっちのプランナーとこれから半年付き合いたいか、相性で決めなよって」

「決め手はどこになった？　清潔感？　上品だとか、利発そうとか、そういうこと？」

にやにやしながら、和木が尋ねる。

「あるいは、彼氏がくらっとこないように、ブサイクな方にするとかね」

「正直、プランナーについてはそんなに重要じゃないと思ってたんですよ。だからその時もそんなに深く気に留めなくて、式場への持ち込み料が決め手になったんです。彼のお母さんが、引き菓子だけは自分の好きなお店のものにしたいと希望したので」

通常、式場はどこも、ドレスや花、引き出物やヘアメイクにいたるまで式にまつわるもの一式、全てにそれぞれの提携先がある。安くはない手数料が間に入り、がっちりと関係が組まれるせいで、決まった店以外をそこにかませようとすれば、罰金めいた「持ち込み料」が生じる仕組みだ。

私はため息を落とした。もう、七年以上も前の話だ。

「いざ会場を決めて、打ち合わせしてすぐ、後悔したんです。遠方からの招待客も多い、と話したら、主にどちらからですか、とプランナーから聞かれて、名古屋や、大阪、と答えたんです。彼の大学がそっちだったので」

「うん」

「本当にたいしたことじゃないんですけどね。プランナーが、ああ、名古屋ですかあって頷《うなず》きながら、手元にメモを取ってた。その時、『なごや』って平仮名で書いたんです。大阪は、大だけ漢字だけどさかは平仮名。『なごや』、『大さか』って丸い字で書かれた瞬間、式場が格式高いところを選んでた分、なんだかすごくがっかりしちゃって。そういう、とっても些細《ささい》なことなんですけど」

ぶはっと和木が、煙草の煙とともに息をふき出した。「何それ」と。

「山井ちゃん、そりゃ些細だわ。いいね、すごくあなたらしい」

「結局、途中で話が頓挫《とんざ》したので最後まで付き合うことはなかったんですけど、その時に思ったんです。人をがっかりさせない、特別な世界の住人に徹するのって楽しそうだなって。結婚式って、大っぴらにお金を使える非日常の魔法の空間みたいなところがあるでしょう？　その住人になりたいと思ったんです。ディズニーランドのキャストみたいなものなのかも」

「漢字、自信ある？」

「漢検二級です」

「一級じゃないんだ？」

「ええ。間が抜けてるんですけど」

「ふうん。接客好きなのね」

和木が目を細めて言う。「はい」と頷いていた。

「すっごく気に食わない相手が来たらどうするの？　この人の幸せなんて死んでも祈りたくないっていう相手。それでもやっぱり魔法かけてきれいにつつがなく仕上げてあげるの？　わがままなヘンな相手も多いでしょ」

「オーナーはどうするんですか？　気に食わない相手が来たら、メイク、手を抜きます？」

「私？」

尋ね返されると思っていなかったのかもしれない。和木がきょとんとした表情を浮かべ、「そうねえ」と首を傾げる。たっぷり十秒近く黙った後で、「私、専門はさ、鬘《かつら》なのね」と答えた。

「はい」

「和装の鬘。今もね、鬘合わせだけは絶対に私がやるの。他の子に、そこだけは任せられない。鬘、かぶったことある？」

「いえ」

「あれ、重たすぎると、顎《あご》がぐっと前に出ちゃうのよ。頭が後ろに引っぱられて、正面が向けなくなる。花嫁がそれは、絶対ダメ。気に食わない相手でも、合わない鬘をかぶって白無垢《しろむく》を着てる姿は勘弁して欲しいわね。ましてそれが私の仕事だと思われるなんて屈辱的だわ」

和木が私の目を見て笑った。私も頷き、そうですか、と笑う。

「私の仕事もそれと似ているかもしれないです」

「感心した。山井ちゃん、プロなんだ？」

「そんな。プロなんておこがましい」

実際、本物の何十年戦士である和木を前にしてそう名乗るのは気後れする。今だって、どうにかこうにかプロであろうと、こんなにも必死なのだ。

「図々《ずうずう》しいついでに聞いていい？　その彼との結婚はどうしてダメになったの。山井ちゃんみたいないい女を逃すなんて、その男、相当ダメじゃない」

「どうもこうもない。くだらない理由ですよ。向こうに、他に女ができたんです」

彼女は俺じゃなきゃダメなんだ、と月並みなセリフで泣かれたことを思い出す。式までの日が迫り、両家への挨拶《あいさつ》も充分に済んでいたというのに、信じられなかった。私とはまるでタイプの違う女。舌足らずに喋《しゃべ》る、彼の会社の後輩。「先輩、結婚なんてしないでください」と訴えられ、男はそれに流された。

「ずっと思っててくれたっていうんだ。俺なしじゃ生きられない。自殺まで考えたっていうんだよ」

若さ故の感情的な行動に、当事者でない私はついていけなかった。死ぬわけがないじゃないか、その子はきっとあなたがいなくなっても、すぐにも違う男を見つけてあなたを忘れる。説得の言葉は、男の耳を右から左に通り過ぎ、私は冷淡な女のレッテルを貼られた。挙句、「君は結婚がしたいだけじゃないか」、「君が俺のどこを好きなのかまるでわからない」と罵《ののし》られ、私たちの関係は両家を巻き込んで泥沼化した。

別れを決めたのは、相手の女が本格的に私たちの間に割って入るようになってからだ。『彼を自由にしてあげて』という執拗《しつよう》な責め文句の電話を毎日毎日受け、ノイローゼになりそうだった。一度だけ、遠目に女の姿を見に行ったことがある。ファッションセンスのあまりよくない、下品な化粧が板についた女だった。こんな女の感情的な物言いにあっさり騙《だま》されてしまうのか、とうんざりしたことで、私も目が覚めた。好きにすればいいと、彼と別れた。

「バカな男ね」

吐き捨てるように、和木が言った。感情のこもらない乾いた声が、耳に心地よかった。

彼女が煙草を灰皿に押しつけたところで、トイレから男性が出てきた。帽子を目深にかぶり、私たちの姿を見て驚いたように身体を引く。ぎくしゃくと軽く頭を下げた。階段を降りていく後ろ姿を目で追っていると、和木が横から尋ねてきた。

「どうした？　知り合い？」

「いえ。ただ、珍しいな、と思って。この時間にこのフロアにいるなんて。スーツ姿じゃないから、招待客でもないだろうし」

それに、何かが気になった。どこだろう。顔は満足に見えなかったけど――、考えて、思い当たる。

「大きい荷物を提げてましたね。お客さまはほとんどの場合、式の間荷物をフロントに預けるから、このフロアで見ると、違和感があります。ホテルの宿泊のお客さまなのかな」

二階は別名宴会場階と呼ばれるフロアで、宿泊客が入ってくることは珍しい。急いでいるふうなのも気になった。

「ふうん。間違って降りちゃったんじゃない。それか、今から部屋で着替えるつもりの遠方からの招待客とか」

「あ。そうかもしれませんね。夕方からはゴールドルームでイブニングの式もあるし」

「ああ、そうそう。忙しくなりそう」

和木が笑い、二本目の煙草に火をつけようとしたところで、ふいに鼻の頭を押さえた。「ねえ」と呼びかけた。

「気のせいかしら。灯油みたいな臭いがしない？」

「え？」

慌てて鼻で息を吸い込む。言われてみれば、そんな気もする。和木の顔を見た。

「本当だ。どうしたんでしょう？」

「わからないけど、どっかから何か洩《も》れてるのかも。気になるから、後で確認しといてくれる？」

「わかりました。聞いてみます」

微《かす》かな臭いだが、夜の部に差し障りが出ると困る。担当は私ではなく、確か、チーフの仁科が受け持っている式だ。

その時、正面の部屋の扉が開いた。エッコ・カワハラのスタッフの女性が満面の笑みを浮かべて立っている。

「できましたよー」

緑色に金糸の帯を巻いた野原が、恥ずかしそうに肩をすぼめて中から出てくる。照れ笑いを浮かべる口に引かれた紅の色も、着物とよく似合っていた。

「わあ。素敵！」

よかった、と嘆息しながら、近づいていく。

今日はハレの日なのだから、どれだけ大袈裟《おおげさ》に声を上げたって罰は当たらないだろう。素敵。本当にお見事と、両手を口にあてて、私は微笑む。

いよいよ式が始まります。

ホテル・アールマティ中庭にあるチャペルの扉は大きく、荘厳な印象でした。上には豪華なステンドグラスが光を反射してキラキラと輝いて見えます。

晴れているとはいえ、肩を出したドレスに十一月の空気は容赦ありません。ヴァージンロードを一緒に歩く父の腕に通した自分の腕に、思い出したように鳥肌が立ちます。一度収まっていても、次の風が吹けばまた寒い。

私は父の横に立ったまま、左隣の映一くんを振り返ります。

「緊張する？」

「そうでもない」

相変わらずクールな顔つきで、本当に緊張なんてしていなそうでした。砕けた口調で答えてしまってから、父が横にいることを思い出したのか顔つきを改めます。「お義父《とう》さん、よろしくお願いします」と頭を下げたのはさすがでした。

「うん。大丈夫だよ」と答える父は、さっきのリハーサルで歩く練習をした時、冗談のように右手と右足が一緒に出てしまっていて、緊張しているのは明らかでした。

教会式と神前式、洋装と和装。自分の式をどちらにするか。

私たちの親戚《しんせき》は圧倒的に神前式が多かったのですが、年の離れた従姉《いとこ》のお姉ちゃんが何年か前、初めて教会式を行いました。普段おどけてばかりいる、酒好きの飲兵衛《のんべえ》とからかわれているおじさんが、その日だけは真剣な顔をしてきりっと前を向き、娘に付き添って、ヴァージンロードなんていうおしゃれな場所を歩いている。それが、とてもいいと思った。まだ私は中学生でしたが、妃美佳に「私も絶対に教会で式をする！」と宣言しました。

うちの父は、お酒を飲まない、ひたすら真面目な人ですが、そんな父だからこそ、一緒にあんなふうに歩いてみたい、娘のわがままに付き合わせてみたいと思ったのです。

妃美佳が教会式にする、と聞いた時、微かに残念な気がしたのは確かです。私たちの父親は、当然ながら同じ。父を戸惑わせながら歩かせる最初の娘は私ではないのか、私の時には、父はもう純粋な反応を示してくれないかもしれないと寂しかった。けれど、妃美佳がちゃんと報告しにきてくれたのです。

「教会でやるのは鞠香の憧《あこが》れだったのに、ごめんね。私、白無垢《しろむく》を着ようと思ったんだけど、向こうのお義母《かあ》さんが教会がいいって。一人息子の式だし、お義母さん、他には希望らしい希望をあまり言わなかったから、これぐらいは叶《かな》えてあげようかって話になって」

嬉《うれ》しくなってしまいました。私が教会式への憧れを語ったのなんて、中学時代のその一回だけです。だけど、そんな些細《ささい》なことを優しい妃美佳は覚えてくれていた。それでもう、充分でした。

「いいですか。扉が開いたら、まず最初に新郎が入場し、前で新婦とお父様を待ちます」

介添えの女性の説明を受けながら頷《うなず》きます。前を向き、扉を見つめていると、私の横顔を映一くんが見つめる視線を感じました。新郎と新婦は、式の当日、親戚や式場スタッフを始め、たくさんの人に囲まれるので、二人きりになる時がまずありません。おかげで、私は彼に向けて悠然と微笑みかける余裕さえあるのです。

「頑張ってね、映一さん」

声を出さずに、彼が顎《あご》先を短く引いて頷き、中に入っていく。その後ろ姿を、扉の脇に下がって見守りながら、私は、中にいる妃美佳が彼をどんな顔で迎えるのかを、本当は見たくて見たくてたまりませんでした。

自分を「姉」だと明確に理解したのはいつだったでしょうか。

双子はこの世に同時に生を享《う》けて育ちます。普通であれば、「姉」「妹」の区別なく育ったかもしれない。中学、高校の頃、私の通う学校には、私たちの他にも双子の兄弟、姉妹がいました。彼らはたいてい、自分を「双子の兄」「双子の弟」と名乗りはしても、それは肩書きだけのことで、それぞれの役割についての理解は希薄に思えました。互いの名前を呼び捨てにするのはうちも同じですが、「お兄ちゃんだから我慢しなさい」と叱られることもなければ、「お兄ちゃんはさすがね、すごいね」と褒められることもないと、ある双子が言ったのを聞いて驚きました。

うちではあり得ない。

私は物心ついた時から「お姉ちゃん」と呼ばれ、そういうものだと理解して育ったのですから。

小さい頃よく遊んでいた近所の神社に、お堀がありました。

私たちが中学に進学する頃には、さすがに危ないということになったのか、周りに柵《さく》が作られて簡単には中に入ることはできなくなりましたが、当時はむき出しで、子供たちはその水辺でおままごとの食器を洗ったり、神社に咲く桜の花びらを散らしたりと、遊び場にしていました。後に聞いたところによると、防火水槽を兼ねていたのだそうです。

一メートル四方の堀で、深さは一メートル五十センチほど。子供たちは落ちないよう気をつけていましたが、それは落ちたら危ないからというよりは、お堀全体の汚れのためでした。枯れ草が浮き、濃い泥のせいで底をしかと覗《のぞ》き込むことができない。

ある日、妃美佳がそのお堀に落ちたのです。

忘れもしない、小学一年生の時です。入学した学校で友達になったばかりの男子たちと鬼ごっこをして遊んでいました。鬼になった男子の一人が、妃美佳を狙い撃ちにして、お堀の方へ集中的に追いかけたせいで起きた事故でした。

ばっしゃーん、という音がして、次の瞬間、パニックになった妃美佳が泣き叫ぶ声が聞こえました。

「鞠香！」と私を呼んだのです。

妃美佳を落とした男子はただおろおろとし、咄嗟《とっさ》に近くにあった木の棒を妃美佳に差し出しました。「これに摑《つか》まれ」とかなんとか、言ったでしょうか。折れそうに細い、頼りない木の棒を見て、猛烈な怒りが湧いてきました。

走り出していました。

「妃美佳！」

叫んで、お堀に飛び込みました。水が、雨あがりの道路のようなこもった臭いをしていたことを覚えています。今でもその臭いを嗅《か》ぐと、口の中に入ってきた泥まじりの汚い水のじゃりっとした歯ごたえと舌触りを思い出します。

パニックになった妃美佳が、必死に私の肩と腕を摑むせいで、一緒に溺《おぼ》れかけました。どうにかして彼女を引っぱり、お堀の端まで連れていく。

水草と、泥と、枯れ葉に濡《ぬ》れた妃美佳が身体を屈《かが》めて咳《せき》をするのを見て、後から上がった私も、きっと傍《はた》から見れば同様に見えたにもかかわらず、涙が出ました。

妃美佳が泣いている。

それだけでわけもなく悲しく、胸がぎゅっとなって、自分自身の身体の苦しさを忘れました。怪我をしたわけではないし、自分のことではないのに、人のことで涙を流したのは初めてでした。

妃美佳の周りには、彼女を追いつめた男子を始め、多くの子が集まっていました。しかし妃美佳の汚れた姿に足を止めてしまい、一定の距離以上には近づけないでいます。妃美佳自身も嫌々をするように顔を覆って泣いたまま、腕を大きく振り動かし、誰にも自分を触らせません。

私はそっと、妃美佳に近づきました。名前を呼んだわけでもないし、顔を見たわけでもないのに、妹は、やってきたのが私であるとすぐに理解しました。

「まりかあ」と花の蕾が綻ぶような健気な声を立てて、私の泥水まみれの肩に自分の身体を預けてきました。細い肩と腕でした。この手に頼られている。

その時に思いました。この子のことが、大事だと。この子がひどい目に遭うことは、私自身がそうなるのより、ずっとずっと私にとっては泣きだしそうになるほど辛《つら》いことなのだと。みんなが怯《ひる》む、妃美佳の枯れ草や泥がついた臭いが、私は少しも嫌じゃない。それは、自分自身も汚れていたからという理由ばかりではなかったと思います。そうなのです。私は、妃美佳のことだけは少しも嫌ではなかったのです。食卓で、おやつを食べたせいで食が進まなかった妃美佳が、自分のお茶碗《ちゃわん》のご飯を他のおかずでぐちゃぐちゃにいじって残そうとした時も「代わりに食べてあげるよ」と私は言いました。お母さんが驚いていたからよく覚えています。

妃美佳が箸《はし》で何度もつついて汚くしたご飯にも、私はまるで抵抗がない。この子のことだけは、汚くないのです。

遊び仲間の一人が呼びに行ったのか、うちの祖父がすぐに駆けつけました。私たち姉妹は泣いてばかり。他の子たちが口々に、舌足らずに説明します。妃美佳が鬼ごっこの最中、追いかけられてお堀に落ちたこと、私がそれを助けようと追いかけて飛び込んだこと。

妃美佳をお堀に落とした男の子は、自分が持っていた棒を懸命にうちの祖父に示しながら「これに掴まれって、伸ばした。助けようとした」と贖罪《しょくざい》のように繰り返します。孫二人の泣き声を聞いた祖父が、強い口調で彼を叱りつけました。

「そんなもので助かるもんか！」

その声を聞き、私は嬉しくてなおのこと声を張り上げて泣きました。そうなんだ、妃美佳を助けたのは私なんだ。あんたのそんな非力な助けに、大事な妃美佳を預けられるもんか。

彼は、学校でもよく妃美佳にちょっかいを出していて、彼女のことが好きなのではないかと噂されていた男の子でした。好きだからいじめる。妃美佳には嫌われていましたし、あんな子に妃美佳をあげるものか、と私もその時、改めて心に固く誓いました。

祖父が私たちに駆け寄り、無事で良かった、危なかった、と背中を優しく撫《な》でてくれました。おじいちゃん、と呟《つぶや》いて、それぞれ片腕にぎゅっとしがみつく。ともに同じ人をおじいちゃんと呼べること、その手に平等に撫でてもらえることを思ったら、妃美佳との絆《きずな》の強さに、また胸が詰まって泣きだしそうになりました。

家に帰ってから、夕食の席で、親から口々に、気をつけるんだよ、今度からはすぐに大人を呼ぶんだよ、と注意されました。

「だけど、鞠香はさすがにお姉ちゃんだね」

父が感心したように言います。

「偉かった」と、母も褒めてくれます。私は照れくさく、曖昧《あいまい》な返事をするだけでしたが、その日、寝る前に妃美佳が布団の中で私の手を繋《つな》いで「ありがとう」と言ってくれました。

足元からほわっとした温かい気持ちが昇ってきて、どうしていいかわからなくなりました。とても嬉《うれ》しく誇らしくて、何度でも妃美佳の口からその言葉を聞けたら、と思いました。

向き合って目を閉じ、握った妃美佳の指から力が抜けてしまっても、私は手を離しませんでした。

大好きな、妃美佳。

私が「姉」で妃美佳が「妹」であることが決定づけられたこの日のことは、確認したことはないけれど、妃美佳もきっと忘れずに覚えてくれていると思います。

妃美佳に恋していた、あの棒きれを差し出した男の子は、その後、私のことを好きになりました。私が彼を妃美佳から遠ざけ、前に立ちふさがるせいで、私と彼とは自然と口ゲンカすることが多くなり、その罵《のの》り合いを親密さの表れだと勘違いした彼が、私に告白してきたのです。

呆《あき》れてしまいました。

妃美佳をそんなふうに簡単に諦《あきら》めてしまうような男に、私の方を好きだなんて言う男に、妹を任せられるはずがない。私は彼のことが決定的に大嫌いになり、冷たくすることにしました。

それからさらに数年して、本やピアノが好きな妃美佳の視力が落ちて彼女が眼鏡をかけるようになった頃、彼がみっともなくも私たち姉妹を標的にし、おどおどと眼鏡をかけ直すふりをまじえ「鞠香、鞠香」と私を頼る妃美佳の物真似をしたり、他の女子を巻き込んで妃美佳をブスだと言いだした時には、その人間の小ささがいっそ小気味よく思えるほどでした。

大丈夫よ、妃美佳。

声には出しませんでしたが、妹に呼びかけていました。

私たちは、彼らとは違う。そう念じていました。それは、その後、中学生の時に妃美佳を襲ったあのさえない男子や、妹の歴代の彼氏に関しても、同じです。

私は、「私が好き」なんて思う男に大事な妃美佳を触らせるのは絶対に嫌なのです。

加賀山妃美佳

11:30

新婦の入場の前に、一人、真面目な顔をした映一さんがチャペルの中に入ってきた時、仕掛けたのは私だけれど、また、胸が痛みました。

彼は、私の大好きな、大好きな、大事な人です。

相馬映一さんは、私の勤め先である貴金属会社の同期でした。桜咲く日にキスを交わしたあの男の子とも、やっぱり少し似ているかもしれません。

同じ大卒正社員で入ったけど、彼は国立の工学部を出ていました。デザイン工学科。私みたいな総務の事務職じゃなくて、研究職です。頭がいいし、外見も冷たそうだったけど、私が仕事で困っていると、よく助けてくれました。重たい郵便物を代わりに運んでくれたり、パソコンの操作でわからないところがあると、丁寧に教えてくれたり。

三十歳以下の若い社員の飲み会の席で、心理ゲームが流行《はや》ったことがありました。

「あなたが結婚する相手に求める条件を、三つ挙げてください」

これが一つ目の問いかけ。みんな、それぞれ、「顔がいい」とか、「収入がいくら以上」とか、「性格が優しい」だとか、いろんなことを言います。それが出揃《でそろ》ったところで聞くのです。

「では、その三つの条件を同じように満たす相手が二人現れ、あなたに求婚します。あなたはそのうちのどちらか一人としか付き合うことができず、実際にその一人を選びました。──決め手となったのは何ですか？」

決断の根拠となるその「決め手」が、実は、あなたが心の中で一番譲れないと思っている条件なのです、というのが真相です。

答える人たちを見ていると、それぞれの人柄が出ているようで、面白かったです。条件が全て容姿に関することばかりだった人もいれば、相手の仕事と収入に関することばかり列挙する人もいる。中には、最初の三つの条件が中味重視だったにもかかわらず、決め手を結局「顔」と答えてしまい、からかわれている人もいました。

映一さんの答え。最初の三つは、忘れてしまいました。ただ、そのうち一つは容姿に関することだったと思います。

私と鞠香は、雰囲気は違えど、全く同じ顔立ちで、今も、身長と体重が同じです。この心理ゲームの「全く同じ」という条件をこんなに忠実に再現した二人も珍しいのではないでしょうか。

映一さんの決め手の答えが、面白かった。それは「どちらの方が、より、問題を抱えているか」です。

物好きな人だと思いました。先輩からも同期からも、笑われていました。だけど、彼はみんなより一歩上を行く目線で静かに笑って「いいんだよ、そういうややこしい子のそばにいる方が楽しいんだ」と答えました。

庇護《ひご》欲、という言葉を、生まれて初めて、映一さんから聞きました。深刻な悩みを多く、深く抱えた女の子を自分が守りたい。男の持つ、母性のようなものかもね、と涼しい顔で言っていました。

映一さんは見抜きました。

もう処女ではなくなっていたし、痴漢を待ちわびることもなくなっていた私を、それでも「ややこしい子」だと、あっという間に見抜きました。

同期の中で一番人気があって、いろんな女の子からの告白を退けてきた彼のことを、本当だったら信用なんてできなかったと思います。だけど、彼のその「決め手」を知っていたから、私は、不安だったけど、受け入れました。

ある日、二人だけで食事に行こうと誘われました。映一さんは聞き上手で、落ち着いた雰囲気の持ち主でした。お酒も入り、しばらく経って、気がつくと、私は話していました。

「相馬さん、からかってるんでしょ？　私、昔から男の子に好かれるタイプじゃなかったし、みんなから地味だってバカにされてた」

「そんな『昔』が気になるくらい、いろいろ言われてきたのはわかったよ。だけど、君をバカにした子たちは、今何をしてるの？」

黙ってしまいました。薄い金色のシャンパングラス越しに彼の顔がありました。

私は言いたかったのです。私はさえない、鞠香の陰に隠れる存在で、あなたのようにまっすぐな男の子が興味を持つには値しない女なのだと。何かの間違いだから、夢を見させないうちに、どこか遠くへ行って欲しいとすら思っていました。

映一さんが静かに笑いました。私が言いたいこと、その訴えの内容などお見通しであるかのように、自分のグラスを私のグラスにカツンと合わせます。

「今はもう、その子たちと、こんなふうにシャンパンを飲むことだってないんでしょう」

嬉しかったです。ふいにひゅっと涙が出そうになりました。

私は大人で、もう子供ではありませんでした。今ここにいることが全てでいいのです。「付き合おうよ」という彼のさらりとした告白に、頷《うなず》きました。

だけど、私は問題の核心を黙っていました。話したら、映一さんは、どう思ったでしょうか。

気にしているのは、今も付き合いがあり、変わらず一緒にお酒を飲むこともある「姉」の鞠香です。だけど、どうしても、言えなかったのです。

映一さんを最初に紹介してすぐ、鞠香は彼を気に入った様子でした。インドア派の私と違って、マリンスポーツやアウトドアレジャーの趣味がある彼らは、共通の話題も多いようでした。

鞠香は彼を、「えーいち」と呼びます。いずれ義弟になるんだから構わないと、私の映一さんを。

今、私が鞠香のふりして口にする「えーいち」の名前は、鞠香の軽い呼び方に聞こえてくれているでしょうか。

「賭《か》けを仕掛けたいの、映一さんに」

「賭け?」

初めてそう持ちかけた時、鞠香はさほど動揺したようには見えませんでした。「本当にいいの?」と尋ねましたが、それだけで、すぐに私の気持ちを理解したようでした。

私の三つの条件です。結婚相手に求めるもの。

一、眼鏡をかけていること。

二、私のことを好きなこと。

三、大らかな心。
決め手の四つ目は、「鞠香ではなく、どうしても、私でなければダメだという人」。

今日、この式が終わるまでの間に、映一さんは、私を見つけなければなりません。

鞠香の陰に隠れ、入れ替わった私を。自分の横に座る花嫁が、自分が選んだ「ややこしい子」ではないことを今日が終わるまでに見抜かないのなら、この結婚は終わりです。私は別れるつもりでいます。

これに加担した鞠香の心が、今、本当のところ、何をどう考えているのかはわかりません。だけど、あの子は本当に私が自分より先に結婚することを「大泣きする」くらい、抵抗を感じながら聞いていたに違いないのです。私は知っています。

高校を卒業し、私は念願の音大ピアノ科に、鞠香は私大の英文学科に進学しました。大学同士はともに東京にある大学で、鞠香は高校からの指定校推薦での入学でした。

離れた場所にあったものの、私たちは家の経済的な理由から、中間地点に部屋を借り、一緒に住むことになりました。鞠香は、高校時代のあの美容師とはすでに別れていましたが、私たちは、その時々の互いの恋人まで全て見せ合うことになったのです。

仕方がないこととはいえ、最初の頃、私の気持ちは複雑でした。しかし、環境が変わり、別々に友達もできて、鞠香も私も自分の時間を過ごすことが多くなりました。

鞠香は特に合コンや飲み会が好きだったし、日付をまたいで帰ってきて、私とはすれ違いになることも珍しくありませんでした。

音大では、私は自分でも嫌になるくらい真面目な学生だったと思います。憧《あこが》れの場所だったのだから、夢が叶《かな》ったのだから、と大学の年季の入った練習用ピアノを弾き、家でも、コツコツ、ヘッドフォンをあてて音を消した電子ピアノの軽い鍵盤《けんばん》を叩《たた》きました。

私とは対照的に、鞠香はきっと、大学なんて遊びの延長くらいにしか考えていないのだろうと思っていました。英文学科だけど、語学にさほど興味があるようにも見えませんでした。だけど「大学が忙しくて」と毎日きっちり出かけていく。案外、勉強が性に合っているのかもしれないと、私はその頃、心のどこかで安心していたのです。部屋に置いた電子ピアノの蓋《ふた》をしめたつもりが開いていたり。立てかけた楽譜のページが違うページになっていたり。

振り返ってみれば、気になることはあったのです。だけど、まさか、そんなことは思わなかった。私が大学三年に進級し、自分のピアノが食べていけるほどの実力でないということを、演奏の感触や教授からの言葉の端々に感じるようになった頃、鞠香が笑顔を浮かべながら、私に一枚の紙を差し出しました。

それは、私が通う音大の、声楽科の合格通知でした。言葉を失う私に、鞠香が微笑みました。

「こっちにきてから、仮面浪人しちゃった。大学の近くにある音楽教室に通って勉強したんだ。お父さんとお母さんにもう話してあるの。心配しないで、妃美佳。音大の分の学費は両親には頼らない。奨学金の手続きを自分で済ませたから、家には迷惑かけないよ」

私は、合格通知を持った手が震えるのを抑えられませんでした。どうして、という気持ちでした。

何故、そこまで私を追いかけるのでしょう。

「喜んでくれるでしょう？」

鞠香が囁《ささや》きます。彼女の声に、その時どう答えたか、覚えていません。

私たち双子は、私が地元に帰って、ピアノもやめて、就職するまで、ずっと一緒でした。

私に二年遅れて去年大学を卒業した鞠香は、今、指導教授から紹介された都内のオーケストラでマネージャーをしています。安月給だし、つらいわ、と言いながら、音楽に携わる仕事をしていることに、喜びを感じているようでした。ピアノも、趣味程度だと言いながら習って、楽しそうに弾いています。

「習い始めたのが遅いから、妃美佳みたいにうまく弾けないなあ」

そう、言いながら。

彼女をかわいがった指導教授には、私もお世話になったことがあります。だけど多分、彼は私の名前も、私という学生がいたことも覚えていないでしょう。今改めて挨《あい》拶《さつ》しても、私はもう「鞠香くんの妹」でしかない。私は「加賀山さん」という名字でしか、彼に呼ばれたことがないのです。

映一さんは、知らないでしょう。

私に対して、自分がひどい裏切りを働いたことを。

結婚を控え、私が鞠香に彼を紹介し、しばらくした頃のこと。休暇を取って故郷に戻ってきていた鞠香が、仕事から帰ってきた私に告げたのです。

「ね、妃美佳。今日、えーいちに会ったよ」

「本当？　どこで会ったの？　話した？」

「駅前のカフェでカウンターに座ってたら、前を通って」

話す時、鞠香がふふっと笑いました。たいしたことではないように、軽やかに。それを見て、嫌な予感はしていたのです。その日、私は帰省用の着替えをあまり持ってきていないという鞠香に、自分の服を貸していました。

次に彼女が告げた言葉は、私の背筋を凍らせました。

「聞いて。えーいちったら、私と妃美佳を間違えたの。怪訝《けげん》そうに中に入ってきて『妃美佳、どうしてここにいるの？』って聞いてきた。私、びっくりしちゃって。――あのー、お相手をお間違いですよって言ったら、慌てて気づいて、謝ってた。妃美佳には内緒にして欲しいって言われたんだけど、あまりにおかしいから。妃美佳、えーいちには私が告げ口したこと黙っててね」

その時の様子を思い出すとおかしいのか、饒舌《じょうぜつ》になっていた鞠香が、そこで言葉を止めました。驚いたように唇を開き、私を見ている。

私は絶句し、呆然《ぼうぜん》としていました。

顔が引き攣《つ》り、表情が作れなかった。手が知らないうちにぎゅっと服を握りしめていました。やがて出た「それ本当？」という強張った声が自分のものと咄嗟《とっさ》に思えませんでした。鞠香が慌てて「でも」と言葉を足します。

「本当だけど、無理ないよ。私たちはよく似てるし、私は妃美佳の服を着てたしさ。えーいちも仕事の後でぼうっとしてたんじゃない？　ごめん。お願いだから、えーいちを責めないでいてあげて」

鞠香にはきっと、私の絶望などわからないのです。

この人ならば、と思った、私にはこれ以上ないと信じた人が、姉と私を間違えた。その人と、私はこれから先、家族になり、ともに暮らし、一緒に年を取って生きていかなければならない。
悲鳴を上げてしまいそうでした。

「扉をご覧ください。新婦の入場です」

牧師さんの声がして、息を詰めました。私の友達が一斉に後ろを振り返り、「私」を撮ろうとカメラを構える姿を、不思議な気持ちで眺めます。映一さんもまた、自分の伴侶《はんりょ》となる女性を迎えるべく身体を扉の方に向ける。生真面目な表情は、こんな時でもまだ愛らしい。だけど、と私は唇を噛《か》みます。

私は、あなたが思う以上にものすごくややこしい子なのです。

結婚行進曲が、パイプオルガンから流れる。

扉が、開きます。

チャペルの扉が開き、一歩前に進み出て、父と一緒に頭を下げます。顔を上げると、ベール越しに見える視界の向こうで、招待客の多くが携帯電話やデジカメを私に向けて構えました。盛大な拍手と、「妃美佳」と呼ぶ声に応《こた》えて笑顔で手を振ります。親族席の一番前に、妃美佳が立っていました。目を潤ませて私を見ている。牧師の前で頰を引き締めて立っている映一くんの方は見向きもせず、私の姿だけを見ているのはさすがでした。

なんて、残酷な妃美佳。

最初に話を持ちかけられた時、私は呆《あき》れるより先に感嘆してしまいました。結婚する相手に対して、これ以上ふさわしい選択方法があるでしょうか。何しろ、夫とは、自分と一生を添い遂げる約束をしなければならない相手です。

しかし、まさか式当日にそれを仕掛けるなんて。

残酷な、と思うのは、あの子自身、この賭《か》けの結果をもう悟っているのではないか、と思うからです。

私と妃美佳は、今日、リミッターを外しているのです。

私たち双子はとてもよく似ていますが、だからこそ、普段互いの真似をしてみようなんて絶対に思いません。喋《しゃべ》り方や性格の違い、色や服装の好みを、注意深く相手のものとかぶらせないようにしてきた。真似することは互いへの憧れを認めるような気恥ずかしさが伴い、誰に禁止されたわけでもないのに歯止めがかかっていました。

妃美佳が高校までずっと眼鏡を外そうとする気配もなく、服だってデザインに凝ったところがないシンプルで地味なものをあえて選んでいたのだって、そういうことではないでしょうか。あの時も、そういえばそんな彼女に私と同じコンタクトや化粧、同じ美容師を薦めたのは姉の私でした。洗面所に並べた私の化粧水や香水の瓶を、時折妃美佳が手に取ってみていることを、私は知っていました。指摘したことはありませんでしたが、その不器用な憧《あこが》れにゴーサインを出せるのは私だけだと確信していたのです。怯《おび》えるあの子に、「真似していいよ」「同じになっていいよ」と許可が出せるのは、私だけ。

今日は結婚式です。

結婚式は、一世一代の大イベントだと言われます。新郎新婦は、誰もがその場で主役になれるし、たいていのことが許されます。だからこそお金だってたくさんかかるのでしょう。その特別な事態であればこそ、私たちにもう遠慮はありません。

今朝、花嫁控え室に母と一緒に妃美佳が入ってきた時、心が震える思いがしました。あの妃美佳が、完璧《かんぺき》に私をこなしている。これまで一度だってあんなふうな声の出し方も歩き方もしなかった妹が、無理するふうも、頑張って努力しているふうすらなく、完全に私なのです。

その姿を見て、悟りました。これは本当に、私たちにだけ可能な賭けの方法であり、そしてまた、彼女は自分の夫となる人間に勝つつもりでいます。騙《だま》し通す気でいるのです。

私たちがこんなに完璧である以上、彼にはわかりっこないのです。妃美佳はきっと、映一くんと別れる。そして、これからも好きになる相手には例外なく今日と同じ賭けを仕掛けるでしょう。その彼女の複雑さ、潔癖なまでの気高さを、私は愛します。

妃美佳は、本当にひどい。

何故なら、彼女は私を演じることを心の底から楽しんでいるからです。私が今、彼女を演じるのが楽しいのと同じように。

写真やビデオ撮影も私が写ることになるけどいいの、と聞くと、妃美佳は躊躇《ためら》うことなく「もちろん」と答えました。親族での集合写真も、新郎新婦二人だけでの記念撮影も、写るのは私でした。

妃美佳は私に言いました。

「映一さんにバレてしまえば別だけど、彼が気づかなければ、今日のことは一生私たち二人だけの秘密よ。彼に別れを切り出すことになっても、本当の理由を告げるつもりはないし」

それに、と目を伏せて続けた彼女の言葉は、私を喜ばせました。

「それに、私たちは本当にそっくりだから、どっちが写っても大丈夫。ドレスも小物も私の希望通りだし、私もその写真を自分だって思い込むことにする。何にも問題ない」

「もし、えーいちが気づいて怒りだしたら？」

意地の悪い質問だと知りつつ尋ねると、しばらく考えた後で、妃美佳が答えました。

「その時は、ものすごく謝るだけ。鞠香、一緒に謝ってね」

彼どころか、実の両親でさえ気づかない、私たちの秘密。胸がドキドキしました。リハーサルと違って、今度こそ踏み出す足も、速度もタイミングも間違えない父が、横で緊張しているのがわかります。慣れないことをさせてしまっている罪悪感が私の胸をくすぐりました。

正面の新郎のところまで歩き、父が私の手を自分の元から映一くんに渡しました。

「お父さん、ありがとう」

私の口から、咄嗟《とっさ》に言葉が出ていました。

父はようやく役目を終えた安堵《あんど》を嚙みしめたのか、軽く頷《うなず》いて微笑みました。その姿を見て、私はやっぱり自分が妹に嫉妬《しっと》していたのだと思い知ります。父の初めてのヴァージンロードは、私が一緒に歩きたかった。

今歩いたばかりでおかしな話なのですが、悔しくて、目に涙が滲《にじ》んでしまいそうでした。

妹の買った結婚情報誌で見た、読者からの投稿体験談にこんなエピソードがありました。

『友達の式で、新婦がヴァージンロードを歩き終わった後でお父さんに抱きつき「ありがとう」と言って、感動！』

これを見て、私は、自分の式にはぜひこうしようと思ったのです。おとなしい妃美佳であれば父を驚かせてしまうだけだったでしょうが、鞠香なら、とてもふさわしく感動的な演出に見えます。

「ありがとう」という言葉も、今はまだ使わなければよかった、と後悔しました。私の時まで取っておけばよかった。妃美佳のことはとても好きなのに、私はこんなふうに彼女を一歩出し抜こう、と考えてしまう。妹に申し訳なく思います。

牧師の方を向き、列席者に背を向けると、妃美佳の顔が見えなくなりました。彼女の目は私と映一くん、どちらの背中を見ているでしょうか。

——誓いのキスはどうするの。

妃美佳に尋ねる時、さすがに勇気がいりました。

構わない、と妃美佳は答えました。

写真やビデオ撮影のことを尋ねた時より、むしろ潔い返答だったかもしれません。

「式のキスはどうせほっぺただし。指輪交換も、誓いの言葉も、鞠香にしてもらうなら構わない」

神様の前で誓うのに、罰あたりな妹だと思いました。彼女は私と違って中学・高校とミッション系の女子校に通っていたというのに。しかし、その思い切りのよさが、彼女の決意の固さを思わせます。私はさらに尋ねました。

「私がもし嫌だったらどうしようとは考えないの？」

「嫌なの？」

妃美佳はじっと、静かな目で私を見つめました。私は首を振ります。顔に笑みが浮かびました。

「言ってみただけ。全然、嫌じゃない」

何しろ、私は「妃美佳」なのですから。相手が彼女の映一さんだというなら、躊躇いはまるでありませんでした。

牧師の言葉を受けて誓いの言葉を口にし、指輪を交換します。互いに向き合い、キスを交わすため、私の顔にかかったベールを、映一くんが上げます。正面から目が合いました。じっと、瞳《ひとみ》の奥深くまで見透かすような真剣な眼差《まなざ》しでした。

「では、誓いのキスを」

合図を受け、映一くんの顔が私の頰に近づきます。私も彼の唇を受けやすいように顔を斜めに傾けました。たくさんのシャッター音がして、目がくらむほどのフラッシュが焚《た》かれました。

彼の顔が離れた時、私ははっと小さく息を吸い込みました。映一くんの目を覗《のぞ》き込む。心は妹の方ばかりを気にしていました。

妃美佳。

今の見た？　妃美佳。

「ここに一組の新しい夫婦が誕生しました」

牧師の声がして、ようやく招待客に向き直るのが許されました。祝福の歓声と拍手が聞こえます。不自然にならない程度に盗み見た妃美佳もまた、拍手をしていました。私の黄色いドレスを着て、これまで一度もアップにしたことのない髪を私のようにアップにして揺らしています。

「おめでと、妃美佳」

と、彼女の唇が動きました。

その、些細《ささい》な響き。おめでと、と短く唇をすぼめる仕草が、初めて見るものなのに、逃れようもないほど私だ、と感じました。自分では自分の姿を見ることが不可能であるにもかかわらず。

細長い針が、背中をすっと滑り落ちたように、改めてぞくりとしました。
妹の持ちかけたこの賭《か》けをなんとしても成し遂げたい。そう、切実に願ったのです。

あすかからの電話を切って、トイレを出る。
一緒に会場入りしたいという声を、「ムリだから」と遮断する。あいつの声に殺意すら覚える。冗談じゃなく。
決心がぐらつかないうちにゴールドルームを目指したかったのに、トイレを出てすぐにある喫煙所に人が立っていた。目が合いそうになって慌てて顔を伏せ、帽子をかぶり直す。そのせいではっきり見なかったが、ホテルの従業員らしいスーツを着た女の二人組だ。くそっ、何やってんだよ、働けよ、そんでもって、女のくせにタバコなんて吸うんじゃねえよ、歯がみしながら、とりあえず階段を下りていく。他に行き場がなかった。

貴和子のところに帰りたかった。

朝、接待ゴルフに行くと言って家を出た俺を、何の疑問も差し挟むことなく見送った貴和子。

ゴルフバッグがいつもの場所に見当たらず、探そうとしたところで貴和子に「あ、私が積んでおいた」と声をかけられた。あんな重たいものをよく――、と顔を見ると、貴和子は薄く微笑んで、俺に「いってらっしゃい」と告げた。

あいつのあの、顔。

こいつは何も知らないんだな、と健気《けなげ》に感じて、息苦しくなった。ホテル・アールマティは貴和子にとっても憧《あこが》れの場所だったことを、その時急に思い出した。金がなくて、できなかったけど、あいつの語る年老いてからの記念パーティーの願望の舞台は、いつもアールマティが想定されていた。「あんなとこでできたらいいな」って。皮肉に思う。その夢の場所で夫が別の女と挙式だなんて悪夢だ。貴和子、かわいそうに。

「気をつけてね。事故、起こさないでね」

「ああ」

貴和子。帰りたいよ。

――あすかがここに来なくて済むように。

あいつの家が美容院で、本当によかった。あすかとその母親は今日のメイクやヘアセットを自分のところの美容院でやると言う。ホテルの美容室を使わないおかげで、式が始まるギリギリまで、ここには姿を見せないはずだ。早い時間から会場入りされたら冗談じゃなかった。

——ああ、どうして、俺は彼女の両親に挨拶《あいさつ》になんか行ってしまったのだろう。あすかが泣いたからだ。本当に結婚するつもりなら、うちの両親に会って。もう年で、私のことをとっても心配してるから。——何が年だ。まだまだ現役の五十代じゃないか。

「あすかの家に行くのは構わないけど、うちの両親への挨拶はムリだよ。俺、勘当されてるから」

同居を快く受け入れた貴和子と一緒にお袋は今日も台所に立ち、父親は近所の互助会の集まりに忙しい。

あすかはきょとんとして、「そうなの？」と瞳を潤ませた。

「陸雄くんの家にそんな事情があったなんて。私、何にも知らなかった。どうして教えてくれなかったの？」

「心配かけたくなかったんだよ」

「式には来てくれるかな。そこで初めて顔合わせってことでもいいから、招待状だけ出してみて。ね？　私たちの結婚が、お義父《とう》さんたちと陸雄くんの雪解けのきっかけになれば」

「ありがたいけど、そんなわけで式当日の親族顔合わせ、うちの場合は無理だから」

全体の集合写真も、ホテル側に提案されたが断った。

御しやすい、お世辞にも頭がいいとは言えないあすかがふいに持ち出した「雪解け」の表現に笑ってしまう。いつ、どこで覚えた受け売りの言葉だろう。昔、名前も忘れた女にブラックホール呼ばわりされたことを思い出す。

うんざりと、また容易《たやす》く絶望して暗黒のブラックホールに吸い込まれていきそうになる。いや、むしろ吸い込まれてしまいたいのか。

招待状なんか、全て燃やしてしまった。

新郎側と新婦側。それぞれで作ったリストの招待客あてに出す手紙。切手を貼ったり、案内状を折り畳んで入れ、封をしたり。これを、全部本人たちで一つ一つ内職みたいに作業するなんて知らなかった。だよな、結婚式なんてやったことないし。

「俺がやっとくよ。あすかはドレスや引き出物の心配だけしとけよ」

引き出物。高額なのに、頼んでしまった。あれの買い取り、今から全部考えないとならない。

先月、あすかから預かった婚姻届は、俺と証人が書き込んで役所に出すよ、と言ったまま、鞄《かばん》の中に隠しっぱなしでぐしゃぐしゃだ。出してない。

一階に下りても、姿を隠せる場所はどこにもなかった。チクショウ、さっさと終わらせたいのに。さっきの二階の女どもは、もうどこかに行っただろうか。だけど、度姿を見られていることを考えると、再度うろつくところを見られるのは避けたかった。

苛立《いらだ》ち混じりに中庭を見ると、一組目のカップルが式を終えたらしい。ウェディングベルが鳴り、例のフラワーシャワーの列ができていた。

本当なら、俺やあすかだってあんなふうにはしゃげたかもしれないのに、浮かれている奴らに対して無性に怒りがこみ上げてきた。何故、俺はこんなことに巻き込まれているのか。何にもなかったことにできればいいのに。何も高望みなんかしていない。ただ、元通りを望んでるだけ。かわいい、些細な願望だ。

おととい、同期の松下から電話がかかってきて、その時初めて「何も起きない」ことを理解した。

『お前、「トゥルー・トラスト」の三田さんとの噂、本当か？』

「噂？」

『結婚するって……。何かの間違いだろうとは思ったけど』

「結婚？　するわけねーじゃん」

『ならいいけど。あんまり奥さんに心配かけるような真似するなよ』

「わかってるって」

やばい状況に変わりはないのに、顔が笑ってしまう。だって仕方ない。本当に結婚できるわけがないのだ。

だけど、松下の声を聞いて、ああ、何の関係もないこいつのところにまで話が届いてるんだと思ったら、ぞっと鳥肌が立った。俺とあすか、二人だけの問題じゃなくなってきている。

どうやら、何も起こらない。ストッパーは現れない。

自分がそれになるしかない。

「おめでとう」という声とともに、新郎新婦の頭上に花びらが注ぐ。

――新郎は眼鏡をかけた、いかにもつまらないタイプの男。新婦はなかなか美人だったが、それだって、貴和子やあすかの方が何倍もいい女だ。平凡な幸せを摑《つか》むための結婚じゃなくて、俺みたいな特別な男をきちんと見出《みいだ》し、「結婚」に踏み切ったあいつらの方がきっと何倍も見る目がある。

何故、それを差し置いて、別のどうでもいい女が主役面してこんな豪華なホテルで式をやれるんだよ。

見るにたえなくなって、窓辺から離れた。一階の奥にあるトイレを目指す。

早く済ませて、帰りたかった。

隠しおおせた嘘は、何もなかったことと同じ。

起きてしまった偶然や事故は、誰のせいでもない。少なくとも俺の罪にはならない。

昔から要領と運が良かった。嫌いなことは仮病を使えば休めたし、たまたま書いてたどうでもいい歌の歌詞は運命の女の心を摑むし——あの時貴和子から借りた詩集は、結局一つも読まず、返しもせずに、うやむやになった。俺の散らかった部屋のどこかに消えてしまったし、結婚の引っ越しの時も見つからなかった。捨てたのかもしれない。一度開いたけど、漢字も多いし、一文読んで意味不明だった。俺があんなの理解できる、読めると思ってるなんて、本当、貴和子もどうかしてた——、何しろ、俺は嫌なテストの前日に、学校に雷が落ちて、逃げ出したいという夢を叶《かな》えた実績のある男だ。

嘘みたい、って思われるような奇跡が、きっと起こせる。

「披露宴の会場はこちらです」と、係のスタッフがフラワーシャワーを終えた中庭の客をホテルの中に案内する声が、背後で聞こえた。笑い声が、そこに重なる。

心底、ムカつく。

俺も、貴和子もあすかも、こんなにも今日、不幸なのに。

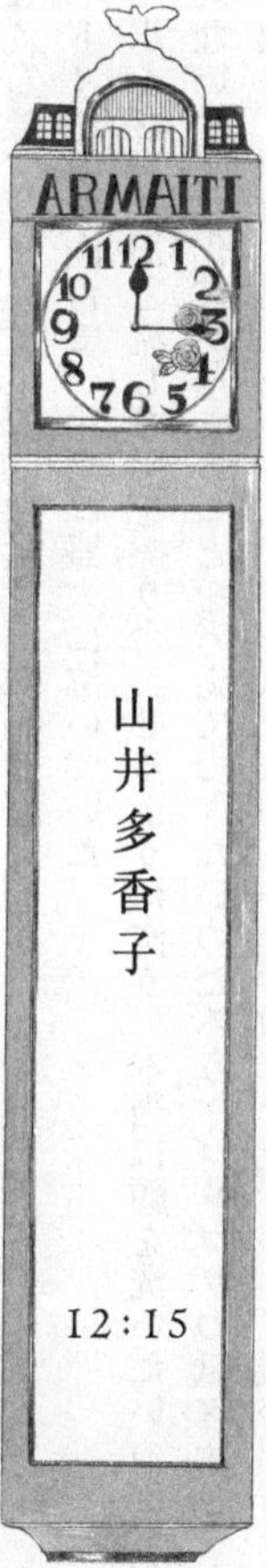

一組目の式を終え、次の式のための支度が始まる。
サロンに戻る途中、中庭を見下ろして足を止める。十倉家・大崎家の招待客たちが互いに挨拶を交わしながらチャペルの方向に歩いて行くのを、感慨深く眺めた。とうとう玲奈の式が始まる。
十倉家・大崎家は最初から当日まで、トラブル続きの揉《も》めどおしだったが、一番参ったのは、何と言っても、一番決めることが多い重要な打ち合わせの際に、新婦と新郎がケンカを始めた時だ。
テーブルクロスの色だったか、それとも食器を銀食器にするか否かの料金の相談だったか。ともあれ、女がより豪華に華美にしようとしたものを、男が出し渋った場面での出来事だった。

「こんなに揉めるなら、式、やめるか？　俺は別にそれでもいい」

大崎玲奈は、なるほど、感情的な女性だった。男の一言にわあっと泣き出し、席を立って、奥のトイレの方に消えてしまう。普段年下の新婦に寛容な新郎も、その日ばかりは長時間にわたる打ち合わせへのストレスも手伝ってか、彼女をフォローしなかった。顔をしかめ、座ったまま立とうとしない。私と目が合うと、「すいません」とおざなりに呟《つぶや》いた。

「すぐに戻ると思うので、待っててもらっていいですか。他に行くところなんかないだろうし。山井さん、時間、大丈夫ですか」

「はい。ただ、様子を見て参りますね。式が近づいて、気持ちが高ぶるお客さまは多いので、ご心配なさらないでください」

本当はこんなに臆面《おくめん》もなく人前で揉めるカップルも珍しいし、今だって、他のスタッフや客たちが驚いたようにこっちを見ている視線を嫌というほど感じたが、男はまた「すいません」と繰り返すだけだった。

トイレの洗面台で、玲奈は盛大に泣いていた。

水をざあざあと流して手を擦《こす》り合わせるように洗う。本当は顔を洗いたいのかもしれないけど、化粧が落ちることを考えてできないのだろう。ゴワゴワの紙タオルを引き出し、慎重に目頭を押さえて涙を拭《ふ》き取っていた。激した気分のまま飛び出したせいで、ハンカチすら持ってこなかったのだ。マスカラとアイラインの黒い色が染みた紙タオルが、濡《ぬ》れて、洗面台に何枚も張りついている。

自分のハンカチを取り出し、泣き続ける玲奈に差し出すと、彼女がしゃくりあげながら受け取った。涙を流す彼女に、囁《ささや》くように言った。

「お気持ち、よくわかります」

玲奈が鏡ごしに私を見た。洗面台に背中をつけて、私は大きく深呼吸する。プランナーとしての務めが半分、投げやりな本心が半分という気持ちだった。

玲奈の顔を見たくなくて、目を伏せたまま続けた。

「自分の式の時に、私、希望が通らなかったんです。ベールの問題で」

「ベール?」

「マリアベールで式をするのが、昔からの夢だったんです」

通常のベールは頭の上から後ろに流す。後ろから一部分を前にかけ、式での誓いのキスの場面で新郎がベールを持ち上げる、あのベールが一般的なスタイルだ。

それに対し、マリアベールは最初から顔が出ているため、持ち上げる儀式は必要ない。もともとはカトリックの女性が礼拝の時につけるとされているベールで、顔の輪郭に沿ってレースが周りを覆う。

私が憧《あこが》れたのは、幼い頃見た映画の主人公がこのベールを身につけていたからだ。

海外の高原での手作り感に溢《あふ》れた式。結婚式、というとこの映画をこれまでずっと思い描いてきた。宗教上の理由とも関係ないし、単なる乙女の感傷に過ぎなかったが、私にとっては大事なこだわりポイントだった。

玲奈には、自分の結婚の経緯も、私が未婚か既婚かということすらこれまで話したことはなかったが、この時は話すのに抵抗がなかった。

「衣装合わせを、両家揃《そろ》ったところでやったんです。ベールもその時に決めるつもりで。きっと立ち会いたいだろうと、互いの両親に配慮してのことだったんですけど、そこで揉めてしまって。——私の借りた衣装店では、通常のベールはレンタルで用意があったんですけど、マリアベールは買い取りだったんです」

「いくら？」

玲奈が泣き止んでいた。私は力なく笑って「地味に高いです。七万円」と答えた。

「七万……」

「大崎さまたちにとってみたら、大きな額ではないかもしれませんね。私にもその頃、多少貯金があったし、何しろウェディングは一生に一度だからって気持ちがハイになってもいた。昔からの夢だったのだから、と払う気でいたんですが」

「親でしょ」

玲奈の視線が同情的に尖《とが》っていた。奥歯を噛《か》んでいる。私は頷《うなず》いた。

「先方に値段を明らかにしないように頼んでおけばよかったんですが、値段を聞いて、両親の風向きが変わったんです。たった一日のことなのだから、と反対されてしまって、衣装合わせの最中なのに、私、涙ぐんでしまいました。だから気持ち、わかります」

「結局、それでどうなったの？　新郎はかばってくれなかったわけ？」

「ええ。マリアベールはなしです」

本当は結婚自体がなくなったのだ。それに、私は嘘をついた。私の「新郎」はその時の私の夢をかばった。

玲奈は黙っていた。さっきよりは落ち着いた様子でじっと床に視線を落としている。説得する、という意識すらなかったが、思うままに続けた。

「思い通りにならないことも多々ありますが、お互いに話し合って、万全の準備で当日を迎えませんか？　お手伝いをさせてください」

「……金目当てだろうって、言われるの」

唐突に、玲奈が顔を上げた。面食らったが、私は「はい」と頷く。

「あの人だから、十倉さんだから結婚したいのに、どうせ金目当てなんだろうって、人から言われる。陰で言われてるのがわかる。もう、そんなの嫌なの」

「好きなら、なおさら戻らなきゃ」

思わず言ってしまってから、自分の口調に気づいた。玲奈が驚いた顔をして私を見ていたが、勢いで続けてしまう。

「式や披露宴は、する意味があることです。大勢の人の前で祝福され、幸せであることを見せる。そんなくだらないことを言う人たちにだって、見せつけてやりましょうよ。あれだけ大勢に祝われたのだから、という事実は、この先のあなたたち二人にとって、必ず意味があります。夫婦円満の秘訣《ひけつ》になってくれるはずです」

玲奈が途方に暮れた子供のような目で、私を見上げていた。小さな声が尋ねる。

「本当？」

「ええ」

大崎玲奈の式を成功させたい、と初めて思えたのはこの瞬間だった。サロンで不機嫌そうに待つ新郎のことを、玲奈が彼女なりに愛していることがわかった。同時に、それまで仕事をしながらも、自分は彼女の幸せなどやはり微塵《みじん》も願えていなかったのだということを思い知る。苦笑してしまいそうだった。

「行きましょうか」

私の声に、玲奈がこくんと頷いた。トイレを出る時、ハンカチで顔を拭きながら

「恥ずかしいな」と呟いた。

「ハンカチ、汚しちゃった」

「差し上げますよ」

「本当？　ありがと」

もらえるものをもらうことに抵抗がない。すっかり調子を取り戻した玲奈の先を歩きながら、私は自分の家のクローゼットにしまわれたあのベールのことを思い出していた。

私の家も彼の家も、両家が反対したベールを、彼だけが買い取ろう、と私に微笑んだ。涙ぐみ、八方塞《はっぽうふさ》がりに追い込まれていた私に、「君はそっちの方が断然似合うよ」と声をかけた。買い取った七万円のマリアベール。今となってみれば、使わなかった高価なベールだけが私に残されたわけだが、後悔していない。

ろくでもない終わり方をした男であっても、あの一瞬だけで、私は彼を許してもいるのだ。あの瞬間の思いは褪《あ》せない。

女の問題がなければ、彼と私は結婚していただろうし、今もそれなりに幸せだったのではないだろうか、と時折思いもする。

チャペルの中に招待客の姿が消えてからしばらくして、準備を調えた新郎新婦が、窓の向こうに現れた。ドレスの裾《すそ》を大儀そうに持ち上げ、芝生に囲まれた道をゆっくりと進む。玲奈の横顔が輝いていた。

私は小さな吐息を落とす。顔が微笑みを浮かべるのが、我ながら不思議だった。

腕時計を見ると、午後の打ち合わせの時間が迫っていた。玲奈はこの後、式を終え、二階のエメラルドルームで披露宴だ。扉の前で、微《かす》かに緊張しながら入場の練習をしている彼女に向け、心の中で呟《つぶや》いた。

きっと、大丈夫。あなたなら。

サロンに戻ると、岬から「お疲れ」と声をかけられた。打ち合わせで客に出す用のミネラルウォーターが机に置かれている。他にも数人、座って仕事をしているプランナーがいたが、今日はやはり立て込んでいるのだろう、人が少ない。ほとんどがサロン内のカフェスペースで打ち合わせ中だ。

「朝イチから大変だったね。どうにか収まったみたいじゃない」

「うん。挙式、無事に始められそう」

「料理の件、仁科さんから聞いた？」

「料理？　ううん、仁科チーフとは今日まだ会ってない」

「ああ、あの人も夜の部の式があるからきっと大変なんだろうけど、さっき言われてさ。料理、今日、オーブンの調子が悪いんだって。俺たち昼の部の分は大丈夫だろうって話だけど、イブニングからは料理メニューが一部変更になる可能性が出てきて、仁科さん、テンパってる」

岬は今日、一階パールルームの披露宴を担当している。披露宴の料理は、和・洋・中から選ぶ形式だが、多くの場合、通常は洋食のプランを薦める。三種のキノコのパイ包みグラタン、というのがアールマティの秋の名物料理だった。オーブンが使えなければ、それが出せない。

「大丈夫なの？」

「俺たちはね。無理矢理にでもオーブン使って、夜休ませればって感じらしいよ。どうしてもメニュー変更できない場合には、系列ホテルの厨房《ちゅうぼう》で空きがあるところにお願いするんじゃない」

「そう」

考えるだけで頭が痛い話だ。今日はきっと、系列のどのホテルも式でいっぱいだろう。余裕があるとは思えなかった。全く、結婚式は終わるまで気が抜けない。そういえば、と思い出す。

「二階のゴールドルーム近くの喫煙所で、灯油みたいな臭いがしたの。夕方までに、仁科さん、確認した方がいいかも。私、この後すぐ出ちゃうから、伝えておいてもらえる？」

「灯油？　何それ」

「灯油そのものじゃないかもしれないけど、とにかくそんな感じの臭いがしたの。トイレの前のところ」

「了解。俺、今日三時までは予定ないから見に行くよ」

「お願い」

「ねえ、山井さん。俺のところの双子ちゃん、見た？　美人姉妹」

「そんな時間あったわけないじゃない」

岬が担当している式の新婦が双子だという話は聞いていた。かわいい、俺ああいう子がタイプ、と以前からふざけ調子に口にしていたし、その新婦が双子である旨を打ち合わせ時に本人から聞きつけた時には、「あの顔が二人だよ！」と興奮気味に話していた。今日の披露宴では、双子の姉は、余興に歌を歌うのだという。

「似てた？」

「もうそっくり。ただ、タイプが全然違ってて、俺はやっぱり新婦の方がいいな。今日のドレス姿も本当に様になってた。新郎が羨《うらや》ましい」

「ふうん」

頷《うなず》きながら腕時計を見る。そろそろ玲奈の式が終わる頃だ。そして披露宴の開始時間には、私は来月挙式する別のカップルとの打ち合わせに入っている。スタートには立ち会えない。

南東の窓から、チャペルのある中庭を見ることができる。彼女のためのウェディングベルを聞けるかどうか、出てくる玲奈の花嫁姿を見たいかどうかは、今でもまだ微妙なところだった。

幸せになって欲しいとは思う。式も披露宴も、必ず成功して欲しいと思う。だけど、その微笑を目で見て自分がたえられるかどうかは、また別の話だ。

大崎玲奈が、最初、ウェディングフェアに現れた時、すぐに彼女だとわかった。あれから七年も経っている。だけど、思い出した。化粧の仕方が多少うまくなっても、年齢に合わない下品な様子は当時のまま。雰囲気でかわいいギャルを演じてみても、素のままの顔の大きさや顎《あご》のしゃくれ具合は、昔のまま。

女からしてみるとこんなにも粗が目立つのに、男はころっと騙《だま》される。周囲をどれだけ振り回しても、結局はすぐに忘れる女の逞《たくま》しさを、男は女を舐《な》めるが故に見抜くことができない。

人違いであってくれたら、と祈った。

フェアの模擬披露宴の最中から視線が釘《くぎ》づけになっていた。私が別れた後、あの男は原因となった後輩の女から半年足らずで捨てられたと聞いていた。やり直したい、という申し出を断ったのは私だ。いまさら元には戻れない。変えられてしまった関係は簡単に修復できなかった。

どういう皮肉なのか、彼女たちカップルの担当プランナーには順番により私が選ばれた。テーブルにつき、彼女の名前を見て、人違いでなかったことを知った。

大崎玲奈。

忘れようとしても忘れることのできない、記憶に刷り込まれた名前。レイナは、俺がいないとダメなんだ、とあの頃彼が言っていた名前が、今、時を遡《さかのぼ》って変換される。

「担当させていただきます、山井です」

名乗る時、声がわなないているのがわかった。怒りなのか、恐怖なのかわからなかった。封じ込め、過ぎ去った幽霊が、今また目の前に現れ、私に何かを迫っているように感じた。

信じられなかった。玲奈は、私が誰であるのか、全く気づかなかった。

「今ならまだ大丈夫って、だけど、ゴールドルームもロイヤルルームも空いてないんですか」

とエメラルドルームへの不満を述べるだけ。

その声に聞き覚えがあった。七年前、毎日のようにかかってきた電話。彼を自由にしてあげて。話、わからないんですか。空気、読んでください。

もともと、その頃から私という個人に興味はなかったのかもしれない。かき回したいだけで、自分と男を奪い合う女、という役割以上の意味など、子供の彼女は私に求めなかったのだ。私の個性や名前など覚えようともしなかっただろうし、男を奪ってしまった後はただ忘れるだけだったのだろう。話が立ち消えになることを、最初の頃はずっと祈っていた。トラブルが起きるたび、ここから彼女が去ってくれることばかりを期待していた。

声が嫌だ、という理屈抜きの反射のような嫌悪感はどうしようもなかったし、顔を見れば、どんな目に遭わされたか、何を奪われたかを思い出してしまう。幸せなど願えるはずがなかった。ぶち壊してしまいたいと思うほどの気力もなく、だけどただ、担当を外してもらえることばかりを望んでいた。しかし、厄介な客のレッテルを貼られた彼女を代わりに進んで引き受けるプランナーなどいるはずがなかったし、玲奈がクレームとともに私を降ろすことを考えると、それはそれで屈辱だった。彼女のせいで、自分のプランナーとしての仕事に傷がつくのは許せなかった。これ以上、大崎玲奈には何も奪われたくない。

結果、私は彼女のために問題に対応してしまったし、彼女も私を降ろさなかった。

今日の、当日を迎えるまで。それに――。和木オーナーにかけられた言葉が、痛いほど、身体の奥底の傷口に沁《し》みる。

すっごく気に食わない相手が来たらどうするの？　この人の幸せなんて死んでも祈

りたくないっていう相手。それでもやっぱり魔法かけてきれいにつつがなく仕上げてあげるの？

オーナー、私どうやら、自分で思ってる以上に自虐的で、そしてプロでありたいと思っているみたい。鬘《かつら》の重さで不恰好《ぶかっこう》に顎を突き出した花嫁は、それが誰であれ見たくない。

この仕事に就いてからの五年間で一番の難局が今日終わる、そう明確に感じている。これを乗り越えたら、きっとずっと、この世界の住人を続けられる。汚い部分も、金の計算も、それによって成り立つ乙女の夢のバランスも、酸いも甘いも知った上で歩いていける。

クローゼットに眠るあのマリアベールは、それでも私の今を支える花嫁の夢の象徴なのだ。絶対に捨てられない。

中庭に向いた南側の窓が騒がしくなる。「おめでとう」「きれーい」「玲奈！」様々な声が飛び交う中、ウェディングベルの音色が高らかに響き渡った。

式が終わり、フラワーシャワーに移ったのだろう。

――おめでとうございます。

小声で呟《つぶや》いて、次の打ち合わせの準備に戻っていく。友人や親族の祝福の声に応《こた》えて、玲奈が「嬉《うれ》しい！」と張り上げた声が、ここまで届いてきた。

打ち合わせのためウェディングサロン内のカフェスペースに行きカップルに向き合って座ると、新婦が気遣うように尋ねてきた。

「秋の結婚式って、多いんじゃないですか。特に十一月のこの連休は、語呂合《ごろあ》わせで、『いい夫婦の日』と『いい夫妻の日』が続くんでしょう？　山井さん、お忙しい中、ありがとうございます」

「いいえ」

私は微笑み、「だけど、今も一組、披露宴に移るところです」と答える。

「今日、しかも大安ですもんね」

新郎が、開いた手帳のカレンダー部分、日付の隅に入った六輝と、窓の外とを眺めて言う。中庭では、まだ歓声が続いていた。フラワーシャワーを終えた玲奈が、友人たちと記念撮影をしている。

私は「ええ」と頷き、持参した分厚い資料のファイルを二人の前に開く。微笑んだ。

「今日はお打ち合わせの分量が多いですよ。長時間になりますが、始めましょうか」

どうか、無事に今日が終わりますように。

世界で一番憎らしいと思った相手。彼女の幸せを、私は祈る。少なくとも、今日だけは。

十一月二十二日、日曜日、大安。大安は、六輝の中で何事においても全て良く、成功しないことはないとされる。だけど、大安はただそれだけでは実現しない。それを可能にするのは、私たちだ。

それが、ウェディングプランナー。大安を作り、支える職業。

加賀山鞠香

12:25

さあ、披露宴です。

式を終え、すでに会場を移動したお客さんたちが、パールルームの中で待っています。入り口に近い手前の親族席に、すでに妃美佳も座っているはずです。

私は映一くんの腕に自分の腕を通し、ブーケとスカートの裾《すそ》を持つ位置を確認して深呼吸しました。入場の音楽が鳴って十数秒後には、扉が開くそうです。

新郎と入場するその時を待ちます。

映一くんはしっかりと目の前の扉を見つめるだけで、介添えがすぐ後ろにいるせいか、私に話しかけることはありませんでした。式同様、緊張はしていないように見えます。

私はその顔を見て、ひそかにゆっくりと瞳《ひとみ》を細めました。

妃美佳が映一くんに賭《か》けを仕掛けたいと思った理由について、実は、私には心当たりがあります。

私の言葉のせいです。

それが全部というわけではないでしょうが、少なくとも要因の一つには確実になったでしょう。その意味で、私は映一くんに恨まれても仕方がないのかもしれません。

結婚を間近に控えたある日、私は街で偶然映一くんに会いました。

私がマネージャーを務めているオーケストラが公演と公演の合間に入り、少し長い休暇がもらえたため、東京から故郷に戻ってきたのです。同じ家で久々に妃美佳とも長く一緒にいることができました。

「ね、妃美佳。今日、えーいちに会ったよ」

彼のことは、結婚が決まってすぐに紹介されていました。眼鏡をかけた冷たそうな顔つきは私のタイプではありませんでしたが、いかにも妃美佳の好みでした。マリンスポーツやアウトドアレジャーの趣味があると聞いた時は意外でしたが、おかげで私とは話が合いました。おとなしく家にこもりがちな妃美佳は、彼の趣味についていけているのだろうかと心配したものの、映一くんの影響でそれまで興味がなかったスキーやスノーボードを始めたのだと聞いて驚きました。これまで私がどれだけ誘っても、「無理、無理」と首を振ってきたのに。

妃美佳は映一くんのことを話す時、本当に楽しそうなのです。その日も、映一くんに会ったという私の話を嬉しそうに聞きました。

「本当？　どこで会ったの？　話した？」

「駅前のカフェでカウンターに座ってたら、前を通って」

私は東京から持ってきた仕事をしていました。ガラス張りの壁のすぐ前を通った彼に気づいて顔を上げると、目が合いました。

東京から着替えをろくに持ってきていなかった私は、その日、妃美佳の服を借りていました。

私はくすりと微笑み、妃美佳に続けました。

「聞いて。えーいちったら、私と妃美佳を間違えたの」

軽い気持ちで口にした後、妃美佳の表情に気づきました。

瞬《まばた》きせず、唇を閉ざし、反応しません。「妃美佳？」と呼びかけてもしばらくは応えず、やがて小さな硬い声が「それ本当？」と私に尋ねました。焦りました。自分が何気なく口にしたことが、どうやら彼女の心に暗く影を落としたらしいことが伝わってきます。「でも」とフォローしました。「本当だけど、無理ないよ。私たちはよく似てるし、私は妃美佳の服を着てたしさ」妃美佳は応えませんでした。私は自分が非難されているような重たい沈黙に耐えながら、妹を見つめていました。

どれほど時間が経ったでしょう。妃美佳が私に言いました。

それは、ある心理テストの話でした。

まず、結婚する相手に求める条件を三つ挙げ、次に、その三つの条件を同じように満たす二人の相手から求婚された場合、決め手となる条件を何にするかを問うものです。

妃美佳から尋ねられ、私はわけがわからないまま自分の思う答えを告げました。その後で、妃美佳自身の答えを聞いたのです。

一、眼鏡をかけていること。

二、妃美佳のことを好きなこと。

三、大らかな心。

決め手の四つ目は、「どうしても、私でなければダメだという人」。

それを聞いて、ピンときました。妃美佳は今、決め手の条件の上に、言葉を省略しました。それは私たち双子でなければ、絶対に思い至らない言葉です。

彼女が告げた決め手の四つ目。妃美佳は伏せましたが、彼女の条件は、正確には、「姉ではなく、どうしても、私でなければダメだという人」ということではないでしょうか。

身震いがしました。足が竦《すく》みます。

高校時代のことを思い出しました。妃美佳がブラスバンド部の指揮者のことで揉《も》め、とうとう私の手でおしゃれすることを決意してくれた時のことです。

自分の彼氏である美容師の手に妃美佳を委《ゆだ》ね、彼女の髪に彼の手が触れた時、微《かす》かな嫉妬《しっと》と切ないほど誇らしい気持ちが湧きあがるのを感じました。彼は私の初体験の相手でした。その手が妃美佳の髪を私にする時と同じようにつまみ上げ、切っていく。しかし、同じ顔をした私たちなのに、彼が妃美佳の髪を持つ手は明らかに恋人に対する時のような甘さを伴いません。髪を切る、仕事の手つきです。

私を抱く時とは明らかに違う。

私はその事実にひどくうっとりと満足し、自分と妃美佳がこんなにも似ているけれど違うことに、感動すら覚えていました。

妃美佳の語った条件は、まるで、私がその時思った陶酔にも似た満足感そのものではないでしょうか。

私たちはともに東京の大学に進み、同じ部屋で四年間暮らし、途中からは同じ大学にだって通いました。

妃美佳と同じ大学を受け直したのは、私にとっては過去の意地を取り戻すような意味合いもありました。小学校時代、習っていたピアノを投げ出し、彼女と同じようにブラスバンド部のある学校に進むことができなかった。高校で追いかけようとしても、私は不合格になってしまった。

大学で特に学びたい学問もなかった私にとって、過去に失敗した、彼女の生きる道を自分も辿《たど》ることこそが、ごく自然な興味の流れでした。

その私に対し、妃美佳は心理ゲームの答えを語ることで、ささやかな告白をした。姉の私をずっと意識してきたことを、私に打ち明けたのです。

それは、ひょっとしたら、あのもう名前も忘れてしまった男の子が中学時代に公園で私の代わりに妃美佳を求めたことにすら起因するかもしれない。そう思ったら、大学時代に彼女にできた彼氏も、今、あの子と幸せな結婚をしようとしている映一くんですら、妃美佳の中では、私に敵《かな》うことはないのだと知ったのです。

その妹が決死の覚悟で頼んできたに違いない、花嫁の入れ替わり。

私に断る理由などあろうはずがありません。

「緊張する」

呟《つぶや》くと、睫《まつげ》が自然と下を向きました。怯《おび》えるような小さな声は、口にした自分でさえ信じられないほど、妹の声そのものでした。

映一くんが右肩越しにようやく私を見下ろしました。

「大丈夫？」

私を気遣う声に、微笑みが浮かびます。

今日の余興で、「私」は歌うことになっています。

まだ賭けの話が出るずっと前、結婚の話が出てすぐの頃から、妃美佳に頼んでいたのです。妹のお祝いに私にも何かさせて欲しい、と。曲目はミュージカル『キャッツ』に登場するT・S・エリオットの『メモリー』。妃美佳のリクエストです。幼い頃両親に連れていってもらってから、私と妃美佳はこのミュージカルと曲が大好きでした。

入れ替わることが決まって、私がまず危惧《きぐ》したのが歌でした。

妃美佳は中学校の頃から、カラオケなどにはまず行きません。たとえ行ったとしても、人前で歌うのが恥ずかしいと隅で飲み物を飲んでいるだけで、どれだけ人に勧められても絶対に歌おうとしないのです。

音大にはピアノ科であっても声楽の授業があるはずでしたが、それを指摘しても、妃美佳は「声楽の発声でカラオケはできないし、ああいう場所はまた別だもん」と笑ってごまかしていました。

その彼女が人前で歌う。しかも、私の代わりに。

今からでも余興を中止したら？　と言う私に妃美佳は堂々と首を振りました。心配しないで、やり遂げるから、と。

そして実際、妃美佳は完全に私になりきるでしょう。

歌だって、きっとこの日のために人知れず練習に練習を重ねたはずです。何故と思うほどの熱心さで取り組んだはず。私が嫉妬するほどに、完璧《かんぺき》な歌を披露するに違いないのです。あの子の中にあるものは、それほどに根が深い。

私はそのきっかけを作っただけです。

カフェの前を映一くんが通った時、私は気づいて顔を上げました。

実を言えば、これまでも私は妹に間違えられることはざらにありました。学生時代、部屋を訪ねてきた妃美佳の彼を、意識して妹らしくふるまうことでわざと騙《だま》したことさえあります。私にとってはちっとも魅力を感じない男の子でしたが、妃美佳のものだと思ったら、触れてみたかった。

あの後で彼がきちんと間違いに気づいたか、妃美佳とどんな別れ方をしたか、私は知りません。

映一くんも、きっとそうなるはずだ、と悪戯《いたずら》心を起こしました。

目が合った瞬間、私の顔は微笑みました。それは、とても妃美佳に似た笑顔だったと思います。

「映一さん」

妃美佳が呼ぶ時のように唇を微かに引いて、そう呼びかけました。

しかし、です。

私が、一瞬だったとはいえ、完全に、全身全霊を込めてなりきったはずの妹に向けて、彼は、あろうことか、視線を微かに上げて、軽い会釈を返したのです。

それは、明らかに私を「妃美佳ではない」と知った上での、他人行儀な会釈でした。

身体が凍りつきました。

彼はそのまま、社交辞令のようにカフェに一瞬だけ立ち寄り、私に「こんにちは」と言いました。「東京から帰ってきてたの？」と。

恥をかかされたように感じました。

今、ガラス越しとはいえ、私は彼に呼びかけた。普段の軽い「えーいち」ではなく、結婚するというのにいつまでも物慣れない、妹の、あの「映一さん」という呼び方で。なのに、彼はそれさえ聞こえていなかったように平然としています。

ああ、そもそも私は何故、彼のことを「えーいち」と呼ぶのでしょう。妃美佳より、より近い距離感でこの人と話しても、心がいつまでも騒ぐようで落ち着きません。

彼はそのまま「急ぐから、また」とそっけなくカフェを出て行きました。私に興味がまるでないように。

許せませんでした。

自分がとても小さな、惨めな存在にされてしまったように思いました。今のをなかったことにしたかった。

きっと彼は、妃美佳が仕事中だということを知っていた。こんなところにいるわけがないと知っていたから、だからきっと。

言い聞かせます。

しかし、彼らは同じ会社とはいえ部署が違うため、普段仕事中に顔を合わせることはほとんどないということを私は知っていました。彼がひどい風邪で休んでいたのをずっと知らずに過ごしてしまったことだってあるのだと、妃美佳が教えてくれた。

もっと言ってしまえば、たとえ仕事中だと思っていてさえ、彼には私の姿を一目見て度肝を抜かれて欲しかったのです。私たちは、本来、そのくらい完璧に同じになれるのです。

やり直しを要求したかった。

なかったことにしたかった。

妃美佳に話したのは、ほんの出来心でした。

「聞いて。えーいちったら、私と妃美佳を間違えたの」

今、「大丈夫？」と私を覗《のぞ》き込む映一くんの目を、私は見つめ返します。

要求し、本当に叶《かな》ったやり直し。私はもう、絶対に失敗しません。妃美佳が私になり替わり歌うのと同様に、私もまたやり遂げてみせます。

「うん。今日はありがとう、映一さん」

映一くんが頷《うなず》きました。本当は見世物になってしまうのが嫌だから、と彼は大きな披露宴をすることには反対だったそうなのです。それなのに、ホテル・アールマティみたいな場所で式をすることを、花嫁の妃美佳のために了承した。

私の妹は、この優しい新郎に対して、何重にも残酷なのです。

しかし、そんなあの子も、私にしてみればかわいい。

心理ゲーム。結婚相手に求める三つの条件を、あの子はおそらく素直に私に打ち明けました。自分が姉の私に囚《とら》われている告白までしてしまうほど。それに対し、私が答えたものはこうです。
一、好みの容姿。
二、一緒にいて楽しい。
三、安定した収入。
決め手の四つ目を、私は妃美佳に「自分の家族と仲良くしてくれること」と答えました。家族とは、当然妃美佳を筆頭に、という意味です。妹とうまくやってくれる男性なら嬉《うれ》しい、という意味で答えました。

しかし、それは表向きでした。

妃美佳の前での建前を捨てていいのなら、本音はこうです。決め手は四つ目ではなく、一番初めに挙げる条件に入り、そしてそれが全てです。
一、妃美佳の結婚相手よりも勝っていること。
これが満たされれば、他には何もいりません。

私が高校時代付き合っていた美容師は、あの時は確かに妹と私を間違えることはなく、私だけを抱いた。けれど、年を経た今になってみたらどうだったでしょう。学生時代の妹の彼氏が、姉の私を妃美佳と間違える時、自分が祝福されたように感じたものです。その反面、自分の恋人が妹と私を少しでも比べたり、見誤ったりする瞬間があると、私は途端に彼らに幻滅しました。

私と妹とを、「違うもの」として断じ、妃美佳でなければダメだなんて言いきることができる相手を、あの子の伴侶《はんりょ》として認めるわけには、絶対にいきません。

そんな相手はいてはいけない。

もし今日、彼が気づけば、私は自分が結婚する相手にも、この先、その条件を求めるようになるでしょう。それはとても困難な道のりです。私たちはずっと同じだった。それに、妃美佳の心に一番広い面積を占めるのは、今までもこれからも、姉の私であって欲しいのです。

ひどい考え方でしょうか。

しかし、妹同様、私もとても残酷なのだから仕方ありません。

自分自身の幸せのためにも、私は今度こそうまくやってみせます。これは、私に恥をかかせた映一くんへの復讐《ふくしゅう》でもあるのですから。

音楽が聞こえてきました。

扉が開きます。足を踏み出した私たち新郎新婦を、眩《まばゆ》いスポットライトが覆います。

さあ、披露宴です。

並んで座った新郎新婦の前に、分厚いアルバムを置く。布張りの表紙に高級感が漂うこの一冊に、テーブルクロスや食器の種類、キャンドルやケーキの形が順番に紹介された写真が貼られている。それぞれのページを開いて料金と内容を一通り説明したところで、「どうされますか？」と尋ねた。

「もし、お二人がご相談されるなら、私、十分ほど席を外してからまた戻りますが」

「あ、じゃあ」

新郎が新婦に視線を送る。彼女も頷いた。

説明の最中から即決するカップルもいれば、時間をかけて他人のいないところで熟考したい人たちもいる。さっきから相槌《あいづち》の声もなく黙って頷くだけだったこのカップルには、十分よりもう少し時間が必要かもしれない。思いながら、席を立った。

サロンに戻り、次に見せる予定の当日の写真と映像の撮影プラン用のサンプルを揃えていると、岬が入ってきた。私を見つけて「お疲れ」と呼びかけてくる。

「お疲れさま。美人双子さんの披露宴、無事に進行してる？」

「順調、順調。スピーチとシャンパンタワー終わって、無事にご歓談タイム。そろそろお色直しだけど——、あ、山井さん、探し物？　あー、ごめん。撮影記録用のサンプル、俺、さっき場所移しちゃったんだ」

すぐにそばまでやってきて作業を手伝ってくれる。私は「ありがとう」と礼を言いながら尋ねた。

「披露宴の様子、直接観に行ったの？」

「うん。少しだけだけど、なるべくなら見届けたいし」

「そう」

「大崎さんの披露宴もそろそろだね。さっき横、通ったけど」

「あ」

名前が出た瞬間、少しだけ息苦しくなった。新郎新婦が入場し、披露宴がスタートしてからお色直しまでは、だいたい一時間程度。アールマティの結婚披露宴は、他の式場より余裕を持った三時間をベースに考えられている。進行中の玲奈の会場に顔を出すことができるかどうかは、今日の打ち合わせ次第だ。

プランナーは当日会場に同席しない旨を伝えた時、彼女は私を不満げに、上目遣いで睨んだ。友達の式の時は、お世話してくれたプランナーさんが会場に常にいてくれてすごく安心したって言ってました、と最後まで粘られ、私はまた謝った。レストランやゲストハウスのような会場ならそれも可能かもしれないが、ホテルという場所ではそれがなかなか難しいことを説明し、結局、通常ならば行わないことだが、最後の打ち合わせには、当日の会場を世話するマネージャーにも同席してもらい、玲奈が安心できるようにと配慮した。

岬の言うとおり、本来なら時間に余裕がある限り、自分が手がけた式は見たい。が、玲奈に対してはどうだろうか。会場で目が合った瞬間に、また新たなる不満をぶつけられそうだ。

だけど、それも今日限り。

「そういえば、二階のゴールドルーム、何も臭いしなかったよ」

「え？」

「近くの喫煙所、灯油みたいな臭いがするって言ってなかったっけ？　さっき確認しに行ったんだけど、何も感じなかった」

「ああ。見てきてくれたんだ？」

岬が頷く。午前中、急に必要になった着付けの終了間近、感じた灯油のような臭いは、美容室の和木も気づいた。気のせいとは思えなかったが、一時的なものだったのだろうか。

「一応会場のスタッフにも言っておいたけど、問題ないと思うよ」

「わかった。どうもありがとう」

「……そう言いながら、山井さん、自分でもまた確認に行くよね、きっと」

見透かすような口調で、岬が言った。呆《あき》れたふうもなく、むしろ楽しんでいる様子だったので、私も笑い返す。

「近くを通りかかったら、そうするけど」

「あんまり仕事ができすぎると大変だよ」

岬が苦笑する。「そんなことない」と私は答えた。

資料を揃え、カフェスペースの様子を窺《うかが》うと、私が担当する二人は、まだページをめくりながら考え込んでいるようだった。もう少し時間を置くため、そっと外に出て、仁科チーフを探しに行く。二階で感じた灯油のような臭いの違和感について、一応耳に入れておいた方がいい。

途中、宿泊フロントの近くまで行ったところで、赤い蝶《ちょう》ネクタイをした男の子とすれ違った。保護者は連れず、一人きりだ。

「トイレはどこですか」

廊下で私を呼び止めた彼は、躊躇《ためら》うように随分迷ってから尋ねた。招待客だろう。

ひょっとしたら、これから指輪かブーケを渡すか、はたまた余興の披露か、何か役目があるのかもしれない。頬が緊張したように真っ赤に引き締まっている。

「あっちの表示のところですよ。一緒に行きましょうか」

迷ってしまったのかもしれない。本来なら披露宴会場のすぐ近くにトイレがあるはずなのに、宿泊フロントの方まで来てしまうなんて。

チャペルは今日の昼間、一時間ずつ間隔を開けて、三つの式の予約を受けている。その後の披露宴も同様の時間差で進む。終了時刻が同時になると入り口と駐車場が混雑するため、それを避けて、会場を開く時間が調整できるようにしてある。

今から式だとするなら。

腕時計をちらっと見る。前の二つの式はすでに終わったはずだから、一階のロイヤルルームの式だろう。確か、東家・白須《しらす》家だったか。

男の子は「だいじょぶです」と答えて、一人、フロントの向こう、奥まった場所にあるトイレの方向に消えていった。

後で、また様子を見にこようか。

気になりながらも本館に戻る。仁科は見つからなかった。仕方なくせめて自分で確認しようと二階に急ぐと、さっき灯油の臭いを嗅《か》いだように思った場所は、岬の言うとおり、確かに何の臭いもしなかった。ついでに近くのゴールドルームを覗《のぞ》いたが、無人の会場はしん、と静まり返っていた。テーブルも椅子や花、小物の配置もすでに済んでいるが、まだ誰の出入りもない。

本当に気のせいだったのだろうか。

釈然としないものを感じながらも顔を上げると、階段を挟んで反対側に、玲奈たちの披露宴会場、エメラルドルームの扉が見えた。防音設備が整っているせいで、そこまで大きな音は洩《も》れてこないけど、この距離でも司会の女性が話す声がかろうじて聞こえる。式の始めに新郎新婦の生い立ちや出会いまでを紹介している。

中に入ろうかどうか、様子を見ようかどうか、一瞬迷って、そして、やめた。乾杯前の今の時間に、途中で扉を開けて興を殺《そ》ぐような真似はできない。皆の前に堂々と立って司会者の言葉を受ける玲奈を想像したら、それだけでもう、私の役目は終わったも同然だと思った。あとはきっとうまくいく。

再び一階に下りると、背広姿の男性がきょろきょろと首を動かしながら歩いてくるのが見えた。私の姿を見て足を止める。

「すいません。一階のトイレはこっちの本館のものの他は、どこかにありますか？」

すぐにピンと来た。「お子さんをお探しですか？」と尋ねる。

「さっき、男の子を宿泊フロントの奥のお手洗いまで案内しましたが、そちらではないでしょうか」

「あ、ありがとうございます」

お父さんらしきその人が頷《うなず》く。その姿が奥に足早に消えていくのを見送りながら、中庭を見た。

快晴だ。紅葉した木々の枝が、芝生の上に薄い影を落としている。

鈴木陸雄

13:20

計画はこうだ。

俺とあすかの披露宴が予定されているゴールドルームに忍び込み、カーテンと絨毯《じゅうたん》を中心に火を放つ。その間、俺は顔を見られないよう注意しながらホテルを後にする。

イブニングの式は、当然中止になるだろう。火事の話が、どれだけの早さで俺やあすかのところまで伝わるかはわからない。ひょっとしたら、連絡が間に合わず、あすかはメイクを終えてホテルまで来てしまうかもしれない。

しかし、どちらにしろ、火事を出した建物で今日すぐに式はできないだろう。後は、縁起が悪いとか何とかケチをつけて、あすかとは結婚話自体を先延ばしにすればいいのだ。何しろ火事なのだから、不可抗力だし、仕方ない。その上、責任はホテル側が取ることになる。そうすれば、披露宴のキャンセル料は一気にチャラだ。それどころか、ひょっとしたら、こっちが被害者ということになって、向こうから賠償金が取れるかもしれない。

考えたら、胃の底からぶるっと心地よい震えがきた。

最終の打ち合わせで、プランナーの仁科から見せられた見積もり金額は五百二十万ちょっと。招待客が多いからそれぐらいの出費はやむを得ないと言うし、当日の飲み物などの量によってさらに多くなる場合もあると言う。結婚というのは、恐ろしいと思う。式を少しでもいいものにしたいという人の心につけ込むのだ。キャンドルをバラ形のものに変更、食器を銀食器に変更、ケーキをデザイン性の高い物に変更、少しずつ重なった金額が、積もり積もってとんでもない額になっている。

俺に払えるはずもなかった。

そう言ったのに、「一生に一度の思い出」だと息巻いたあすかは、聞く耳を持たなかった。当日は華やかにやるだけやって、支払いについては後日考えればいいじゃない、と平然と言い放った。

一階の宿泊フロント奥のトイレは、披露宴会場と離れているせいか、さっきから個室にいても人が出入りする様子もなく静かだ。本当は二階の俺たちの会場近くのトイレに隠れていたかったのだが、二階の別の部屋で披露宴がそろそろ始まる気配があった。人の出入りが激しくなり、前を通ると客たちの笑い声が聞こえた。……俺の気など何も知らず。本当だったら、俺だって何の問題も不安もなく新郎をやる生き方だってあったのに、何故、今、こんなところで重たい気持ちでいなければならないのだ。

背中が嫌な汗をかいていた。

本当は、もう少し早くやるべきだったのに、進んでしまった時間が恨めしかった。最初に会場を訪れてから、すでに二時間以上経過している。

開いたバッグの中、ペットボトルの中で揺れる灯油を見つめる。やるんだ、と心の底で声がした。

人は多分、死んだりしない。そんなおおごとになるわけない。

無人の寂しい部屋のカーテンと床を焦がすだけ。人だって出入りしてるフロアだし、きっとすぐに気づいて消し止められるはず。だけど、火の回りっていうのは意外に早いってテレビか何かで聞いたことがある。では、灯油なしで火を直接放った方がいいだろうか。

どうせ、今このホテルにいるのは他人ばかりなのだし、お気楽に結婚式をやってるような奴ら、どうなろうと知ったことじゃない。

そこまで考えて、空気の塊を呑《の》み込む。

何にせよ、もう、俺はやるしかない。他に方法がない。だって五百何万もいまさら払えるわけないだろう。結婚式ってのはぼったくりだ。あすかがそんな豪勢な式を夢見たりするからいけないんだ。自分じゃろくに稼いじゃいなくて、全て親まかせなくせに。

小さな足音が、外で聞こえた。息を殺し、反射的に開いたバッグを閉じる。隣の個室が閉まる音がした。

黙ったまま、相手が早く出ていくことを祈ったが、隣からは入ったきり何の音もしなかった。怪訝《けげん》に思って、薄い壁に耳をつける。しばらくして、さらに別の誰かが入ってくる気配がした。

「真空、真空、いるか？」

「いるよ！」

怒鳴るように答えたのは子供の声だった。ジャー、という水音が続き、ドアが開く音がした。

「早くしなきゃ、もう式始まるぞ」と大人の声が急《せ》かし、子供が手を洗いながら「わかってるよ」と応《こた》える。そいつらが立てる足音が遠ざかってから、俺はふう、と息を吐き出した。

ボストンバッグを背負う。

随分余計な時間を食ってしまった。この期に及んでどうやら俺もびびっている。現れないストッパーの存在を待ちわびるつもりはもうないはずなのに、何故、来てすぐに火を放ってしまわなかったのだろう、と後悔する。

早く終えて、家に帰って、眠りたかった。

願うことはそれだけなのに、何故、俺はここでこんなことをしていなければならないのだろう。

その時ふと、貴和子の顔が思い浮かんだ。

あすかに手を出した俺が、確かに悪い。俺が既婚者だって気づかないで、豪華な式をねだるあすかも悪ければ、空いてないと一度は断った会場を俺への断りもなく用意してすさまじい金額を積み上げた、ここのプランナーだって悪い。

でも、俺がこんなとこにいなきゃならない、もともとの原因は貴和子だ。家で黙って待ってるあいつにだって責任はある。

ここ数ヵ月。貴和子は、様子がおかしかった。

勤めてるスーパーの同僚に誘われたか何かして、市立図書館のボランティア活動に参加するようになったあたりからだ。子供への絵本の読み聞かせとか、児童福祉団体のイベントの手伝いで休日も家を留守にすることが多くなり、帰ってきた俺に嬉《うれ》しそうにその様子を聞かせた。

誰々くんがね、誰々ちゃんがね。子供がね、子供がね、子供がね。何が言いたいんだよと、正直、鬱陶《うっとう》しく思っていた。子供が欲しいのかよ。前に、そのことで揉《も》めたの忘れたのかよ。もっと頭がいい女だと思ってたのに、とろくに相手をしなかった。

付き合っていた頃から、貴和子は友達ともそうメールや電話をするタイプじゃなかった。俺がして欲しくないと望んだせいもある。女友達と遊び回れば、合コンの類に誘われるのは目に見えていたし、もともと、貴和子が連れてくる女子校出身の友達は行儀のいいお嬢様タイプが多く、俺とは合わなかった。家でおとなしくしていて欲しいと頼み、結局、貴和子は、結婚を機にそれまでの友達とはだいぶ疎遠になった。

それなのに、ボランティア活動に勤《いそ》しむようになってからは、新しい友達ができたとかで、メールも電話も回数が増えた。本来のボランティア活動を離れ、休日に買い物に行ったり、みんなでバーベキューをする、と楽しそうだった。どうせ暇な主婦の集まりなのだろうと深く考えずに送り出したが、後日、そのバーベキューの時に撮ったという写真を見せられて仰天した。メンバーが若い。男も多かった。

遠回しに非難すると、貴和子が「学生さんのサークル活動みたいなものなの」と嬉しそうに笑った。見た目が若い貴和子は、写真の中でもすっかり溶け込んでいた。自分のことを「この中じゃおばさんね」と言いながらも、周りがそう見ていないだろうことは容易に察しがついた。貴和子が楽しそうな様子を見るたび、胸がざわついて仕方なかった。

急に、不安になった。

メールや電話の相手を確かめようとしたが、独身時代には簡単に盗み見ることができた貴和子の携帯電話は、今はもう家のどこにあるかわからなかった。用心してるのかもしれない、と考えたら、ますます怪しく思えた。

俺があすかにのめり込んでいったのはその頃だ。挙げ句、結婚話が転がりだして止まらなくなった。全部、貴和子が原因だった。あいつが俺の知らない世界を持ったりするから。知らない友達の話を嬉しそうに語る貴和子は、どれだけのことを自分がしたか、今もわかっていないのだ。最近だって、メールをよくしていた。「相手だれ？」と聞いた俺に困ったように、なんとなく陰のある微笑みを浮かべて「友達」と答えた貴和子。女だと言っていたが、どうだろうか。そういえば、その頃から、俺への接し方もどこかぎこちなかった気がする。

時折、あいつが俺を見る目に泣き出しそうなものを感じたこともある。あれは、あいつなりの罪悪感だったんじゃないか。チクショウ。子供さえできてりゃあ、きっと今頃、貴和子もこんなことにならなかったのに。

自分がとんでもなく理不尽な目に遭わされていると感じながら、俺は今度こそ覚悟を決める。

それでも俺は、そんな妻のところに今から帰ってやろうとしてる。貴和子のために、やるしかない。そんな自分をひどく一途《いちず》に感じて、緊張と高揚が入り交じった手で拳《こぶし》をつくる。

ボストンバッグを背負ったまま深呼吸し、そっとトイレの個室を出た。

白須真空　13:20

トイレに行きたい、と言うと、お母さんに「式が始まるんだから、早くしてよ」と怒られた。

「それに、何回目？　緊張してるのかもしれないけど、今度こそ全部済ませてきて」

「わかったよ。うるさいなあ」

大声でそんなふうに言われると腹が立つ。服の上からおなかを押さえながら、部屋を出た。

途中、廊下から、中庭の建物が見えた。あの中で結婚式をするとかで、そろそろお客さんたちが入って待っているらしい。今からのオレの役目は、ホテルの人の合図で、先に入ったりえちゃんと東さんのところまで指輪を持っていくこと。ふわふわのクッションの上で埋もれるように並んだ二つの指輪。大きさが違う。大きい方が東さんで、小さい方がりえちゃん。小さい、りえちゃんの方を見てたら、やっぱりリングボーイなんて断ればよかった、と思えてきた。

途中、すれ違った女の人がホテルの人っぽかった。場所を聞こうとして、迷ったけど、立ち止まってくれたから「トイレはどこですか」って聞いた。その人は笑って、「あっちの表示のところですよ。一緒に行きましょうか」って言ってくれたけど、それぐらい一人で行ける。あんまり子供扱いして欲しくない。

トイレに行って、狭い部屋で座ってても、気持ちはどんどん落ち着かなくなるだけだった。おなかを押さえて身体を折り曲げた。いっそこのまま、出て行かなければ、どうなるだろう。

「真空、真空、いるか?」

そんなに長い間入ってたわけじゃないのに、お父さんが呼びに来る。大声で呼ばないで欲しい。「いるよ!」と怒った声で答えて、流すものは何もないけど、トイレのレバーをジャーッと引く。

外に出て、お父さんに待ってもらって手を洗う時、正面の鏡に映ったオレは泣き出しそうな顔をしていた。

かがみよ、かがみ。

さっきはお願いだったけど、今度は本当にわからなくて、心底困って聞いてみる。

かがみよ、かがみ。オレは、どうするのが正しいですか。どうしたら、いいですか。

結婚式をする場所は、チャペルって言うらしい。もうみんな、そこに勢ぞろいしてるから早くしろって怒られた。

オレは、心配だからって横にくっついてるお母さんと一緒に、扉の前で指輪交換まで待った。両手に載せたクッションに、二つの指輪がキラキラ輝く。式場の人とお母さんが、両脇からオレの手元を見張っている。

扉が開く。

歩き出そうと顔を上げて、足が止まった。建物の中は思ってたよりずっと広くて、天井も高くて、敷かれた赤い絨毯《じゅうたん》の先でこっちを振り返っているりえちゃんと東さんまでの道のりが、すごく、遠く感じた。RPGの、お城みたい。

高い音で、オルガンが鳴ってる。大人なのに幼稚園の園服みたいなのを着た人が何人か、前の方で歌を歌ってた。

色とりどりのガラスから差し込む光が眩《まぶ》しい。

絨毯の左右に分かれて立つ人たちは、知ってる親戚《しんせき》の人もいたけど、ほとんどが知らない人だ。全員がこっちを見てる。大人からこんなに見られたことはなかったし、音楽に合わせて一人きりで歩いていくのが、想像してたよりずっと恥ずかしくて、かっこ悪いことに思えて、早く済ませてしまいたくなる。

りえちゃんと目が合った。

さっきまで、カチューシャがなくなって泣きそうだったりえちゃんは、今は調子を取り戻したように微笑んでいる。「頑張って」の形に口が動いた。優しい目でこっちを見ている。

白いドレスに、真珠のネックレス。お化粧もしてる。頬っぺたと目の上に金色の粉がキラキラしてて、目が普段より大きい。睫《まつげ》が真っ黒で、長い。テレビで見るアイドルみたいにキレイにしてる。

その顔を見たら、思い切って歩き出す決意ができた。うまくできるだろうか。

ゆっくりと、手のひらを上に向けた状態で歩く。足を交互に出すたび、もう片方の足とすれ違う感覚までしっかりわかる。ぶかぶかの靴のつま先が気になる。

やるんだ、と決めた。

通路を半分くらい行って、りえちゃんの微笑みが段々近づいてきたところで、オレは歯を食いしばって足を踏み出し、そして転んだ。

「ああっ！」

と声がした。一人や二人の声じゃなかったと思う。りえちゃんが驚いたように目を見開き、何か言いかけるように唇が開くのが、倒れる一瞬前に見えた。手のひらに、ふわふわのクッションの感触。指輪を載せたまま、遠くまで飛んで――。

そう思ったのに。


「危ない！」

オレのおなかと胸を、誰かがその時、がっと抱え上げた。強い力で引っぱられたせいで、弾みで落ちそうだったクッションともども、腕が胸に引き寄せられる。

「大丈夫？」

大人の男の人の声がした。夢中で顔を上げる。周囲からほっとしたようなため息が洩《も》れた。ああ、よかった。転んじゃったのね、かわいい。

指輪。

慌てて確かめると、胸に抱えたクッションの上に、指輪は大きい東さんの分も、小さいりえちゃんの分も、両方並んでいた。少し角度が変わったけど、クッションから落ちてさえいない。

「ああ、よかった」

背後から声がした。オレを抱き上げて、助けた人が言ったんだ。唇を噛《か》んで振り返る。眼鏡をかけた、男の人だった。年は東さんと同じくらい。まだオレのおなかにしっかりと置いたままだった手を離し「痛くない？」とまた聞いた。

オレは呆気《あっけ》に取られ、とりあえずこくんと頷《うなず》くしかなかった。泣きそうな気持ちだった。指輪は無事。

「真空」

お母さんが声を上げ、後ろから走ってくる。近くにしゃがみ込み、小声で「ダメじゃない」と呟《つぶや》く。それから、オレを助けた男の人に向けて「ごめんなさいね、どうもありがとうございます」と頭を下げた。お兄さんが「いえ」と首を振る。優しそうな男の人だった。東さんは少し茶色がかった髪だけど、この人は黒い。真面目そうだ。

「狐塚《こづか》くん」

りえちゃんの声が前からした。

それが、このお兄さんの名前なのか。お兄さんが「大丈夫」ともう一度、今度は前の二人に向けて答える。りえちゃんの友達だったのか。りえちゃんがほっとしたように、オレとお兄さんに頷き返す。

「小さなハプニングがありましたが、彼がきっと、これからの二人の前に立ちはだかる困難と、最初のつまずきを肩代わりしてくれたのでしょう」

顔を上げると、十字架の前に立つ牧師さんが、ニコニコしながらこっちを見ていた。

その様子に、りえちゃんたちもようやく安心したように微笑む。ざわざわしてた空気も、静かになっていく。

「二人の幸せのために、どうもありがとうございます。こっちまで、歩いてこられますか」

オレに言ってるんだとわかったら、顔が耳まで熱くなる。「はい」と答えた自分の声が、掠《かす》れて変に甲高くなって、そのことも恥ずかしかった。

もう、転ぶわけにはいかなかった。クッションを持ち直し、指輪をきちんと見せるように載せて、歩いていく。早く済ませたくて、さっきより早足になった。

指輪を届けると「ありがとう、真空」と、りえちゃんがオレの頭を撫《な》でた。白い手袋が額に当たる。色ガラスを通して差し込む光が、りえちゃんの涙で潤んだ目を照らした。

「大丈夫だった、真空くん？」

東さんも聞く。オレは黙って顔を伏せ、東さんの目を見ずに頷いた。

「指輪が届きました。さあ、交換です」

声が聞こえる。オレはそのまま一番前の列の端っこに連れて行かれた。牧師さんが言う。

「ここに、新しい一組の夫婦が誕生しました」

涙ぐむりえちゃんと、笑う東さん。みんなの方に向き直って、深々と頭を下げた。

戻った打ち合わせのカフェスペースで、担当するカップルの前に再び座ると、窓の向こうに式が始まる様子が見えた。鐘の音を聞き、新婦の方が「わあ」と腰を浮かせる。

「今日、本当に多いんですね。花嫁さんをたくさん見られて、なんだかラッキーな気持ち」

「ええ」

客を入れたチャペルの扉を前にして、ウェディングドレスを着た花嫁が入場を待っている。その後ろに、数人の大人にまじって小さな男の子の姿が見えてほっとする。さっきの子だ。どうやら間に合ったらしい。

「今日は大安ですけど、どうしても都合がつかなくて縁起が悪い日に式をするカップルっていうのもいるんですか」

「最近は気にされない方も増えていますよ。たとえば、うちは仏滅の日の割引プランがありますが、そうした割引を廃止した会場もかなりあるみたいですし」

世間話に乗りながら、ついでだから、六輝表を取り出す。私が自分のノートにいつも挟んで、打ち合わせですぐに出せるようにしてあるものだ。

先勝、友引、先負、仏滅、大安、赤口。

横にそれぞれの日の意味が書かれている。

午前中がよいとか、夕刻がよいとか、説明の文章に、悪いことは一つも書かれていない。中でも仏滅は昔から何事においてもよくない日とされてきたが、そこにも、最近ではこだわらず、ゆったりと時間を使って挙式するカップルが多くなった旨が記載されている。「気にするのは日本だけで、海外にはこんな六輝はありません」ともある。

「あ、そういえばそうですよね」

その一文を見て、新郎が笑う。「ええ」と私も微笑んだが、改めて考えると、その上下に書かれた他の日に対する縁起のいい文句をこの一言で無効化してしまっているのだな、と苦笑したい部分もあった。

目の前のカップルが挙式するのは、来月の土曜日だ。本来今月に希望していたものが、大安の日が埋まっているという理由で一ヵ月延びた。

「僕らも、自分たちだけだったら大安じゃなくてもよかったんですけどね。親の目がやっぱり気になって」

「はい」

「結婚した友人からも言われたんですよ。とりあえず、一番いい日にやっとけば間違いないからって。縁起の悪い日に無理して挙げると、ケンカしたり、この先夫婦に何かがあったりすると、ほら、やっぱり大安にしなかったからだって周りに言われかねないって脅されて。それもそうだなあと思ったんで、調整しちゃいましたね。臆病《おくびょう》なんで」

「そう思われる方は多いと思いますよ」

表をしまいながら、深く頷く。言いかけた言葉があったが、呑《の》み込んだ。以前、大安の日程が取れなかったカップルに慰めのようにかけた言葉だった。

大安も仏滅も関係ない。仏滅に挙式したカップルだって幸せな例はいくらもあるし、逆に大安の式にだって問題が起こる時は起こる。

「では、本題に移りましょうか」

気持ちを切り替え、カップルの手元に置かれたアルバムを広げる。細かい点まで一つ一つ確認する。よほどのことがない限り、こうやって確認していけば大きなトラブルは起こらずに済む。

途中、音楽をどうするかの打ち合わせに差しかかって、彼女の方が「あー、大変」とため息まじりの声を洩らした。

「場面場面の曲、全部自分で決めるんですよね。考えてなかったから、気が重いです」

「ご提案曲の音源を今日お渡ししますから、そちらも聞いてみてください」

結婚式の準備は通常通り仕事をしながら、場合によっては新居への引っ越しや新婚旅行の準備とも並行して行われるのだ。「楽しみながら、やっていきましょう」と私は言った。

「準備は大変かもしれないですが、その分の喜びは当日何十倍にもなってご家族やお友達から返してもらえますよ」

この仕事をしていてよかった、と思うのは、担当したカップルが式を終えて挨拶《あいさつ》に来てくれる時や、その後の記念日などでまたこのホテルに顔を見せに来てくれることだ。子供が生まれた、とおくるみの赤ちゃんを連れてきてくれた人たちもいる。

そういう時、心の底から幸せを感じる。できすぎた発言かもしれないが、力をもらえる。私はこれが好きなのだから、仕方ない。

ふと、目線を窓の外に落とすと、中庭の式は終わっていた。鐘が鳴る。フラワーシャワーを頭から浴びた花嫁が、芝生の上を新郎に手を引かれて歩いている。陽光が、花びらだらけになったベールの上を滑る。

振り向いた顔が、眩《まぶ》しそうに笑う。手を振るのと一緒にブーケが揺れた。

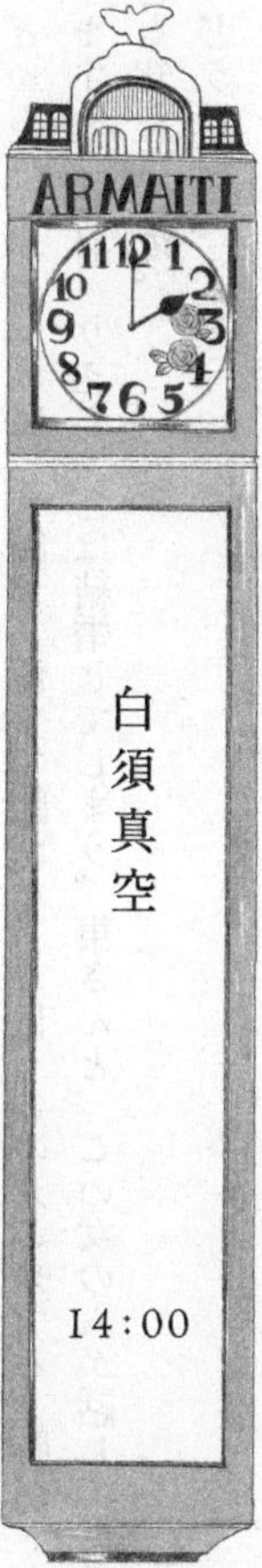

パーティーが始まるまで、何でも好きな飲み物を頼んでいいって言われて、もらったコーラを座って飲む。お父さんも、おじいちゃんたちも、久しぶりに会う親戚《しんせき》たちとの話に夢中だ。

部屋の中は、オレのほかに子供はいなかった。

何をしてればいいのかわからなくて、オレはコーラをテーブルの上に置いて廊下に出た。

また、トイレに行こうか、どうしようか。

考えながら、窓に沿って廊下を歩く。中庭と、そこの真ん中に建ってるチャペルが見える。あそこでの失敗のせいで、オレはさっきから、知らない大人たちに「かわいかったよ」とか「大丈夫？」とか、うんざりするほどたくさん声をかけられていた。

と、その時だった。

「真空くん」

名前を呼ばれ、顔を向けると、赤いドレスを着た背の高い女の人が近づいてくる。その人から「痛くなかった？　だけど、真空くんのおかげで盛り上がったよ」と声をかけられた時、驚いて、そのまま動けなくなった。

りえちゃんの薬局の裏で、東さんとくっついて話してた女の人だ。近くでは初めて見る。細くしてる眉毛《まゆげ》と、目の上の紫色のお化粧、真っ赤な口紅。

かがみよ、かがみ。

呪文《じゅもん》を思い出す。この人が、東さんと話してるところを思い出したら、ぞっとした。りえちゃんの方がずっといい。りえちゃんも今日はお化粧してるけど、この人とは違う。この女の人の紫色のお化粧は、魔女みたいだ。

今、この人はオレを「真空くん」って、呼んだ。

名前を知られている。

どっちつかずに「はい」と頷《うなず》き、慌てて離れた。今日、この人が来てる。胸がドキドキする。今日、りえちゃんは結婚してしまう。東さんと、この女の人が話してたことも知らないで。

どうしよう。

泣きそうな気持ちで中庭を見てた、その時だった。

「白須、真空くん？」

またリングボーイのことを言われるのかと、唇を引き結んで相手を見る。だけどそれはオレを助けた、あの男の人だった。りえちゃんが、「狐塚くん」って呼んでた人だ。

りえちゃんの友達だと思ったら少し気持ちが緩んだけど、狐塚さんは一人じゃなかった。後ろにもう一人、男の人がいる。確認して、ぎょっとする。さっき、りえちゃんの準備が終わるまで一階でジュースを飲んでた時、奥の席で新聞を読んでた男の人だ。オレの周りには、普段あんまりいないタイプ。——不良だって思った、あの人だ。

「何？　この子、真空くんっていうの？　かっこいい名前。どういう字？」

背が高くて、着てるスーツも、みんなよりちょっとおしゃれに見える。黒い髪だけど、狐塚さんみたいに真面目そうじゃない。目の上と、唇と、髪から覗《のぞ》く耳に、金色のアクセサリーが嵌《は》まってる。りえちゃんの結婚式に来てたお客さんの中にはいなかったと思うけど、誰なんだろう。

相変わらず、ちょっと怖い。だけど名前をかっこいいと言われたら、悪い気はしなかった。

狐塚さんが「確かシンクウって書くんだよね？」とオレの顔を見る。お母さんがいつも人に説明する時に言うのと同じだ。オレは「そう」と答えた。

「へえ」

不良の方のお兄さんが頷き、狐塚さんを見た。

「で、狐塚。この子がさっき話してた子？」

「そうだけど……」

狐塚さんが困ったような表情になって、「恭司《きょうじ》、向こうに行っててよ」と手を振った。しっしって追いやるみたいに。不良のお兄さんは、不服そうに「何だよ」と口を尖《とが》らせた。

「いいじゃん。あんな気になる話をしといて何だよ」

「でも……」

狐塚さんが首を振り、オレを見る。その目を見た途端、ドキン、とした。どうしてかわかんないけど、肩にぎゅっと力が入った。

他の大人たちは、みんなそれぞれ自分たちの話に夢中で、中庭を向いた窓の前にいるのはオレたちだけだった。狐塚さんが諦《あきら》めたように恭司さんから少し離れ、オレに近づいて言った。

「さっきは、大丈夫だった？」

「ありがとうございました」

きちんとお礼を言う。

狐塚さんが、目をすっと細めた。その瞬間、さらに嫌な予感がした。ごまかしたり、逃げたり、どうにかしなきゃって思った時には遅かった。「間違ってたらごめんね」と狐塚さんが言った。

「さっき、式の後でりえさんたちから聞いたんだ。今日の披露宴の、お色直しで着る衣装の一部がなくなって困ってるって」

「……はい」

声と一緒に空気の塊を飲み込んだら、そのまま吐けなくなった。心臓がドクドク鳴ってるのが聞こえる。狐塚さんの顔は、相変わらず優しかった。

「真空くん、さっき、わざと転んだね」

自分がどんな顔をしてるか、わからなかった。平気でいられてるか、わからなかった。喉《のど》が苦しくなって、うまく空気が吸えなくなる。

「ちょっと、話さない？」

狐塚さんが言った。

「あのお兄さんと話したい」と、お母さんに言って、中庭に出た。パーティーが始まるまではまだあるからって、お母さんは「いいわよ」って許してくれた。

中庭には、さっきの不良っぽいお兄さん、恭司さんもいた。泣きそうになる。今から何されるんだろうって、身構えたところで、狐塚さんが慌てて「ごめん。こいつ、見た目はこんなんだけど、怖くないから！」とオレに言った。恭司さんを睨《にら》む。

「だから、お前は来るなって言ったのに……」

「なんで？　これも何かの縁じゃないか。俺、子供好きなんだ」

「初耳だ」

「お前が留学してる間に好きになったの。いろいろあったんだって、俺も」

ふざけるように笑って、それから歩き出した。オレに向けて、ごくごく自然な、普通のことを言うように言う。

「歩きながら話そうよ。その方が怪しまれないで済む。まずはさ、そのおなかの中味を出しちゃえば？　気持ち、軽くなるよ」

守るように手を置いてたおなかが、ぐっと重たく、痛くなる。咄嗟《とっさ》に狐塚さんを見た。どうやら全部バレてしまった。この二人は、知ってる。

オレは歩き出した。泣きそうな気持ちでホテルの建物に背中を向けて、服とおなかの間に手を突っ込む。歩きながら取り出して、二人に見せた。

白雪姫の、赤いリボンのカチューシャ。

薄っぺらい、柔らかい布でできてる。朝から随分長い間しまっておいたように思えるけど、皺《しわ》にもならずに、きれいなままだった。

「さっきおなかを支えた時に、カチューシャの硬い部分が指にあたって」

狐塚さんが言う。

「それで、ひょっとしたらって思ったんだ。ずっと、そこに入れてたの？」

頷く。

本当は、捨てようとした。

ホテルの人に、どこか隠せるような場所を聞きたかった。だけど、どう聞いたらいいかわからなかった。トイレにゴミ箱があるのは知ってたけど、何度トイレに行っても、りえちゃんがどれだけ嬉《うれ》しそうに、大事そうにしてたかを思い出したら、どうしても捨てられなかった。

どうしたいのか、自分でもわからないけど、持ってるしかなかったんだ。返しちゃダメだ。

「どうする？　真空くんさえよければ、カチューシャは、俺が二人に届けるよ。どこかに落ちてたことにして、君のことは、他の誰にも言わない。りえさん、困ってるよ」

狐塚さんが優しい声で言う。オレは奥歯を噛《か》みしめて、カチューシャを握ったまま俯《うつむ》いていた。

そうする他にないんだ、と絶望的に悟る。他の人にバレて騒がれるより、今ここでこのお兄さんに返した方がずっといい。ここで返さなかったら、今度こそ、この人だってオレのことをりえちゃんたちに言いつけるだろう。選ぶ権利なんか、オレにはないんだ。

だけど、その時「え、返しちゃうの？」と、恭司さんが声を上げた。

オレは驚いて、恭司さんを見る。

「別にいいんじゃない？　返さなくても。この子だってさ、悪いことだって知りつつ、それでも勇気出してやったわけだからさ。その気持ちを大事にしてあげても、俺、いいと思うな」

「恭司」

「ただぁ、問題は、カチューシャ一本隠したとこで式は滞りなく進行するってことだよね」

狐塚さんが止める声を意にも介さず、恭司さんが肩を竦《すく》めてオレを見た。

「転んだのだって、そうでしょ？　弾みで指輪を隠したり、なくしたりできれば、おばさんが結婚しなくて済むと思ったんでしょ？」

その通りだった。答えずに黙ってると、「ほらね」と勝手に頷《うなず》かれた。狐塚さんに言う。

「この子、本気だよ。おばさんのことが好きなんだ」

「違う」

考えるより先に、そこだけは声が出た。恭司さんが、それと狐塚さんも、驚いたようにオレを見ていた。中庭の真ん中。もうみんないなくなったチャペルの前で、オレは足を止めた。歩くのをやめたら、途端に泣きそうになった。これまで誰にも言えなくて、ずっと黙ってたのに、「好きなんだ」って人から言われたら、急に限界がきた。たえられなかった。

真空は、りえと結婚するって言ってるのよ。よかったわねえ、りえ。

お母さんがいつまでも、保育園の頃の話を持ち出して言うけど、オレ、もう小二だ。りえちゃんと結婚したいなんて今は思ってない。東さんが来た時だって、それはわかってた。

足から力が抜けていく。手に持ったカチューシャを触ってる自分の指が、誰か他の人のものみたいに思える。感覚が薄い。

「違うよ。好きなんかじゃない。だけど、りえちゃんは、東さんと結婚しちゃダメなんだ。このままだと、りえちゃんは、東さんたちに殺される」

狐塚さんと恭司さんが黙り込んだ。目だけ大きくしてオレを見てる。

嘘じゃなかった。信じてもらえるかどうかわからないけど、本当だ。

お母さんにも、お父さんにも、おじいちゃんやおばあちゃん、りえちゃんにも話せなかったのに、言葉が止まらなくなった。言ってしまう。

「オレ、聞いちゃったんだもん。薬局で、東さんが、女の人と話すの」

りえに言うなよ。

耳打ちするようにくっついて、していた相談。

りえちゃんと東さんが一緒にいると、オレはカップルだって思ってた。その時まで、東さんはりえちゃんだけと、カップルなんだって。

だけど、並んで、小声で話している二人を見て、オレは、東さんはこの人ともカップルなんだって思った。

浮気だ。

その時の東さんは、うちのお母さんたちと一緒に会う時とはまるで雰囲気が違ってた。もっさりしてないし、楽しそうに、女の人とたくさん話してる。東さんが何か言って、女の人が楽しそうに笑う。あんな東さん、見たことない。まるで別人みたいだ。

びっくりして、どうしていいかわからなくなった。二人はオレに気づいてない。咄嗟に自転車の陰に隠れようとしたところで、塾の鞄《かばん》が後ろタイヤに引っかかった。ガシャーン、と音を立てて、自転車が倒れる。

東さんと女の人が、びっくりしたようにこっちを振り向いた。先に動いたのは東さんだった。

「真空くん」

声が出てこなかった。オレを呼び、こっちに近づいてくる東さんの目は、今は全然眠そうに見えない。女の人が、遠くから、オレを見ていた。

逃げなきゃ、と思ったけど、足が動かなかった。

オレ、聞いてしまった。二人が話してる声が、はっきり聞こえた。

東さんが「弱ったな」って顔をして、オレを見た。そして、聞いた。

「ねえ。どこから聞いてた？」

頭が真っ白になった。東さんの目を見つめ返す。咄嗟に答えた。

「何にも、聞こえなかった」

必死になって、首を振った。できることなら、何にも見てないことにしたかった。だけど、裏口のところでこっちを見てる女の人は動かない。じっと、こっちを見てる。なかったことにはできなかった。

「本当？」

夢中で頷く。

きっと、嘘だってバレただろう。その通りだ。本当は聞いてしまった。だけど、頷き続けるしかなかった。だって、この二人は、りえちゃんを……。

東さんが目を細めた。そして言う。

「……りえに、言わないでね」

ぞっとした。

東さんが微笑んだ。「わかった?」と。

「今日見たことも聞いたことも、誰にも言わないで」

声が出てこなかった。うちで会ってる時には何にも話さない東さんが、お母さんたちから「あの人は子供」って言われたこの人が、急に普通の大人なんだってわかったら、怖くて、動けなかった。

自転車に飛び乗るようにまたがって、オレは薬局の駐車場を出た。東さんたちの目が、背中をずっと追いかけてる気がして、ハンドルを持つ手が汗ばんでいた。

話を聞き終えた狐塚さんと恭司さんは、しばらく黙っていた。顔を見合わせ、「それは……」と口を開きかけた狐塚さんの横から、恭司さんが「助けようぜ」と言った。

狐塚さんが驚いたように、恭司さんを見た。

「恭司」

「不謹慎だけど、楽しそうだ」

あっさりと言って、腕組みして頷く。

「だって、そうだろ？　東が本当にそんなことしてたなら、そんなヤツに大事なおばさんを任せられないって。浮気なのかどうか、真偽の程はどうあれ、それを確かめるのまで含めて、俺、真空に協力する」

「ね」とオレに向けて言う。

「もっと詳しい話を聞かせろよ。俺、そういうどうしようもないヤツ、殴るの得意なんだ」

「お兄さんも、りえちゃんの友達なの？」

まさかそんなこと言ってもらえると思わなくて、あまりにびっくりしすぎたら聞いてしまった。だけど恭司さんが「違うけど」と首を振って、さらにびっくりする。

「偶然なんだけど、俺、今日は別の式のためにここ来たんだよね。まだ時間だいぶあるからってラウンジでお茶してたら、狐塚に偶然会ってさ。あ、こいつとは、もともと友達なんだけど」

「まだ行かなくていいのか？　お前の式の方は……」

「あ、いいのいいの。早く来すぎちゃったみたいだから、こっちに付き合うよ。真空の心意気、気に入ったんだ。もちろんやるよね、狐塚も」

狐塚さんはしばらく黙ってた。時間を気にするように腕時計を見つめ、恭司さんとオレの顔を見比べる。静かにため息をついた。

「真空くん、とりあえず、薬局で二人が何を話してたか、詳しい話を聞かせて。そろそろ行かないと、披露宴が始まる」

誰にも話せないと思ってたのに、大人の男の人がきちんと話を聞いてくれた。信じられない気持ちで、チャペルの壁を見る。色ガラスが嵌《は》め込まれた黒い部分に、オレの顔が暗く反射する。

この急展開に、オレは本当に驚いていた。

ごくりと、唾《つば》を呑《の》み込む。

光を受けた茶色いガラスの中に、半透明に溶け込んだような、オレの顔が浮かび上がっていた。

かがみよ、かがみ。

りえちゃんと並んでやってた、うちの洗面所での遊び。りえちゃんの明るい声を思い出す。

世界で一番、怖がりなのはだあれ？

「おばさんじゃなくて、りえちゃんだよ」

恭司さんに言うと、二人が顔を見合わせた。

「りえちゃんは、おばさんじゃない」

「了解。真空の大事なりえちゃんね。とりあえずさ、カチューシャは俺たちが預かるよ。いつまでも真空のおなかに入れとくわけにはいかないでしょ？」

「あ」

手の中のカチューシャを見下ろし、少し迷う。たっぷり見た後で、「絶対に、どうにかしてくれる？」と尋ねると、今度は狐塚さんが頷《うなず》いた。

「わかった」

「じゃあ……」

まだ、信用していいのかどうか半信半疑だったけど、手渡す。狐塚さんがカチューシャを受け取ったのを見て、恭司さんが「よし」と頷いた。

「じゃ、話の続きを聞かせて。殺すって、あの二人は、りえちゃんに何をするつもりなのさ？」

「……毒」

オレは話し始めた。会ったばかりだけど、この人たちを信じてみるしかない。

「東さんとあの人は、毒を入れる相談をしてた」

二人が息を呑む気配があった。チャペルの壁のガラスに、オレたち三人の顔が歪《ゆが》んで映っている。

かがみよ、かがみ。

歯を食いしばって、願うように念じる。

お願いです。どうか、りえちゃんを幸せにしてください。

火を放つゴールドルーム横のトイレの個室で、俺はこみ上げてくる吐き気に耐える。

チクショウ、チクショウ、チクショウ。

さっき、本当ならできるはずだった。やれるはずだったのに、従業員の女が扉を開けて、中に入っていくのが見えた。——慌てて、また、最初隠れたのと同じ二階のトイレに逃げ込む羽目になった。いざやるつもりだった決意は、一度挫《くじ》けると再びその気になるまでに相当時間がかかる。ああ、あの女さえいなければ。

俺と違って何も考えてない奴らは、どうしてかわからないが俺の邪魔ばかりする。何も考える力がないなら、せめて人の邪魔をしないようにしろよ。悔しさと苛立《いらだ》ちがこみ上げると同時に、痛烈に胃の底が痛んだ。また吐きそうになる。

度胸はあるつもりだ。

もともと、バンドをやってる頃から、人前に立つのも、はったりをかますのも得意だ。こんなことぐらいで、本当だったら滅入《めい》るはずがない。

チクショウ、あの女。邪魔しやがって。

扉の向こうに消えた、パンツスーツの後ろ姿を思い出すだけで頭を掻《か》きむしりたくなってくる。だいたい、あそこは今日俺が借りた部屋だったはずだ。なんで、時間前なのに人が出入りするんだよ。

あの女はもう出て行っただろうか。

考えながら、再び、ボストンバッグの中を開ける。灯油の匂いが、つんと鼻をつく。さっきよりもその匂いが強くなったように感じた。

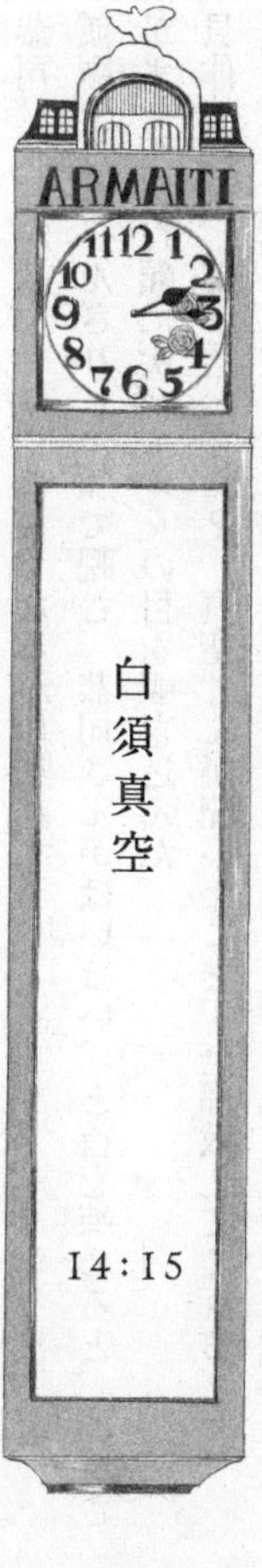

「毒ってどういうこと？」

狐塚さんが驚いていた。その横で「毒は毒でしょ」と恭司さんが言う。

「なるほどなあ。薬局で職場結婚なら、毒、簡単に手に入りそう。納得」

「恭司。お前が話すとややこしくなるから黙れ」

狐塚さんがうんざりした顔で睨《にら》む。恭司さんがはいはい、と首を竦《すく》めると、狐塚さんがまた深刻な顔に戻ってオレの目を覗《のぞ》き込んだ。

「具体的には、どう言ってた？　真空くんが聞いたこと、全部教えてくれる？」

黙ったまま頷くと、奥歯を嚙《か》みしめる力が強くなった。自転車置き場で陰から見ていた東さんとあの女の人の姿を思い出す。顔を近づけてひそひそひそひそ。りえちゃんにはナイショの話。

聞こえてきた声は、あんまり大きくなかった。だけど、はっきり、決定的な声はいくつか聞いた。

『リンゴの中に入れる』って、言ってた。それで、りえちゃんに食べさせるって」

リンゴの中に入れれば。

もし、マコトくんが代わりに食べちゃったらどうするの。

そうならないように気をつけるから。

うん。そうしてね。

りえに言うなよ。

当たり前じゃない。

楽しみね、と女の人の方が言った。

よかったわね。りえは念願の白雪姫になれる。羨《うらや》ましいくらい。

聞いたのは、これが全部だ。

「意味が、最初、わかんなかった」

聞いた時は頭がパニックになって、東さんが怖くて、とにかくその場から逃げるので精一杯だった。

白雪姫になれる、という言葉はそれからもずっと頭の中に残ってた。全部の意味がわかったのは、今日、ここに来てからだ。りえちゃんは今日、白雪姫の恰好《かっこう》をする。

そして、その恰好をしようって言い出したのは、東さん。「白雪姫になるんだよ」と、オレに向けてさっき、はっきりと言った。

「リンゴって何のことかわかんなかったけど、多分、それ、今日なんだと思う。りえちゃんが白雪姫になるのは今日だよ。東さんたちは、今からやるつもりなんだ!」

話すうちに勢いがついてくる。

りえちゃんと、映画で何度も観たシーン。魔女が持ってきたリンゴを一口食べた白雪姫は眠りにつく。映画では、その後、王子様がやってきてキスして生き返るけど、だけどもし、王子が魔女の仲間だったら。

りえちゃんは、オレのお母さんたちとケンカした時より、もっとずっと、泣かなきゃならない。

あんなの、白馬の王子様じゃないのに。お母さんたちがずっとそう言っても、りえちゃんは東さんのことが好きだ。だから泣いてた。りえちゃん、もう結婚なんてすることないのにってオレが思ったところで、りえちゃんは「マコトくんとずっと一緒にいたい」と答えた。「私のこと好きって言ってくれた人、初めてだもん」って。

その東さんがりえちゃんを好きじゃないなら、もう、オレはわけがわからない。あの人は、悪い人だ。

「りえちゃんは、今日白雪姫になっちゃ、ダメなんだ」

「だからカチューシャを隠したんだね？」

話を聞き終えた狐塚さんが、オレから受け取ったカチューシャを示す。黙って頷くと、また不安になった。信じてもらえるだろうか。

狐塚さんも、恭司さんも知らない。

東さんが、どれだけうちの家族に悪く言われてるか。でも、狐塚さんは、りえちゃんの友達なのだったら、わかってくれるだろうか。

狐塚さんが恭司さんを見た。恭司さんはオレを試すような目でじっと見ていた。目を逸《そ》らしたいけど逸らせなくなって、そのまま唇を結んで見つめ返す。

すると、突き抜けるような大声がした。

「阻止だ、阻止！」

恭司さんの視線が狐塚さんに移動して、オレは金縛りがようやく解けたように、呼吸が途端に楽になった。

「そのカチューシャ返すの、まだ待てよ。俺たちでどうにかしようぜ」

「本当に、どうにかしてくれるの？」

気弱な声が出た。恭司さんが「ん？」とオレをまた見下ろす。

「信用できない？」

「そうじゃない、けど」

薬局で見た「しっかりしてる」東さんの姿が、まだ怖かった。「こないだのこと、誰にも言ってないよね？」とさっき確認されたことも。

その時、

「真空、そろそろ始まるわよー」

中庭の入り口の方から、お母さんが呼ぶ声がした。早く早く、と手招きしている。

それを見て、狐塚さんも恭司さんも自分の腕時計を見た。

カチューシャがお母さんに見つかったらどうしようと、慌てて狐塚さんを見たら、いつの間にか、それは恭司さんの手にあった。上着の内側に隠したのをちらっとだけ見せて、内側で手をVサインにして見せてくれる。

「俺たちにまかせてよ」

唇を動かさず、恭司さんが小声で言う。

「必ずどうにかするからさ。真空のりえちゃんは必ず無事に済ますって」

「お母さんたちに、言わない？」

「カチューシャを隠してたことがバレたらきっと怒られる。考えただけで泣きそうになる。だけど、恭司さんはあっさり「言わないよ」と答えた。

「りえちゃんにも？」

「そんなのもっと言わない。大丈夫。何事もなかったかのように、きれいに全部済ませるって」

オレは狐塚さんを見上げた。この人は、りえちゃんの友達。東さんと同じか、それ以上にしっかりして見える、大人の男の人。

「お願いします」と小さく声が出た。

「わかった」

狐塚さんが答えた。真面目な顔で頷《うなず》いてくれたのを見て、それまで冷たかった足の先っぽが、じんと温かくなった気がした。

「まそらー」

お母さんが呼ぶ声がしている。頭を下げたりするのが大人みたいで何だか恥ずかしくて、代わりにもう一度頷く。オレは二人から離れた。カチューシャを抜いたおなかが、嘘みたいに軽い。

お母さんに手を引かれて部屋に連れて行かれる時、窓越しに中庭を振り返った。チャペルの前で、狐塚さんと恭司さんはまだ話している。何を話してるんだろうって気になったけど、お母さんに前を向くようせかされて、二人の姿はすぐに見えなくなった。

部屋には、人がいっぱいだった。

さっきオレがリングボーイをやった時よりさらに増えてる。結婚式って、一体、何回やるんだろう。さっきオレが歩いたのがそうじゃないのだろうか。白雪姫になるのって、いつなんだろう。尋ねると、お父さんに「お色直しの時だな」と説明された。「今からさっきの白いドレスで入ってきて、それからしばらくすると、また着替えに行くんだよ。白雪姫になるのはその時だ」

「……ふうん」

「真空は、初めての結婚式だな」

お父さんとお母さんの間の席に座ると、目の前には空っぽのお皿とグラスがあった。皿の上に、『白須真空くん』と名前が入ったカードが載ってる。横にクマのヌイグルミ。女子じゃないんだし、こんなのいらない。お母さんに言って、紙袋の中にしまってもらう。

「人が多くてすごいだろ」

「ん」

お父さんにまた言われて、部屋の中を見回す。知ってる人もたくさんいた。親戚《しんせき》のおじさんやおばさん、りえちゃんが友達だって家に連れてきたことのある女の人たちもいる。みんな、うちに来た時とは、髪の毛を上げたりしてて雰囲気が違うけど、ちゃんとわかる。

「あっちの人たちは誰?」

入り口から入ってすぐのオレたちのテーブルの方は知ってる顔が多いけど、奥の方は知らない人たちばかりだ。

色の種類が違うんだ。オレたちの方は、女の人のピンクや黄色、水色のドレスや着物の色。だけど、奥になればなるほど、向こうは男の人が多いせいで、色が少ない。黒か灰色。

「あー、あっちは東くんのお友達だよ」

お父さんが手元に置いてあった長細い紙を広げて見せてくれる。一番上に、りえちゃんと東さんの名前。その下に丸がいくつか書いてあって、横に名前らしきものが並んで入ってる。丸は、多分テーブル。名前はそれぞれに座ってる人たちのだろう。

オレの名前は、入り口の近くにあった。この席のことだ。

「こっちから手前がりえちゃんの友達で、ここから奥が東くんの友達。……二人とも職場が一緒だから、薬局の人たちは真ん中みたいだな」

お父さんが、少し左に寄った丸を指さす。「ふうん」と顔を上げると、本当だった。りえちゃんたちが座る予定だという四角い席のすぐ前に、あの魔女みたいな女の人が座ってた。お父さんと同じように、席の紙を広げて眺めてる。指の爪がすごく長い。色は、見てて逃げ出したくなるくらいはっきりした赤だった。

見てたら視線が合いそうになって、慌てて目を伏せた。

「そろそろね」と、お母さんがお父さんの腕時計を見ながら言った。

椅子が高く、足が下までつかないせいで落ち着かなかった。

狐塚さんが戻ってきたのは、随分遅かった。もうほとんどの人が席に着いた頃。手には何も持ってなかった。カチューシャは、どこかに隠したんだろうか。それとも、オレみたいにおなかに？　そう思って見ていたら、狐塚さんはそのまま、奥の方に歩いて行った。オレが見てることには気づかないのか、目は合わない。

入り口から奥まった席に、そのまま、座る。横に座っていた同じような恰好《かっこう》をした男の人が、「遅いぞ」と声をかけた。

体温が、すーっと下がっていくのがわかった。知らぬ間に、胸のドキドキがすぐ近くで聞こえる。椅子から立って、狐塚さんの方を見る。信じられない思いで。

「どうした？　真空」

「……お父さん、あっちも、りえちゃんの友達？」

狐塚さんが座ったテーブルはほとんどが男の人で、女の人は二人しか座ってなかった。オレとは離れた、向こう側。オレが指さした方向を見て、お父さんが「ああ」と頷いた。

「あそこは、東くんの友達だよ。ほら、書いてある」

見せてもらった表を受け取る。オレには読めない漢字だった。「新郎友人」お父さんが読んで説明してくれる。

「この『新郎』っていうのが東くんのこと。りえちゃんはこっちの『新婦』」

名前は漢字で書かれてて、どの名前が狐塚さんなのかわからなかった。だけど、あの人はあそこに座ってて、周りの人とも仲が良さそうだ。飲み物をついでもらってる。

真っ暗な穴の中に急に落とされてしまった気がした。「お父さん」掠《かす》れる声で聞いた。

「あの人は、りえちゃんじゃなくて、東さんの、友達なの……？」

「うん？」

言葉がうまく出てこないのに、お父さんがのんびり言う。人の気も、知らないで。

「ああ。結婚式でお前のこと助けてくれたお兄さんだろ？」

「りえちゃんと、仲良さそうだった。名前、呼んでたし……」

「さっき、お父さんもあの人にお礼を言わなきゃって、りえちゃんにあの人が誰なのか聞いたんだ。りえちゃん、もともと東くんの友達だったのを、最近紹介されたって言ってたよ。だから、そういう意味じゃ、あのお兄さんは二人の友達だな。真空、どうした？　お兄さんにお礼、きちんと言ったか？」

お父さんの声が、遠くに聞こえた。オレは答えられずに、唇を噛《か》んだまま狐塚さんの方をただ見続けた。あのカチューシャを持っているように見えないことは、もう救いには感じられなかった。手が、握ってもないのに内側に汗をかいていく。

あの人は、東さんの友達。

オレはひょっとして、取り返しがつかないことをしてしまったんじゃないだろうか。

部屋が急に暗くなった。大きな音楽が鳴り響く。

扉が開き、入ってきたりえちゃんと東さんが、オレたちのテーブルのすぐ近くで頭を下げた。

『新郎新婦の入場でーす』

拍手と、二人の名前を呼ぶ声がたくさん続いた。みんな楽しそうで、その声に応《こた》えるりえちゃんも、横の東さんも、笑ってた。笑顔があふれる部屋の中で、オレだけが笑えなかった。

長いドレスの裾《すそ》を引き摺《ず》りながら、一歩一歩、踏みしめるように歩くりえちゃんが、オレたちのテーブルに来て「真空」って手を振った。おばあちゃんも、お母さんも、家族がみんな座ってるテーブルで、通り過ぎる一瞬に一つだけ呼んだ名前がオレの名前だった。

オレが黙ったまま睨《にら》むみたいに見てても、りえちゃんの目は優しかった。白い手袋をした手のひらを静かに振り動かして、別のテーブルの方に行ってしまう。

りえちゃん、笑ってる。

ひょっとして、リボンのカチューシャが見つかったからだろうか。狐塚さんは、あれをもう東さんに返しちゃったんだろうか。りえちゃんを守ってくれるなんて嘘で、あの人も、東さんの仲間だった。

具合が悪くなりそうだった。会場の奥に座ってる狐塚さんを見る。他の友達と一緒に、何か話しながら手を叩《たた》いている。周りの人たちが、デジカメや携帯を構えて二人を撮っていた。

暗くなった部屋が、怖かった。

私になりすました妃美佳が歌う『メモリー』は、私の心を打ちました。

もう、本当に。息を呑《の》むほど。

完璧《かんぺき》だったのです。

ホテル・アールマティはさすがです。

結婚式の余興なんて、普通なら趣味の悪い明るすぎる照明の下、場つなぎのように歌うものだというイメージがありました。タイミングも、宴もたけなわの誰もろくに聴いていない時か、それか、あろうことか新郎新婦が席を外した隙にやってしまうのです。少なくとも、これまで私が出席した友人や親族の式はそうで、私はそれを噴飯物であると軽蔑《けいべつ》していました。余興とはいえ人前で披露できると自負する腕前を持つ人間に対し、こんな屈辱的なことがあるでしょうか。

アールマティが用意した照明は、月の光を思わせるように静かな、一筋のスポットライトです。それが、暗闇で青く輝くグランドピアノの上に注がれる。

妃美佳と司会者が相談してくれたのでしょうか。お色直しの再入場の後という、皆の集中力が持続している山場のタイミングに、姉である私の歌は挟み込まれました。入場してすぐ、高砂のすぐ横にピアノが用意されていることには気づいていました。

私は聞いていません。用意したのは、妃美佳です。私が弾けないピアノの前に、あの子が、私として、座る。

やられた、と思いました。

なんてことをするのだろう。憎らしくさえ、思えました。

あの子は、私が歌う以上に完璧な「姉の余興」を完成させようとしている。弾き語りを、しようとしている。

胸が熱くなりました。あの子を見つめる私の横の映一くんの目が、刃物の表面のように温度がなく、冴《さ》え冴《ざ》えとして見えます。私はその彼に思い知らせたいと感じました。

今から、鞠香が歌う。大事な妹のために苦手なピアノまで練習して、完璧に弾きこなす。妃美佳がしようとしているのは、そのまま姉の私の評価を上げることです。

ピアノの前で薄い光を浴びる彼女の喉《のど》と背中が、白く、陶器のような透明感を放ちます。細い首を包む髪が、あの子が座って身を屈《かが》めたことで、音もなく前に流れます。

結婚式ではこういう時、酔っ払って茶々を入れる人間がいそうなものなのに、誰も何も言いませんでした。ピアノの前についたマイクに向けて、妃美佳が挨拶《あいさつ》をしました。

「ええと、緊張してます」

静かだった会場が、どっと沸きました。恐ろしい子だと思います。そうやってわざとおどけてみせる私の無意識の社交術さえ、彼女はトレースしている。――鞠香のようになんてとてもできない、と普段よく言う彼女は、ひとたび私になりさえすれば、怖いものは何もないのです。

「妃美佳。映一さん。今日は本当におめでとう。妃美佳は私の大好きな妹で……、実を言うと、映一さんに取られてしまうようで、今日は、本当に悔しいんですけれども。ああ、ダメですね。これ以上話すと恨み言になってしまいそうなので、後は歌で、伝えます。妃美佳、本当におめでとう。幸せになって」

息を吸い込み、感極まった様子に声を詰まらせた妃美佳を私は愛します。睫《まつげ》を瞬《しばた》かせ、泣くのを我慢するふりをしながら「ありがとう」と一言、私からも彼女に告げました。

妃美佳の歌は、完璧でした。ピアノも、声量も、声の伸びも。

それは、私が彼女の才能に嫉妬《しっと》して息を呑み、混じりけのない涙が出てくるほどでした。会場が最初の一声で揺れたのがはっきりわかりました。両親が驚きに目を見開いているのが気配でわかる。だけど、私はそっちを振り向くのさえ惜しく、妹の姿だけをじっと見つめていました。

妃美佳が自分でリクエストした『メモリー』は、美しかった。

そして、負け惜しみでなく、もし立場が本来通りだったとしても、私もまた、今と全く同じ歌声とピアノを妹に贈ったに違いないと思いました。そう思ったら、涙が止まらなくなりました。

映一くんが、じっと、妹を見ています。ピアノの方だけを見つめるせいで、私と全然、目が合わない。その後頭部が視界に入った瞬間、胸に、言いようのない感情がこみ上げました。

私を見て、映一くん。顔を見せて、どんな顔をしているか、教えて。

ピアノの前で足を微《かす》かに開き、小首を揺らして、一番いい状態の声を出そうとしている妃美佳の健気《けなげ》さが、心に沁《し》みました。

Touch me
It's so easy to leave me
All alone with the memory
Of my days in the sun

その時、音が一つ、伸びきらず、外れました。

気づいて、あ、と思いました。

今、歌っているのは、妃美佳であり、私。姉妹二人分の責任をその細い肩に載せて揺らす妃美佳が、動揺したのが伝わりました。

それは、誰も気にしない程度の誤りです。気づきもしない人も大勢いるでしょう。しかし、妃美佳の音が速くなりました。私の胸の心拍数が喉元《のどもと》までこみ上げて、ピアノの音と一緒に速くなる。

妃美佳、頑張って。

曲の終盤でした。平気そうにして表情を笑顔に近づけ歌う妃美佳の頬が、一際青く、輝きました。

曲が終わり、拍手が起きました。

私も、映一くんも惜しみない拍手を送ります。長い曲の中で、ただの一度しか音を外さなかったことの方がすごい。そう思うけれど、引き攣《つ》った顔で立ち上がり、賞賛を浴びて無理に微笑み、私がやるように大袈裟《おおげさ》に手を上げてみせる妃美佳が傷ついているのがわかりました。気丈な声で、あの子が私に向け、自分の名前を呼びかけます。

妃美佳は、泣いていました。

「妃美佳、おめでとう」

「鞠香」

周囲には、仲のいい姉妹に見えたことでしょう。妹を祝福し、その幸福感に泣き崩れる姉と、それを喜び、一緒になって泣く妹。

しかし、あの子が泣いているのは、幸福感のためではありません。今日という日に完璧な姉を演じることができなかったことが、ただ悔しいのです。

高砂から、私は「ありがとう」と叫びました。

そんなに気を張ることはない。私だって、きっと間違えたはず。妃美佳は悪くない。あなたが私であっても、私はきっと失敗した。

声にならない声で呼びかけますが、妃美佳は泣いています。気持ちを隠し、「おめでとう」と、私に何度も泣き笑いの顔で手を振ります。そして、ライトの外に出ていきました。

表舞台から下り、席についた妃美佳は、いっそう激しく泣きました。横から母がおろおろと手をさしのべているのに、その手さえ拒むように、顔を覆って首を振っています。

小さな失敗一つで、彼女は子供のように泣きじゃくっていました。

その時になって、私は、横の映一くんの表情を見ました。気遣うように、鞠香である妃美佳の泣く姿を見ている。

その顔を見た途端。姉になりきった妃美佳を賞賛していた私の顔が、笑うのをやめました。

胸を急に押した重たい痛みが、どこから来たのかわかりません。ただ、私は映一くんの横顔に向け、咄嗟《とっさ》に心の中で呟《つぶや》いていました。

見ないで、と。

あの子をそんなに一生懸命見ないで。私の方を向いて。

鞠香として思ったのか、妃美佳として思ったのか。わかりません。どちらでもあったのかもしれません。

ここに座っていたのが本来の花嫁の妃美佳であっても、きっと、姉のことをあんなふうに見られたら、同じ感情が突き上げたはずです。

だって彼は、花嫁の私のことだけ見なければならないのに。

ああ、そうか。

いまさらのようですが、ようやく、わかることがありました。

私は、映一くんのことが好きなのです。

入れ替わった私たちのことが未《いま》だ見抜けない、かわいい、妃美佳の持ち物である彼のことを、自分のものにしたいのです。

山井多香子

14:45

分量の多い打ち合わせはさすがに疲労感がある。

今日一件目の打ち合わせを終え、山積みの資料を胸に抱いてサロンに戻ると、正面から「よかったー」という声に出迎えられた。困り顔をした岬が、待ち構えていたようにやってくる。

「よかった。山井さん、ちょっと急ぎのお願いが入ったんだけど。ごめんね、疲れてるとこ」

「どうかしたの？」

嫌な予感がした。

予感が的中し、案の定、「大崎さんのところで」と岬が言い出した時、天井を振り仰ぎたい気持ちになった。玲奈の会場だ。もう、今日は何も問題が起こらないことを願っていたのに。

次の打ち合わせ予約は、あと一時間後。今日は朝から慌ただしかったから、本来なら小休止を挟みたい。

「ええ」

プロでありたいと思うのに、声が曇るのを止められなかった。岬が、自分が悪いわけでもないのに「ごめんね」と謝ってきた。

「さっき連絡があって。高砂のキャンドルを、バラをあしらったヤツに変更してくれないかって。さっきお色直しが終わったんだけど、やっぱり着替えた衣装にはバラが似合うから変えたいそうで」

「わかりました」

何度も確認したはずだろう、と舌打ちが出そうになる。ピンク色のかわいいバラ形のキャンドル。玲奈は「かわいい」を連発していたのに、何故か、迷っても選ばなかった。式の進行はもう半分過ぎているのに、今になってそれを変更したいという神経もよくわからない。お色直しの再入場もケーキ入刀もファーストバイトも、もう全部済んでいるはずだ。しかし、相手は気まぐれな玲奈だ。ありえないことではない。何より、当事者にとって今日という日は特別なものだ。仕方ない、と息を呑《の》み込む。

「予備のキャンドル、ある？　すぐに用意を――」

「してある」

岬がサロンの資料棚から、燭台《しょくだい》を取り出す。用意がいいことだ、と感心する反面、怪訝《けげん》に思う。普段、そうした備品は別の場所で保管され、ここにはない。

「準備ができてたのに、代わりに持ってってくれなかったの？　私の打ち合わせがまたまこの時間で終わったからよかったけど、そうじゃなかったら、使える時間が短くなっちゃう。待ってたの？」

燭台を持って行くだけなら、担当者の私じゃなくたっていい。さすがに悪意を感じて、岬を窘《たしな》めるように軽く睨《にら》んだが、彼は持ち前の愛想のよさで「まあまあ」とかわしてしまう。

「結果的に間に合ったんだからいいじゃない。山井さん、お願いね」

「わかりました」

机の上に資料を置く時、深呼吸して気持ちを落ち着けた。横の燭台をそっと持ち上げる。ピンク色のバラ形のキャンドルは、香りまでバラのように甘い。この愛らしさに罪はないのだと、持つ手に込めた力を慎重に抜いていく。

運ばれてきた料理は、全然、食べられなかった。

おいしそうな匂いがしたけど、これを食べたらおしまいだと思った。食べたが最後、オレはここの一員になって、東さんの仲間の一人になってしまう気がした。

「どうした、真空。食べないのか？　スープはあったかいうちに飲まないとおいしくないぞ」

「そうよ。グラタンも好きだったでしょ？」

お父さんとお母さんが交互に話しかけてくる。一口食べただけでスプーンとフォークを沈めたままになった皿を見る。お母さんが「グラタン」と呼んだ皿は、全然、グラタンじゃない。マカロニが入ってないし、ミックスベジタブルの色も見えない。キノコばっかりたくさん入ってて、かりっとした部分がなくてベタついてる。うちで食べるあの「グラタン」じゃない。

「あら、でも確かに真空のグラタン、ちょっと生っぽい色ね。子供用のだからかしら」

お母さんがオレの皿を見て言う。

「もともとこういう味なんじゃないか？　俺のもちょっと生っぽい。高級な味は、悲しいことにうちみたいな庶民の舌には合わないのかもな。でも、どうした？　真空。具合悪いのか？」

お父さんが言う声に、オレは首を振った。

「……トイレ、行ってくる」

「リングボーイは終わったのに、まだ緊張してるの？　場所、わかる？」

「へいき。わかる」

緊張、なんてもんじゃなかった。それにオレ、リングボーイの時だって、緊張してたのは、別の理由だ。役目のせいでそうなってたわけじゃない。

重たい扉をホテルの人に開けてもらって部屋を出る時、りえちゃんは前の席で友達と写真を撮ってた。東さんとほっぺたがくっつくくらいに近づいて、横に来るみんなとポーズを作る。

「りえ、マコトくん、おめでとう！」

あの薬局の女の人が二人に近づいていって、ドキリとする。東さんは何でもない顔をして笑ってるだけ。りえちゃんが「ミエ、ありがとう」と嬉《うれ》しそうに笑って言った。

りえちゃんは、何にも知らない。

外に出て、オレはトイレとは逆方向に歩き始めた。考えたのは、恭司さんのことだった。すぐにカチューシャを返そうって言った狐塚さんを止めて、オレに「そんなヤツに大事なおばさんを任せられないって」と言ってくれた。「俺、そういうどうしようもないヤツ、殴るの得意なんだ」って。

恭司さんは狐塚さんの友達だから、二人がグルの可能性だってあるけど、他に話せる人がいなかった。早く、早く。気持ちが焦る。子供一人でうろうろしてると、また、周りから心配そうに見られてしまう。一人で大丈夫なのに、勝手に迷子扱いされる。

途中通りかかった別の部屋から、女の人の大きな声が聞こえた。

歌。

ここでも結婚式をしてるのかもしれない。

中庭と廊下に恭司さんの姿を探しながら、ひょっとしたら、あの人ももう自分が行くって言ってた式に行っちゃったのかもしれないと思う。だとしたら、他の部屋までは探せない。どうしていいかわからなかったけど、東さんや、その友達の狐塚さんがいるあの部屋には、もう、すんなり戻れなかった。

と、窓の外、中庭の、チャペルの真裏に恭司さんの姿を見つけた。

手に、ゴルフクラブを持っている。うちのお父さんもゴルフをやるから知ってる。芝生の上で、見えないボールを打つように大きくクラブを振り上げる。スイングの練習。お父さんも、何も持たないで、家の中でよくやってる仕草だ。

「恭司さん！」

急いで中庭の入り口に回り、走っていくと、恭司さんが手を止めた。近くで見るゴルフクラブは意外と大きくて、恭司さんが持ってると、何だか今にも殴られそうで怖かった。もし当たったら痛いなんてもんじゃ済みそうもない。スイングの練習も、近くでは止めて欲しかった。

「あれ？」と、恭司さんがオレを見た。

「どうしたの、真空。もう始まってるんじゃないの？　りえちゃんの式」

「狐塚さんが、東さんの友達だって」

重大な秘密を覚悟して打ち明けたつもりだったのに、恭司さんはきょとんとして、

「ああ」と頷《うなず》いた。ゴルフクラブを後ろに回して背中に当てる。暢気《のんき》そうに伸びをした。

「そうそう。大学の同級生なんだよ。俺もそうなんだけど、俺、あいつらと違って進学しなかったから、東、俺のことは式に招《よ》んでくれなかったんだよね」

心の真ん中がくり貫《ぬ》かれて、そこに冷たい風が通っていくようだった。大学。同級

生。わけがわからないことだらけだったけど、はっきりわかったこともある。恭司さんも、東さんの仲間だってことだ。

「……騙《だま》したの？」

恭司さんに言うのは、すごく、すごく怖かった。だけど、それよりも裏切られた悔しさの方が勝ってしまった。恭司さんは顔色一つ変えず「騙す？」とオレを見た。

「東さんに、カチューシャ、返しちゃったの？」

「それは、狐塚にまかせたよ。どういう事情なのか、きちんと調べるように言った。安心していいよ。狐塚だったら、絶対にりえちゃんを守ってくれる」

「嘘だよ！」

唇を噛《か》みしめる。狐塚さんはただ座ってるだけだ。東さんの、友達用の席で。

正直に、逃げ場のない気持ちで一生懸命話したさっきまでの自分がかっこ悪かった。それ以上口が利けなくなって黙り込んでしまうと、オレをじっと見ていた恭司さんがふっと笑った。

「本当に心配しなくていいよ。東とは知り合いだけど、俺たち、真空の味方だから」

「でもっ」

おおーい、という声が近づいてくる。

聞き覚えのある声にはっとして顔を上げると、ホテルの建物からこっちに向けて、狐塚さんが小走りに駆けてくる。顔を確認した瞬間、足が竦《すく》んだ。

「狐塚」と、恭司さんが呼ぶ。

「真空くんと話そうとしたら、席にいなかったから。りえさんたち、もうすぐお色直しに立っちゃうみたいだよ」

話しながら、狐塚さんの視線が恭司さんのゴルフクラブに移動していく。「お前、何だよそれ」と顔をしかめた。

「俺が出席予定の式で、余興に使うんだよ。で、どうした？　狐塚。東に確認できた？」

「ああ」

狐塚さんが、オレの方を気にするように見ながら頷いた。オレはただもうショックで、何も考えられなくなっていた。オレがカチューシャを隠したこと、言わないって約束したのに、この人はそれも東さんに伝えてしまったんだろうか。

「お兄さんは、東さんの友達だったんでしょ」

あの人は、よくない人。

うちの家族が言ってたことを、この人たちに全部伝えたかった。りえちゃんは、結婚なんかしちゃダメなんだってことも。

狐塚さんが頷いて、でも、すぐに付け加える。

「だけど、りえさんとも友達だよ」

「でも、仲がいいのは東さんの方なんでしょ? カチューシャ、返しちゃった?」

「……うん。返そうと思ってる」

狐塚さんが、上着の内側から赤いリボンのカチューシャを取り出した。まだ、持ってくれてる。しかし、ほっとしたのもつかの間、狐塚さんが続ける。

「真空くんに話があるんだ。今から俺たちが話すことを、よく聞いてくれる?」

「うん。狐塚とも話したんだけどさ」

恭司さんが身を屈《かが》め、ゴルフクラブの上に気怠《けだる》げに顎《あご》を載せる。

二人が話し出したのは、オレが、全く考えていなかった内容だった。

ベールを取った、玲奈の背中は美しかった。
産毛一つなく、背中の骨が形よく左右対称に突き出している。彼女の顔を大きい、

スタイルが悪い、と何度も粗探しするように思ったが、ひょっとしたら頬に肉がつきやすい体質なのかもしれない。嫌だと思っても、美しいものは美しい。少し下ぶくれの顔も、今は周囲の祝福を受けて、かわいらしかった。

エメラルドルームに足を踏み入れた時、玲奈たちはお色直しをすでに終えていた。背中を大きく出したピンク色のドレスは、スカートがチューリップの花のように膨らんで、玲奈によく似合っていた。今は、招待客の席を新郎と挨拶《あいさつ》に回っている最中だ。目立たぬように気をつけて、高砂の横にそっと回り込み、燭台《しょくだい》を取り替える。式の途中、再入場のキャンドルサービスで点《とも》されたはずの背の高いキャンドルは、まだほとんど溶けていなかった。さりげなくうちの一本を使ってバラ形の新しいキャンドルに点火していく。残りの火は、手でこっそりと払って消した。

会場は、彼女が希望したバラと百合《ゆり》の香りに混じって、シャンパンとワインの香りがした。誰もこっちに注意を払っていないことを確認しながら顔を向けると、ほろ酔いの客たちは皆気分が良さそうだ。

ふっと横に視線を感じ、顔を向けると、玲奈だった。客に話をさせたまま、こっちを見ている。目が合い、私が小首を傾げると、すぐにまた客の相手に戻る。つんと澄ましたような顔の逸《そ》らし方は、無視をしたようにも見えて、感じがよくなかった。

燭台を手に、私は懸命に引き攣《つ》った頬を元に戻す。こんなことはもう何度もあったことじゃないか、と自分に言い聞かせる。

踵《きびす》を返し、戻ろうとした時、会場の明かりが消えた。

え、と思う。

突然訪れた暗闇に、目が慣れない。冷たい衝撃が喉《のど》を這《は》い上がる。思ったのは、どうにかしなきゃ、ということだった。停電。せっかくの結婚式が。会場がざわつき、蠟燭《ろうそく》の明かりを頼りにどうにか周りを見回そうとした瞬間、光がぱあっと私を覆った。眩《まぶ》しい。

額の上に手を当てて、戸惑いながら顔を上げる。会場は暗いまま。私だけが、照らされていた。

スポットライトだ。

「実はもう一人、今日はご紹介したい人がいます」

マイク越しの声がした。何度もこの会場に出入りしている、ベテランの女性司会者。私の担当する式でも何度も頼んだ人だ。

「新郎新婦の今日の式のために、一生懸命、何でも相談に乗ってくださいました。このホテルのウェディングプランナー、山井多香子さんです」

私は愕然《がくぜん》とし、さっき闇に落ちる一瞬前に見た玲奈の位置を確認する。ぼんやりと浮かび上がった客の中でも、花嫁衣装の玲奈は目立っていた。

彼女と十倉が、光の輪の中にいる私に近づいてくる。玲奈の手から、介添えがブーケを受け取る。介添えは、代わりに、小さなメモのような紙を玲奈に渡した。手紙のような。

「山井さん」

玲奈が私の名を呼んだ。

スポットライトが広がり、高砂全体を覆う。光の中に入った玲奈が照れくさそうな微笑みを浮かべた。紙を広げ、その内容と私の顔とを見比べる。新郎が手にマイクを持ち、彼女の口元に近づけた。

「ええと、今日まで、本当にありがとうございました。私がこの性格だから、わがままな要求もかなり多かったと思うんですけど」

会場のあちこちで笑い声が洩《も》れた。新郎の十倉まで、マイクの手をがくっと演技じみた仕草で倒す。だけどそれは、まるで悪い雰囲気ではなかった。皆が玲奈の気性をわかった上で、今日はそれを微笑ましく受け入れている。

「わからないことには全部、答えてくれて、できることとできないことを、最後まで希望通りに調整してくれました。山井さんにまとめてもらわなかったら、十倉さんとも、ケンカしたままになったと思う」

「やっぱり結婚前にケンカしたのかー!?」

客席から声が飛び、玲奈が悪戯《いたずら》っ子のような目で「そこ、静かにしてください」と笑いながら注意する。軽く睨《にら》んだ目には愛嬌《あいきょう》があって、「おお、怖い」と上がる声も楽しげだ。玲奈が再び顔を上げ、私を見た。睨まれる以外で彼女とこんなふうに正面から目が合うのは、初めてかもしれない。

「なかなか、いまさら言うのも恥ずかしいんですが、山井さん、どうもありがとう」

呆然《ぼうぜん》としたまま、手にした燭台から意識しないのに力が抜けていく。私は立ち尽くした。

どこまで打ち合わせ済みだったのだろう。

心得たような介添えが、ライトの当たらない場所から、玲奈の手に小さな花束と包みを手渡す。玲奈と十倉がまた一歩、私に近づいた。

「これ、お礼です」

包みと花束を受け取る。玲奈が小声で「ハンカチ」と呟《つぶや》いた。プロの手で艶《つや》やかにグロスを塗られたピンク色の唇がすぼまる。

「ケンカして泣いちゃった時に借りた、ハンカチのお返しに。マリアベールみたいな、レースのかわいいものを見つけたんで、使ってください」

私はまだぽかんとしながら、手にしていた燭台をテーブルの上に下ろす。招待客が、拍手をしていた。目が慣れ、いくらか見えるようになってきた闇に顔を向けると、司会者も、新郎新婦の両親も、みんなが、こっちを見ていた。

恥ずかしかった。

ドレスならいざしらず、私はこんな味気ないパンツスーツだし、人前に立つなんて思っていなかったから、化粧直しだってしてない。みっともない姿をしてるんじゃないかと、気にかかる。玲奈の顔を見ながら、「ああ、この子、こういう演出好きそうだもんなあ」としみじみ思う。だけど、私に隠れて、どうやって準備していたんだろう。こっそりと、打ち合わせの合間を縫ってやったのだろうか。

招待客の中、着物姿の野原が満面の笑みで思い切り手を叩《たた》いている姿が目にとまったら、不覚にも涙が出そうになった。

想像していた以上に強い力で気持ちが揺さぶられているらしいことがわかって、顔を伏せる。私が泣きそうになったことを見抜いたのか、客の拍手がますます大きくなり、さらに泣かされそうになる。もう、やめて欲しかった。

横に立つ、玲奈の顔を見つめた。嫌で嫌で、たまらなかった仕事相手。祝福など、できないと思っていた、最悪の新婦。私は、あなたに大事なものを奪われた。結婚式のスポットライトを浴びる機会を、あなたは私から取り上げた。

でも。

「こちらこそ、ありがとうございます」

やっとの思いで答え、受け取った花束とハンカチの包みを握りしめると、ふいに正面の入り口までの視界がはっきりと晴れた。扉の前に、私に燭台を持って行かせた岬の姿がある。

確認して、再び、やられた、と思う。

客と一緒になって拍手する同僚の姿に、自分の打ち合わせはいいのか、とか、こんなとこで何をしてるのよ、とか、言いたいことはたくさんあったけど、思えば思うほど、余計に胸が熱くなって、何も言えなかった。

誰に対するものか、しかとはわからないまま、ありがとう、と小さく呟き、頭を下げる。

私はこれでやっていけるし、歩いていける。

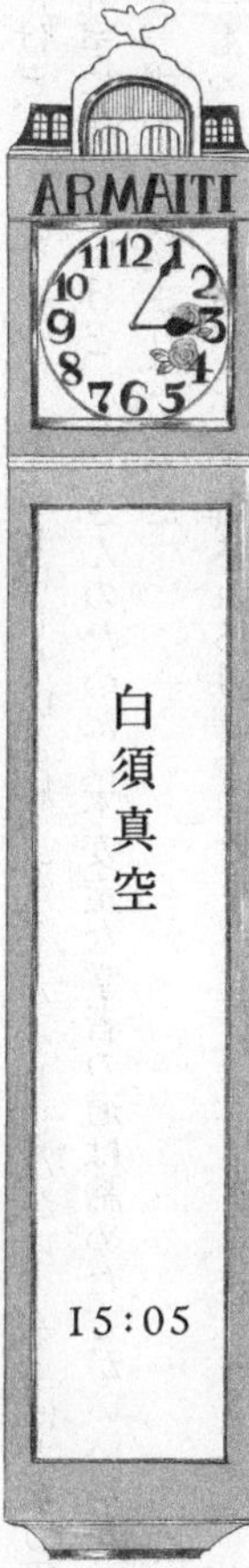

話を終えた狐塚さんが、最後に「東は、真面目ないい奴だよ」と言った。

嘘を言ってるようには見えなかった。

「真空くんのお母さんたちが言うように、頼りなく見えるとこもあるかもしれない。だけど、りえさんのことを幸せにしたいと思ってる。バイトしながら、本当は大学の研究室に戻りたいけど、りえさんのためには不安定な学者の道は諦《あきら》めた方がいいかなって、ずっと相談されてたんだ」

「もっさりしてるから、誤解されるけどねー」

恭司さんが、ゴルフクラブを背中に担いで言う。オレが黙ってると、「どうする？」と聞かれた。

「真空はどう思う？　どうしたい？　俺たちの言う方に賭《か》けてみない？」

「もっさりって」

「ん？」

「うちのお母さんも、言ってた。東さんのこと、もっさりしてるって」

恭司さんが笑い出した。

「そうそう。いい奴だから憎めないはずなのに、そうやって、昔っから、なんか印象が悪いんだよな。真空、あの兄ちゃん、敵作りやすいんだ。お前が守ってやってよ」

「守る？」

オレが東さんを？

「そう」と、恭司さんが頷《うなず》いた。

「東と、りえちゃんの二人を守れるのはお前だけだ。東が本当にダメダメだった場合には、また俺たちがいくらでも相談に乗るからさ。だけど、今日のとこはカチューシャ、返してやろうよ。会場には狐塚もいるしさ、心配ない」

オレは狐塚さんを見た。優しそうな澄んだ目は、悪い人には見えない。二人から聞いた話も、思ってもみなかったけど、そうなのかもしれないって、今なら思えた。

何より、守るだ。オレだけが、東さんとりえちゃんを守ることができる。りえちゃんは「私、この家で一番、真空のことが好き」って、口癖のように、いつも、何度も言ってた。

「じゃ、俺はもう行くね。ちょっとゆっくりしすぎた。狐塚、何かあったら呼んで」

「わかった」

鳥が空を飛ぶようにすいすいと肩を揺らして、恭司さんがホテルの方に歩いていってしまう。残されたオレたちは、しばらく無言で向かい合ったままでいた。しばらくして、心が決まった。

狐塚さん、とオレは呼びかけた。

「りえちゃんたちに、カチューシャを返して」

バラの細かい刺繍《ししゅう》が入ったハンカチは、本当に、家のクローゼットにしまった私のマリアベールの模様と似ていた。細かく、手が込んでいて、随分高価そうだった。

花束は、白い百合《ゆり》。

式の打ち合わせの最中に、花の希望が決められないという玲奈に「そういえば、山井さんはどの花が好きなんですか」と聞かれたことがあった。私は百合だと答えた。本当は、自分の好みなんて二の次で、結婚式に定番のものを提案しただけだった。玲奈に早く決めて欲しいという、個人的な希望で。

花束とハンカチを手にサロンに戻ると、岬がすでに戻ってきていた。

「お疲れ」

彼が微笑むのを見て、癪《しゃく》だけど、また鼻の奥がつんと痛みそうになる。涙が滲《にじ》んでしまってから、まだ鏡を満足に見ていない。ひどい顔をしているだろう、そのことでからかわれるかもしれないと小さく身構えていると、思いがけず優しい声がした。

「よかったよ。部外者なのに、俺まで泣きそうになった」

「……大崎さんに泣かされるなんて、思わなかった」

「大変だって思ってたお客さまに感動させられることって確かに多いよね。ただ、山井さんが特にあのお客さまに苦労してたのは知ってたから、サプライズの依頼をもらって驚いたよ」

「あなたが一枚嚙《か》んでたの？」

岬が照れたように頷いた。

「山井さんが休みの日にたまたま電話を受けたのが俺だったんだ。当日立ち会ってもらえないのが残念だけど、何かお礼をできないかって相談された」

「そうだったんだ」

「きっと喜びますよって伝えたら、嬉《うれ》しそうだった。山井は優秀なスタッフなんですって褒めといたから」

「ちょっと、それ、本当？　身内を褒めるの、よくないってば」

「でも本心だから」

岬が笑みを浮かべる。おどけた様子すらなくて、言葉が継げなくなる。黙ってしまったら、足が棒立ちになって、顔が熱くなった。

「大崎さん、喜んでたよ。そうでしょう？　優秀な人にやってもらえて、私たち、超ラッキーでしたよねって、自慢された」

「そう」

表情の作り方がわからなくなって、そっけない声になる。岬が「お疲れさま」と再び繰り返した。

「確かに苦労させられたんだろうけど、よかったね。山井さんはさすがだよ。俺、お客さまからこんなふうにしてもらったことないよ」

「私だって、初めてだよ」

しかも、その相手は大崎玲奈なのだ。

花束を胸にぎゅっと引き寄せると、強い百合の香りがした。岬の話を聞いていると、また目頭が熱くなった。顔を伏せて目を合わせないようにし、「花、ここに飾っていいかな」とサロンの花瓶を取りに行く。

「自分の家に持って帰ればいいのに」

「できるだけ職場で見ていたいの」

苦笑して応《こた》え、サロン奥にあるスタッフルームまで水を汲《く》みに行く。花瓶の中に水を入れる音と一緒に、今日までささくれだっていた気持ちがゆっくりほどけていく。

ハンカチを、自分の胸ポケットのチーフと交換する。今日、玲奈の式が終わって、最後に挨拶《あいさつ》に行く時、もう一度見せてお礼を言おう。自分のマリアベールと似ていることを話して、それから、今日、ずっと式に立ち会えなかったこともできるだけ誠実に詫《わ》びよう。

悪意ではなく、玲奈は本当に私に立ち会って欲しかったのだ。ずっと一緒に作り上げてきた私の姿を視界に入れて、安心して式に臨みたいと願ったのだ。そう思ってもらえたのだ。

デザイン性の高い、頼りなく細いガラスの花瓶から噴き上がる水を見ていると、この七年間のことを、それよりももっと前からのことを、考えた。

あんなことがあったのにこの仕事を選ぶなんて自虐的だと言われたことも、人のことばかりでいいのかと親に心配されたことも、山井ちゃん、プロなんだ、と尊敬する先輩から今日言われたばかりのことも、全てがこみ上げて、その中には含まれていた。息を、止める。大粒の涙が出て、自分でも驚いた。手の甲を唇に載せると、喉《のど》が苦しくなった。嬉しかった。

間違ってない。

言い聞かせる。言い聞かせながら、それは思い込む必要もないほど、傍らにずっとあったことだとも気づく。さっきまでの滲むような涙では、もう収まらなかった。声を抑えた代償のように洩《も》れた吐息の音を存分に自分で聞きながら、目を閉じた。

ジリ、という音が鳴ったのは、その時だった。

その、ジリ、が準備運動だったように、すぐ、息継ぎなしの悲鳴に似た音が続く。

ジリリリリリリリリリリリリリリリリリリ。

ここに勤めて数年の間で、本当に特別な時にしか聞かない音。この空間に恐ろしく似合わない、無遠慮なベルの音。

弾《はじ》かれたように目を開け、顔を拭《ぬぐ》う。瞳《ひとみ》と唇が、一瞬で水気を失ったように感じた。

これは、火災を知らせる、防災ベルだ。

正面の席から一度いなくなったりえちゃんは、少しして、白雪姫の恰好《かっこう》で戻ってきた。また暗くなった部屋の中、映画の白雪姫で何度も聞いた曲がかかる。七人のこびとが仕事に出かける時の、明るいリズム。『ハイ・ホー』。

入ってきたりえちゃんは、あの、白雪姫のドレスを着ていた。ピッと立った首の後ろの大きな襟。赤い線が入った、大きく膨らんだ袖《そで》。青いブラウスに黄色いスカート。

「りえ、かわいい！」

「信じられない！　りえったら、白雪姫にしたんだ」

「すごーい」

みんなが写真を撮るフラッシュが大量にパシパシ舞う。りえちゃんは東さんの腕に自分の腕を通して、手を振ってる。

頭の上に、赤いリボンのあのカチューシャがある。

お母さんとおばあちゃんが、頭上で鳴る音楽に負けないぐらいの大声で、「カチューシャあったんだ」とか「よかった」と話してる。

オレは、部屋の奥の狐塚さんを見た。狐塚さんも、オレの方を見ていた。目を合わせて、はっきりと頷《うなず》いてくれる。狐塚さんは、オレに、カチューシャはオレが隠したわけじゃなく、偶然見つけたことにして返してくれるって言っていた。

オレは、りえちゃんの薬局の人たちの席に顔を向ける。さっきまでそこに座っていた、真っ赤なマニキュアのミエさんの姿はなかった。

オレはゆっくり、狐塚さんたちに言われたことを思い出しながら、椅子に頑張って座っていた。本当は、今もまだ怖い。りえちゃんに、逃げてって言った方がいいのかもしれない。

だけど、見守るって、約束した。

『真空くんが聞いた、「リンゴに入れる」っていうのは、ひょっとしたら毒のことじゃないかもしれないよ』

狐塚さんが言って、びっくりした。

『東たちは、毒って言葉は一言も使ってないんだよね？　だったら、彼らが考えてるのは全然別のことかもしれない。東がりえさんのことを、たとえ、真空くんが言うとおり好きじゃなかったとしても、こんなに人が多いところで毒を食べさせて殺してしまおうって考えるのは、ちょっとおかしい』

『でも、りえちゃんを白雪姫にするって言ってた』

『白雪姫の恰好で、リンゴを食べさせる余興をするのは確かにそうなんだと思う』

『余興？』

『そう。たとえば東と話してた女の人が、魔女の恰好をして』

狐塚さんが頷いた。

『りえさんへのサプライズのプレゼントを考えてるんだとしたら、どう？』

『ハイ・ホー』の音楽に合わせて、りえちゃんと東さんが全部のテーブルを一つ一つ、順番に回っていく。東さんも茶色いマントを羽織って、王子の恰好をしていた。あれも、アニメで見て知ってる。

りえちゃんたちが前の席に行くまで、どれくらいの時間がかかっただろう。司会の女の人が「はい、新郎新婦、かわいらしい白雪姫と王子になっての再入場でした」と明るい声を張り上げる。

「新婦は、幼い頃から、何よりも白雪姫の童話が大好きで、今日の衣装は、そんな新婦の夢を叶《かな》えたいと、新郎が苦労して探し出したものです。二人は――」

説明の声を聞きながら、オレはじっと、白雪姫になっているりえちゃんと、二人が入ってきた入り口の方とを、ずっと気にしていた。

「余興」はこの後で起こるんじゃないかって話だった。劇みたいなものだ、と狐塚さんが説明してくれた。

「ちょっと、待っておくれ」

しわがれた声が聞こえた時、種類の違う細かい痺《しび》れが、いくつもちりちりちりちり鳴りながら、一瞬で足先から頭まで走り抜けたように感じた。

入り口の扉を、真っ赤なマニキュアが塗られた手が開ける。真っ黒い、理科室のカーテンみたいな黒い布を頭からかぶった人影が、腰を屈《かが》めてゆっくり、ゆっくり、絨《じゅう》毯《たん》を足で擦るような音を立てて、近づいてくる。

「あ、これは」

司会者の女の人が口元を押さえて、そっちを見ていた。

だけど、深刻なのはその人だけ。周りはざわざわしながらも、興味深そうに様子を見てる。

「どうしたんでしょうか。あの、あなたは」

「ヒッヒッヒ。魔女でございます」

「まあ！　大変です」

司会者の声に、会場のあちこちから笑いが起きた。りえちゃんも驚いたように目を見開いてるけど、怖がってるわけじゃなさそうだった。それどころか、戸惑いながらも東さんと顔を見合わせて嬉《うれ》しそうだ。

だけど、オレは、心の中で何度も呟《つぶや》いていた。

これは劇、これは劇、これは劇……！

あの女の人は、多分、ミエさんだ。

「お二人に、お祝いが言いたくて」

部屋にいる大人は、みんなそれが本物の魔女じゃないことに気づいているようだった。りえちゃんが首を傾げ、東さんに何か言う。東さんも、何か囁《ささや》き返す。

ヒーッヒッヒッヒ、というアニメそのままの声を真似しながら、ミエさんの魔女は、りえちゃんの白雪姫に近づいていく。クスクス笑う、みんなの声の間を縫うように。

その手が、リンゴを持ってるのが見えた。爪のマニキュアみたいに真っ赤な色をしてる。偽物みたいに、鮮やかな色。ライトのせいでそう見えるのか、それともそれが毒リンゴだからなのか、わからない。

おおっとどよめきが起こって、りえちゃんも目を瞬く。

リンゴは、小さな釣り竿《ざお》みたいな棒の先についていた。パン食い競走のパンを吊《つ》る時みたいだ。魔女がそれを二人の間に吊り下げる。カメラのフラッシュがまた、バシャバシャ焚《た》かれる。

「さあ、さあ。二人とも、今からこのリンゴを召し上がれ。姫だけじゃなくて、王子もです」

ミエさんのしわがれた声は、劇だって知らなければわからないくらい、普段のあの人の声からはほど遠かった。オレは奥歯を嚙《か》みしめる。また、泣きそうな気持ちで狐塚さんを見た。

狐塚さんは、いつの間にか、オレの近くまで来てくれていた。すぐ後ろに顔があってびっくりする。みんな、写真を撮るために席を立って移動している。

「大丈夫」

狐塚さんがオレを励ますように言った。

「東を信じて、見てて」

「あら、真空。怖いの？」

無責任に軽い声でお母さんが言う。「うるさいよ」とオレは答えた。思い切り怒鳴ったつもりだったけど、声がぶれていた。

オレは、怖かった。それは、本当だ。

ただ、怖いのは魔女じゃない。

召し上がれ、と合図され、リンゴを真ん中に吊るされたりえちゃんと東さんが、笑いながら顔を見合わせる。りえちゃんが困ったように、でも、それ以上に幸せそうにリンゴに顔を近づけた。二人とも、リンゴを反対側から、みんなの様子を窺《うかが》うように食べようとし始める。

わあっと、声がした。「キス、キス」と笑う声もする。りえちゃんの友達が「かわいい」とカメラを構える。りえちゃんと東さん、それに魔女を囲む人垣が大きく揺れた。オレは息もできずに、自分の胸がいつバラバラになってもおかしくないくらい、ハラハラ気持ちを張りつめて、それを見てた。足を踏ん張って、立って、身を乗り出しかけたオレの肩を狐塚さんがしっかりと支えてた。そうじゃなかったら、飛び出してたかもしれない。

毒か、それとも。

りえちゃんが、嬉しそうにリンゴを一口かじる。

『ハイ・ホー』の音を破って、ジリリリリリリリリリリリリリリリリリ、というベルの音が響いたのは、その瞬間だった。

息を止めていたせいで、背筋が伸びたら一気に足がだるく痛む。

何だ？　とみんな、顔を上げ、宙を見る。魔女の身体が崩れ、「あ」と思う間もなく、リンゴが棒から外れて転がる。

「火事だ！」と叫ぶ誰かの声が、外から聞こえた。

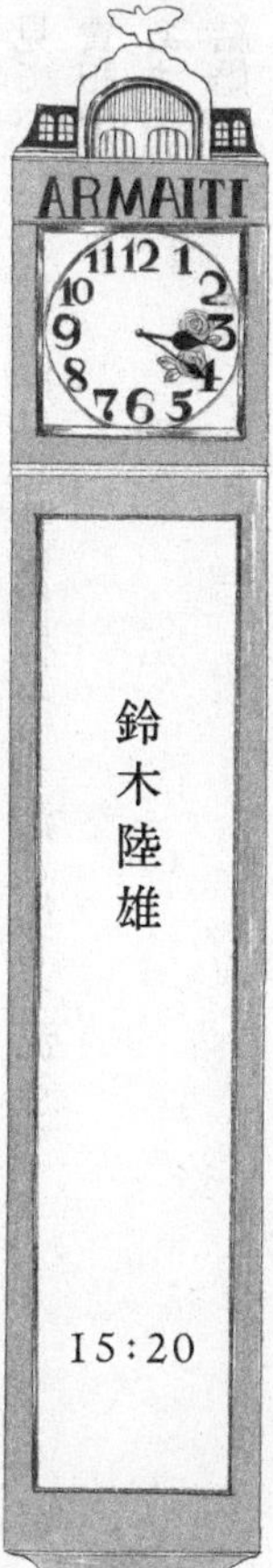

トイレを出て、おそるおそるゴールドルームの扉を開ける。誰も、いなかった。今

度こそ、邪魔は入らない。

絨毯に描かれた大仰な模様を見つめる。

見ていると、現実感が曖昧《あいまい》に模様の中で溶け出して混ざる。

貴和子。

あすか。

結婚式。

五百二十万。

最後に背中を押したのは、やはり、金だった。びりびりに破いて燃やした招待状であり、打ち合わせで、高いグレード、より高いグレードを目指した料理のメニューであり、お色直しの回数であり、生花の種類だった。

正面の高砂に、金屏風《びょうぶ》。高価な花が盛られている。

どうして人がいないんだ、と思う。

何故、ストッパーは現れないんだ。

ホテルの従業員が出入りしていて、とても火なんてつけられない雰囲気だったら歯止めがかかったかもしれないのに、ゴールドルームには誰もいない。こんなに無防備だからいけないんだ、と腹の底から怒りが湧いてくる。火をつけるのは俺が悪いんじゃない。ホテルの警備が手薄だったからだ。

俺にこんなことをさせるのは、このホテルのせいだ。そうだ、だから仕方ない。五百二十万、という金額が、何をどんなふうに考えても頭から離れない。俺の年収でも足りない。車だって買えるそんな金額を、たった一日でこの部屋に落とさせようと仕組んだ奴らが悪い。世の中がおかしいせいだ。

俺のせいじゃない。本当だったらやりたくない。

ボストンバッグを下ろすと、中に液体が入っているせいか、ドス、と大きな音が響いた。その音がしてなお、誰も部屋には来なかった。階下でも隣でも、楽しそうな歓談の声が聞こえる。

バッグを開け、灯油を取り出す。ペットボトルの蓋《ふた》を開ける。

鼻を掠《かす》める匂いが心地よく、このまま酩酊《めいてい》しながら、いつまでもその匂いの中にいたいとさえ感じた。

防災ベルの、けたたましい音が鳴り響く。

ベルの音が聞こえた瞬間、会場の音楽が鳴り止みました。ジリリリ、と鳴るベルは、高すぎる音域のせいで、途中からパー、という突き抜けた響きにしか意識されなくなり、そのまま、耳を麻痺《まひ》させます。

私の好きな、シューマンの『トロイメライ』がかかっていたのに。ベルの音は、式でかかる曲の音より大きいのだなあ、と場違いに感心してしまいます。

式は終盤にさしかかり、ちょうど、鞠香が私の代わりに、私の書いた「母への手紙」を読もうと、高砂でスポットライトを浴びていたところでした。

暗闇の中でも、皆が、「え」と、互いに顔を見合わせているのがわかりました。鞠香も、手紙を読むのをやめてしまっています。会場の入り口で最後のクライマックスのために控えた両家の両親が、唖然《あぜん》として辺りを見回しています。

だけどまさか、本当に火事ではないでしょう。

多分、ベルの誤作動です。昔から、そうでした。小学校の頃に聞いた防災ベルは、全部訓練のためで、一度も本物だったことはないし、たとえ、訓練でない日にベルが鳴っても、みんな焦りません。担任の先生が授業の手を止め、落ち着いた声で「あら、ちょっと見てくるわ」と出て行く。みんな、教室でざわざわ「本当に火事だったらどうする？」なんてお互いに話してるところに「間違いだったみたい」と先生が戻ってきて、何気ない顔で授業を再開する、というのが、私の知る、防災ベルの役割です。

今も、人が皆、あれ？　って顔をしたまま、ぼうっと座ったままでいるではありませんか。

泣いたばかりで、頭がぼんやりしていました。

私は、ついていない。せっかく仕掛けた結婚式で、完璧《かんぺき》な姉の鞠香を演じることができなかった。そんなの鞠香に笑われてしまう。あの子の心は、今何をどう思っているのだろうと考えたら、それだけでまた涙が出てきそうに悔しいのです。披露宴はクライマックスを迎え、コースの料理だって、もうデザートまで出てしまった。私にはもう挽回《ばんかい》するチャンスだってないのです。

そんな日に、またも、披露宴の流れを中断するような無粋なベルが鳴ったのです。

高砂に顔を向けました。映一さんと鞠香の顔を確認しようとした、その時、誰かが「焦げ臭い」と言いました。

「煙の臭いがする」

その声が合図になりました。「嘘でしょう」と、声を上げる人もいましたが、会場から、人が出て行く。言葉は混乱を増長します。「煙が」「火事が」「ベルが」

会場の明かりが点《つ》きました。披露宴の空気が、今度こそ台なしになります。

「火事だ！」

外から音が聞こえ、音楽が止むと、怒号のような声が響きました。半信半疑だった足取りが速くなり、皆が悲鳴を上げて出口に押し寄せる。「早く」と口々に人が言います。

私は、すぐには立てませんでした。ジリリリリリリ、と鳴るベルが収まる気配がありません。

自分の式でこんなことが起きるなんて信じられません。腰が椅子に張りついてしまったように動けない。本当に煙の臭いを嗅《か》ぎました。

そうなると余計に驚いて身動きできませんでした。

「妃美佳！」

声がしました。

映一さんの声です。

彼が、高砂で、私になりすました私の姉を外に連れ出そうとしている。私だと信じて。待って、映一さん。私は。

理不尽に、泣きそうな気持ちで顔を上げた瞬間、心臓が、それこそ大きく打ちつけて、そのまま動きを止めてしまうかと思いました。

「妃美佳、早く」

モーニング・コート姿の映一さんは、私のすぐ前に手を差し出していました。鞠香になりすまし、彼女の黄色いドレスを着て、歌まで歌った私の前に、手を出していました。その目は、間違いなく、私の顔を見つめています。

足下から首の上まで、一瞬で生暖かい水の中に沈んだように思いました。身体が溶け出し、輪郭を崩してしまいそう。

金屏風の前から、鞠香が呆然《ぼうぜん》と私を見つめています。

映一さんは、私を「妃美佳」と呼びました。妃美佳である、この私を。

まさか、火事ではないはず。

きっと、何かの間違いだ。

だけど、どうしよう。

どうしよう、どうしよう。

心臓が速く、冷たく打ちつけ、足が固まって動けなくなったように心では感じている。それなのに、見えない力に衝《つ》き動かされるように身体が動いていた。鳴ったベルに対する責任の取り方を、もう頭が考え始めている。

サロンに戻ると、頭上で鳴る高い音に顔を凍らせたスタッフが数人、立ったままでいた。

「披露宴会場に行かなきゃ！」

声が出た。たとえ間違いであっても動かなきゃ。

私の声に目が覚めたように、岬や、他のスタッフが背筋を正した。上司の姿はなかった。指示を待っている時間はない。

「みんな、早く」

「待って。山井さん。二階は俺が」

サロンの外に出て行こうとする私を岬が追いかけて来て止めた。腕を後ろから引かれ、振り返ると、蒼白《そうはく》な顔で彼が言う。

「上の階に行って逃げ遅れたら危ない。山井さんは、一階を」

「ダメ！　自分が担当したお客さまの会場は、顔がわかった人がどうにかしなきゃ。あなたの式は、一階でしょ⁉」

自分でも驚くほど毅然《きぜん》とした声が出た。

私を信頼し、式に立ち会って欲しいと言った玲奈。

ハレの日の非常事態は、信じられないのが普通だろう。さっきの私のように、ベルの音に驚愕《きょうがく》し、何かの間違いだと、彼らが立ち尽くしている様子が目に浮かぶ。その一瞬の隙が生死の境目にならないと、どうして言えるだろう。

今なら確信できる。

私が一言「火事だ」と教えさえすれば、玲奈は私を信じる。彼女たちを助けられるのは私しかいない。たとえ、ベルが間違いであっても構わないから、今は逃げなければ。高価で重たいドレスでは、走るのにだって時間がかかる。

「お願い」

岬が、気圧《けお》されたように黙った。私の腕から手を離す。

彼にも、今日まで信頼関係を築いてきた相手がいる。「わかった」と岬が唇を引き結ぶのに頷《うなず》き、階段に急いだ。緩やかな曲線を描いたシンデレラ階段のデザインを、今日ばかりは憎らしく感じる。写真撮影用にスペースを大きく取った見せ階段は、一段一段の幅が広く、機能性とは無縁だ。

階段の途中で、午前中に嗅いだ灯油の臭いを思い出した。だとすれば、火元は今から向かう二階だろうか。頭を掠《かす》める考えを押し込め、目の前の一段のことだけを見て、走る。

辿《たど》り着いた二階のエメラルドルームの前では、すでに会場係が扉を開け、招待客が何人か顔を出していた。逃げようかどうしようか、立ち止まって迷っている。私は叫んだ。

「火事です！」

間違いかもしれない。だけど、だとすれば後でいくらでも謝ればいい。今日という日に、死傷者を出すわけにはいかない。それだけは絶対にダメだ。開けられた扉の向こうに、ドレス姿の玲奈が見えた。

他の客たちが、目を見開く。私と、そして高砂の玲奈夫婦を見つめる。瞬く間に広がったざわめきの中で、次にしたのは玲奈の声だった。

「みんな、逃げて」

彼女の目は、私を見ていた。

「山井さんや、ホテルの人の言うことを聞いて」

「エレベーターは使わないでください。階段を使って、建物の外に出てください」

玲奈の声に背中を押されたように、私も叫ぶ。会場係が「こちらです」と客たちを先導するのを追い越して、私は玲奈のところまで急いだ。

十倉が玲奈の手を引いて、こっちに駆けてくる。息を切らせ、私は呼びかける。

「申し訳ございません。行きましょう、お手伝いします」

短く深く頭を下げ、玲奈のドレスの裾《すそ》をファサッと胸に抱えるように持ち上げた。

長い裾が盛大にめくれ上がって、中に入れた真っ白いパニエが露《あら》わになる。考えている余裕はなかった。

私たちは、走り出した。

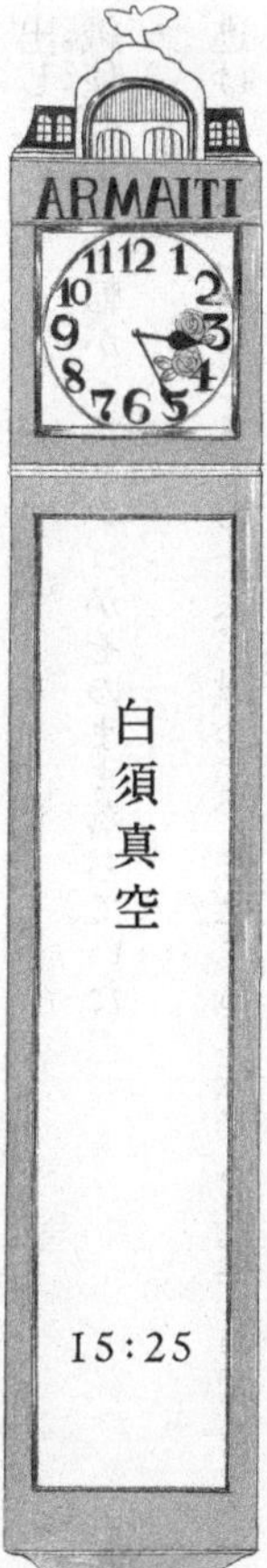

ベルの音に、みんな、時間が止まったように固まって動かなかった。オレもその一人で、「火事」という言葉を聞いても全然実感なんか湧かなくて、ただ次に何が起こるのかだけ待ってた。
だけど、その時。
「みんな、避難してください！」とはっきりした声で叫んだのは東さんだった。

この人のこんなにしっかりと大きな声を聞くのは初めてだった。泣きそうにおろおろしているりえちゃんの肩を支えている。

その声で、再び時間が動き出した。学校でやる防災訓練のような、早く早く、っていう感覚が、ベルから一瞬遅れでやってきたようだった。東さんがりえちゃんの手を引いて、一緒に出て行こうとしている。東さんの声で我に返ったのは、ホテルの人も同じだったみたいだ。はっとしたように「こちらです」と、扉を開けて、みんなを外に出している。

絨毯《じゅうたん》の上に、転がったリンゴがそのまま落ちていた。

あ、と思う。

逃げようとしたおじさんの一人が蹴《け》って、またさらに転がる。遠くの席のテーブルの下までいってしまった。オレは咄嗟《とっさ》に東さんを見た。だけど、東さんはみんなが逃げているかどうかを気にするように振り返るけど、リンゴのことはもう見てないようだった。魔女姿のミエさんも、いつの間にか姿が見えなくなっている。

「真空」

お父さんが呼ぶ声を振り切って、オレは野球の時スライディングするみたいにリンゴが入ったテーブルの下目指して、身体を入れた。長いテーブルクロスがカーテンみたいに囲む場所の真ん中に、リンゴは棒から吊《つ》られた時のまま、紐《ひも》をつけて転がっていた。

夢中でそれを拾って、今日、カチューシャを隠したのと同じおなかに突っ込んだ。

「真空、何してるんだ！」

お父さんの声がして、手が伸びてくる。テーブルの下から引き摺《ず》り出されると、後はほとんどお父さんに抱えられるようにして、部屋を出た。

シャツの裾をズボンに入れる。手がもどかしく動いて、うまくいかない。だけど、リンゴの膨らみを落とさないように、夢中でおなかに押しつけた。上に乗せた手に、ぎゅっと力を込めた。

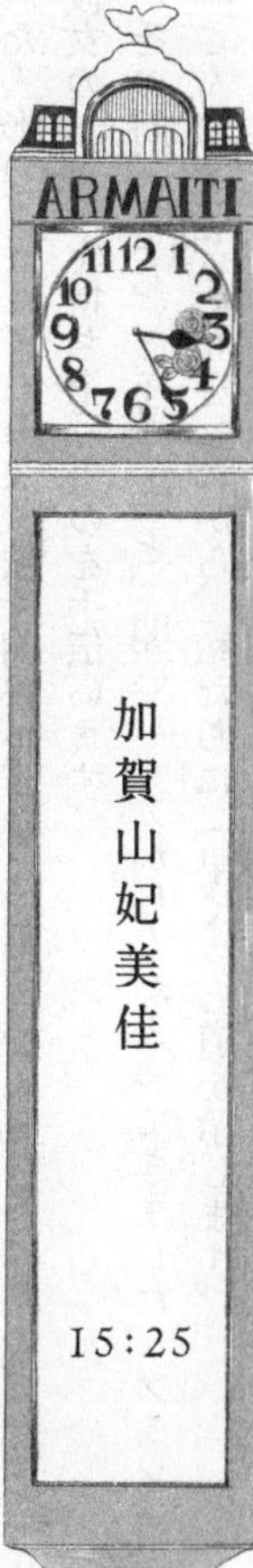

お客さんの大半が出て行った会場に、空気を破壊するように暴力的なベルの音だけが鳴り響いています。高砂の前に一人残された鞠香が、花嫁衣装のまま立っていました。彼女もまた呆然《ぼうぜん》として、ドレスの裾を押さえたまま、目を見開いて、こちらに身を乗り出していました。

「どうして」

思いが呟《つぶや》きにしかならず、途切れた声で言うと、映一さんが眉《まゆ》をひそめて「いいから!」と叫びました。鞠香を振り返ります。

「君も、早く」

冷たい声に、身体が、全身で震えました。眼鏡の奥の目が私たちを交互に睨《にら》む。壊れた人形のようにぎこちなく頷く鞠香が、やっと動き始めました。私も立ち上がり、彼女のドレスを持ち上げるのを手伝います。

その時、「こちらです!」と、開いたドアから人が入ってきました。プランナーの岬さんです。蒼《あお》い顔をしながら、私たちに「早く」と道を示します。

彼の後について三人で廊下を駆ける時、胸がいっぱいになって、急ぎながら、それでも聞かずにはいられませんでした。映一さん。

「私が、わかるの?」

「朝から、何をやってるのかって思ってた」

映一さんの声はそっけなく乾いていました。花嫁姿の鞠香が、唇を噛《か》んでいます。見開いた目を動かして、私を見る。衝撃に打ちひしがれた瞳《ひとみ》でした。私もおそらく、同じ顔をしていたと思います。

映一さんが、言いました。

「言ったでしょ。最初に、勘弁してよって」

息を呑《の》みます。心臓が早鐘のように打つのは、走っているからという理由だけではありませんでした。

ホテル内は、ベルの音にかき回されて大騒ぎになっています。視界がけぶっています。

入り口が、見えてくる。

外に抜ける瞬間、映一さんが私の顔を見つめました。

「結婚前に言い忘れたけど、僕のややこしさは、君たち以上だから」

ややこしい子が好きだと言った彼の決め手の条件を、私たち双子は知っています。

顔を見合わせる私たちに、先に出ていた両親が「妃美佳、鞠香」と名前を呼んで、駆け寄ってきます。

外には、私たちの他にも逃げてきたらしい、別の会場の人たちの姿も多く見られました。皆、一様に困惑した様子で、ホテルの建物を見上げ、顔を見合わせています。

しかし、その中の誰の混乱も、私たちの困惑ぶりにおそらく敵《かな》いはしないでしょう。

私たちから離れ、映一さんが微笑みました。私の好きな、冷たく、少し意地悪なあの微笑みです。

「これからもどうぞ、お手柔らかに」

鞠香。

妃美佳。

それぞれ逆の名前を呼んで、両親が私たちの手を取ります。無事でよかった、と言いながら。

私たち姉妹は、彼らの声を受けながら、ただお互いのことだけ、魂が抜けたように見ていました。泣きたいのか、嬉《うれ》しいのか、悔しいのか、いっそ気持ちいいのか。どの感情が適切なのか、わかりません。どう表情を作ればいいのかわからないところまで、そっくりそのまま、私たちは同じ顔を、鏡のように見つめ合わせていました。

私たちの、完敗です。

玲奈たちを連れて外に出る途中、誰かが消火器を使ったのか、粉っぽい煙の臭いがした。

白く霞《かす》んだ視界には、火元の煙もまざっているのかもしれない。「口と鼻を押さえてください」という私の言いつけを守って、玲奈が白手袋で顔を覆う。横の十倉が、玲奈に向けて、ポケットチーフを差し出していた。

ドレスの裾を持って後ろから彼女の背中を見ていると、改めて胸が詰まった。かわいそうに、と申し訳なく思う。

覚悟が決まった。

どんな文句も、今度こそ甘んじて受ける。ウェディングドレスは、走るためにできていない。花嫁はゆっくり優雅に歩くべきなのに、この恰好《かっこう》で煙の中を逃げなければならない彼女が気の毒だった。

結婚というのは、巡り合わせだ。

新郎新婦の出会いからしてそうだし、夫婦になる決意をするにもタイミングは重要だ。今日の不祥事は、十倉と玲奈のこれからにだって影響を及ぼしかねない。

正面出口までは、もう少しだった。

玄関の方向から、白く切り取られたような光が広がっている。息を止め、顔を俯《うつむ》けながらも「あっちです」と先導し、外に出ると、先に避難していた招待客や親族が「玲奈！」と新婦の名を呼んで、すぐに駆け寄ってきた。

ようやく息をすることが許されて、新鮮な外の空気を吸い込む。間に合った、避難できた、という安堵《あんど》感が肩を包むのと同時に、私は玲奈のドレスの裾《すそ》を胸から離した。玲奈と十倉を彼らの家族や友人に引き渡す。

思い出したように膝《ひざ》が震えだした。

間に合ったのだ。全てを一瞬で決め、動いたが、これでよかったのだろうか。いまさらのように自分のかけた言葉、取った行動の一つ一つを客観的に見る瞬間がやってきた。怖かった。本当に、怖かった。腋《わき》の下と背中にびっしょりと汗をかいていた。

「もう心配ございません！　ご迷惑おかけしました。火元は無事、消し止められました」

避難した芝生の庭の真ん中で、岬が声を張り上げている。一階だけあって彼の方が出てくるのが早かったのだろう。近くにあの双子の新婦と、その姉らしき女性の姿もある。

「もう大丈夫です。ご安心ください。このたびは誠に申し訳ございません」

避難した一同が、それぞれ顔を見合わせ、さっきまでの張りつめた空気が、ぎこちなくではあるが徐々に緊張を解いていく。どういうこと？　一体、何があったの？本当に火事だったの？　口々に囁《ささや》かれる。

私は、自分が出てきたばかりのホテルの建物を振り返った。

火の手も見えなければ、煙だって見えない。ガラス張りの入り口越しに見える白い煙も火元からではなく、消火器のものが大半だという気がする。本当に、たいしたことはなかったのだろうか。

「岬くん」

まだ、客の間を頭を下げて回る同僚を呼び止める。

客から怒られること、罵《のの》られることを覚悟しているのだろう。岬は引き攣《つ》った顔をしていたが、幸いなことに、状況が飲み込めないせいか頭ごなしに従業員を怒鳴りつけるようなお客さまは、まだいないようだ。彼がほっとしたように私を見た。

「ああ、山井さん。無事でよかった」

「仁科チーフは？」

「宿泊マネージャーたちと一緒に現場を確認に行ってる。俺たちには、こっちを押さえて欲しいって」

「火元は、どこなの？」

「厨房《ちゅうぼう》のオーブン」

岬が答えた。

「朝から調子が悪かったのを無理してずっと動かしてたら、急に限界が来たらしくて火を噴いたんだ。大丈夫、厨房にも怪我人はなし。スプリンクラーが作動して、あとは消火器で対応したって」

「オーブンだったの？」

横から岬の声を聞きつけたご婦人が話に割り込み、「まあ」と眉根《まゆね》を引き寄せる。

「どうりで、さっき、グラタンが生っぽいと思ったの。前にアールマティで式に出た時とおいしさが全然違ったから気になってた」

「本当に、申し訳ございませんでした」

平身低頭の体で、岬が深々と彼女に頭を下げた。

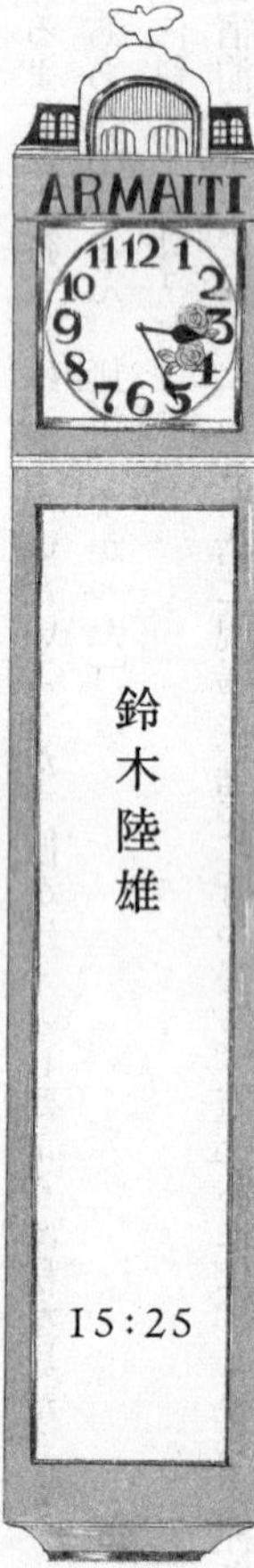

階下の歓談の声を聞きながら、灯油入りのペットボトルの蓋《ふた》を開ける。
鼻を掠《かす》める匂いに息を吸い込むと、いつまでもこうしていたいという欲求に襲われる。
動けなかった。
今しかない、と思うのに、ここで灯油をこぼしてしまったら、といざ次の行動が眼前に近づいたら、足も手も、絨毯《じゅうたん》やペットボトルにくっついたようになって、動けなくなった。

防災ベルのけたたましい音が聞こえたのはその時だった。

身体がぶれた。びくっと腕が震え、弾みで灯油が僅《わず》かに絨毯にこぼれた。柔らかな模様の中に小さな染みを数点散らす。

その色を見たら、逃げ出していた。

わけがわからなくなる。どうして、ベルなんか鳴るのか。まだ早いんじゃないのか。まだ、俺はやってないのに、誰かがやったのか。俺の願いを叶《かな》えてくれたのか。昔、きわどい場面にはいつでもストッパーが現れてくれたように、また俺は助かったんじゃないのか。俺には、運命の女神であり、人生に歯止めをかける女神の貴和子がいる。だから、ああ、やってないけど、火事は起こってくれる。どうしてかなんてわからない。だけど、俺は火事を起こせなかったけど、起こせたことにしてもいいんじゃないのか。踏み出す気力が湧かず、灯油だって撒《ま》けなかったけど、想像の中の俺は、確かにやり遂げた。だから、だから、だから、これは火事で間違いないんじゃないか。

俺が願った通りの、火事で間違いないんじゃないのか。

運命が、そういうことにしてくれたんだ。

「火事だ！」

叫んでいた。二階の、楽しげに音楽が鳴っていた部屋の前で、階段の途中で、人気のない廊下の真ん中で、声を垂れ流すように叫びながら夢中で走り回った。ベルの音に便乗するように。

「火事だ！　火事だ！　火事だ！」

ジリリリリリリリリリリリリ、と鳴るベルが頭を麻痺《まひ》させて、音を音とも感じられなくなる。握りしめたペットボトルが、胸の中で灯油を揺らしている。なおも叫びながら、唇の端が塩辛いのに気がついた。

俺は泣いていた。

涙が、止まらなかった。

ああ、と心が快哉《かいさい》を叫ぶ。どこへとも知れず、走り、逃げ惑いながら、顔を歪《ゆが》めて、滲《にじ》んできた涙を目から払う。

遅いよ、ストッパー！

ずっと待ってたんだ。

「火事だ、火事だ、火事だ……」

次第に廊下に溢《あふ》れだした人の合間をすり抜けながら、声がだんだんと呟《つぶや》きに変わっていく。非常口と書かれた扉の下をすり抜けると、外には午後の青空が広がっていた。黄色い陽の光に迎え入れられた途端、全身を安堵《あんど》が包んだ。涙はまだ収まらず、外の空気が顔に触れた瞬間に、今度は泣き声が出た。
怖かった。
ありがとう、ストッパー。
俺、火なんかつけたくなかった。

この結婚は、やっぱりよくないのよ。
お母さんとおばあちゃんのひそひそ声がした。いつもより早口だ。
オレを抱えたまま全力疾走したお父さんの息が上がっている。お父さんが肩で大きく呼吸しながら、芝生に腰を落として座り込んだ。学校の体育や運動会でオレたちがするならともかく、大人の全力疾走なんて初めてだ。本気を出す大人って本当に速いんだなあ、と感心してしまう。
胸がドキドキしていた。怖いと感じる暇もなかったけど、もう平気だ、と芝生の庭に出されたら、思い出したように、心臓の音が大きくなった。

「だから反対したのに。こんな、縁起でもない」

お母さんの声は、他のお客さんやりえちゃん本人に聞こえても構わないと思ってるみたいに大きかった。

オレは、りえちゃんの姿を探した。りえちゃんは、東さんと一緒にいた。みんなから少し離れた場所で、東さんの顔を見上げるりえちゃんは泣き出しそうだった。きっと、お母さんたちの声が聞こえたんだと思ったら、喉《のど》の奥が押さえつけられたように、ぎゅうっと苦しくなる。白雪姫のドレスの裾《すそ》が土で汚れている。りえちゃんの手を取って、東さんが何か話しかけてる。

「もう心配ございません！　ご迷惑おかけしました。火元は無事、消し止められました」

ホテルの服を着たお兄さんが、庭の真ん中で腰をまっすぐに折って謝った。その声がした途端、あちこちでほっとしたように声が上がった。ああ、よかった。心配したのよ。中に鞄《かばん》が置きっぱなしだけど、もう戻れるの。料金はタダになるのかしら。

たくさんの声の中で、だけどりえちゃんは元気がないままだった。唇を噛《か》んだまま、ほっとしたことでさらに大きくなったお母さんとおばあちゃんの声を、俯《うつむ》いて、じっと聞いている。

東さんが、そんなりえちゃんの手を握ってた。何にも言わずに、ただ一緒にいる。自分がいろんなことを言われてるからじゃなくて、りえちゃんが悲しいことが悲しいんだって、思った。

だけど、火事はりえちゃんのせいでも、東さんのせいでもない。ホテルの人が謝ってる。りえちゃんたちはお母さんたちに何か言い返せばいいのに、黙って俯いてるだけだ。

じれったかったけど、ふっと気づいた。

東さんがうちのお母さんたちに言い返さないのは、りえちゃんのためなのかもしれないって。東さんは、別に喋《しゃべ》れないわけじゃない。さっきだって、ベルが鳴った後で、最初に「みんな、避難してください！」って叫んだのは東さんだった。

だとしたら、でも、ますますじれったかった。

「りえ、大丈夫？」

さっきまで悪口ばっかり言ってたお母さんが、りえちゃんに近づいていく。りえちゃんが「ん」と生返事をしながら顔を上げる。その顔を見て、オレはあーあって気分になった。お化粧したりえちゃんの目の周りが濡《ぬ》れたように滲んでる。おなかの上のあたりが、叩《たた》かれたりしたわけでもないのに痛い。内側から、重たくなる。あーあ、あーあ、あーあ。

りえちゃんは、泣いてしまった。

今日をずっと楽しみにしてたのに。家の中だけじゃなくて、こんな外でまで、泣いてしまった。

「泣かないで、りえ。大丈夫よ」

声だけは優しく、お母さんとおばあちゃんがりえちゃんを取り囲む。二人にりえちゃんを預けた東さんが、今度は窮屈そうに肩をすぼめて、遠慮がちにその場から離れた。おなかに入れたリンゴの膨らみに、ぎゅっと手を添える。オレはゆっくり、一人になった東さんに近づいていった。

「東さん」

声をかけると、東さんはびくっと肩を動かしてからこっちを振り返った。「ああ」とその目が疲れたように笑った。

「真空くん」

「……これ」

シャツの裾を出し、中からリンゴを取り出した瞬間、東さんの顔に驚きが広がった。

「拾っといた」

リンゴを差し出す。ミエさんの魔女が持ってきたリンゴには、左右からりえちゃんと東さん、二人が嚙んだ歯の痕《あと》がくっきりついていた。

東さんが息を呑《の》んだ表情のまま、手を伸ばして受け取ってくれる。すぐには言葉にならないように、オレの顔を見つめている。やがて、時間をおいてからため息をはき出すようにして、お礼を言ってくれた。

「ありがとう」

「それ、指輪が入ってるんだよね？」

告げると、東さんがますます驚いたようにオレの顔を見た。「そうだよね？」と、オレは繰り返した。

「りえちゃんへの、婚約指輪が入ってるんだよね」

狐塚さんと恭司さんから言われたのだ。

『たとえば東と話してた女の人が、魔女の恰好《かっこう》をして、りえさんへのサプライズのプレゼントを考えてるんだとしたら、どう？』

『そうそう、指輪とかさ』

恭司さんが続けた声を聞いて、あっと思った。

指輪なら、聞いたことがある。婚約指輪をもらうかもらわないのかで、りえちゃんとオレのお母さんはケンカしてた。それがないとこの先だってきっとしこりが残るって言い放つお母さんに、りえちゃんは泣きそうな顔をしながら「私からいらないって伝えたの」と答えていた。

ぎすぎすした嫌な空気のケンカは、りえちゃんを追いつめていた。あの時に、オレは思ったんだ。りえちゃんだって、本当は指輪が欲しいんだって。それがないことを、すごくすごく、お母さんに対して、本当は悔しく思ってるんじゃないかって。

『あのリンゴの中には』

狐塚さんが言った。

『毒じゃなくて、きっとりえさんを喜ばせるものが詰まってるんだよ』

「うん」

リンゴを大事そうに両手で包んだ東さんは、もう、怖くなかった。

リンゴには、よく見ると真ん中にうっすらとした線が入っている。東さんが苦笑いしながら、自分たちの噛み痕がついたあたりに、左右から手を添えた。ひねるように動かすと、リンゴはたちまち真ん中から二つに割れて、中から小さな箱が出てきた。RPGでダンジョンに置いてあるような、上がぼこっと丸くなった宝箱のミニチュア版。

「りえが、リンゴを食べてたら、そこで指輪に気づくっていう流れを考えてたんだ。火事のせいで、そこまでいかなかったけど」

東さんが改めて、オレに向けてもう一度「ありがとう」とお礼を言ってくれる。

「どこに行っちゃったかと思ってたから助かったよ」

「それ、高いんでしょ？」

「うん。まあ」

「高いのに、置いてっちゃったの？」

「火事だって聞いて、みんなや、りえを逃がさなきゃって思ったら焦って、気が動転して」

東さんが照れくさそうに笑った。この人の分厚い瞼《まぶた》はこういう表情もできるんだ、と意外に思いながらも、妙に納得してしまう。むしろ、本当はこういう顔をする人だったのに、うちではできなかっただけなのかもしれない。

「せっかく来てくれたのに、もし怪我でもしたら俺たちのせいだから。みんなが無事で、本当によかった」

振り返り、お客さんたちの方を見て目を細める。東さんのその目には、好き勝手なことを言ってるうちの家族もきちんと入っているようだった。

「りえちゃんに、指輪、渡してあげる？」

「うん。真空くんのおかげできちんと渡せる。どうもありがとう」

東さんが頷《うなず》いた。オレはそれ以上どう言ったらいいかわからなくて、「そっか」と頷いて、東さんから離れた。

その時だった。東さんがオレを呼び止めた。

「あの、真空くん」

「何?」

「真空くんの名前って、マがつくから、俺の名前と似てるよね」

きょとんとして、背の高い東さんの顔を見上げる。東さんは、自分で言い出したくせにどこか戸惑ったような口調で、先を続けた。

「俺、名前、誠っていうんだ。前から、似てるなあって思って」

「……うん」

東さんはちょっとずれてる。

同じ「マ」がつくから、何だっていうんだろう。

みんなが言ってた。東さんは「もっさり」してて、憎めないはずなのに誤解されたり、印象が悪くなったりする。

だけど、狐塚さんが言った。いい奴だって。

東さんは多分、すごく一生懸命なんだ。

同じ「マ」がつくのが、どういうことか、オレにはきちんとわかる。オレは、だって嫌だった。りえちゃんが東さんを「マコトくん」って呼ぶ時、自分の「マソラ」の名前と少し似てて、それがすごく、嫌だった。東さんをそんなふうに、オレみたいに呼んで欲しくなかった。

その気持ちが、この人に、見えないところで伝わっていた気がした。

恭司さんの言葉が、瞬間、頭の奥で弾《はじ》けた。

真空、あの兄ちゃん、敵作りやすいんだ。お前が守ってやってよ。

その声を思い出したら、オレの方でも、言葉が出てきた。

「東京にね、『あかつき』っていうお菓子の店があるんだけど」

急にこんなことを話し始めたオレを、東さんの方でも、ちょっとずれてるって思うかもしれない。だけど、東さんは「うん」と応《こた》えてくれた。

「そこの生杏《なまあんず》が、うちのお母さんとおばあちゃん、大好きなんだ。だけど、東京まではなかなか行けないからって、行ったら、絶対にたくさん買って帰ってくる。普通の、生杏っていうのと、砂糖で白く固めてあるヴァージョンのやつと、あとは、小さい粒だけで作ったのの、三点セット」

この三点セットという言い方は、おばあちゃんたちがよく使っている。りえちゃんも、あそこの杏は大好きだったはずだ。

「今度、うちに来る時は、それをお土産にしなよ」

オレに言われた東さんは、これまで見たこともなかったような笑顔を浮かべた。オレに向けて、しっかり、顎《あご》を深く引いて頷いてくれた。

「わかった」

「……ん」

顔を見合わせるのが気まずくて、目を伏せた。本当は言いたかった言葉が別にあった気がしたけど、どう言えばいいのかわからない。

ただ、祈るように、思ってた。

りえちゃんを、もう泣かさないで。

今までずっと、りえちゃんを泣かすのは東さんだとばっかり思ってた。だけど多分、そうじゃない。りえちゃんを泣かしてたのはうちの家族で、オレもその一人だ。

リンゴを手にした東さんが、嬉《うれ》しそうに何度もオレの方を振り返りながら、りえちゃんの方に戻っていく。その姿を見ながら、言いたかった言葉がようやく形になった。

あ、と思ったけど、すぐに、言わなくてもいいやって、思い直した。だから、心の中でだけ呟《つぶや》く。

りえちゃんを、どうか、よろしく。東さん。

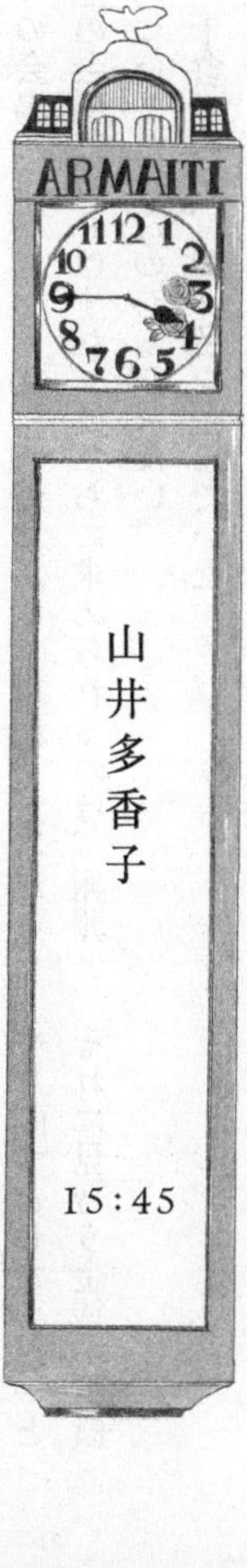

「申し訳ございませんでした」

玲奈と十倉の前に歩み出て頭を下げたまま、私は顔が上げられなかった。

動揺と混乱の波は、まだ頭の芯《しん》を震わせ続けている。本当は、火災現場に行っているという仁科チーフを待ちたかった。私一人が頭を下げてどうなるものでもないとわかっている。

それでも謝りたかった。心証を少しでもよくしたいという打算すら働かなかった。信頼され、あんなふうに式のさなかに礼を言う時間まで設けてもらったというのに、よりにもよって一番許されない種類の不祥事を起こした。直接の責任があるわけではないけれど、それでも私は、自分が情けなかった。

相手は、大崎玲奈だ。

式は日を改めてやり直すことになるだろうか。上司に掛け合わねばならないけれど、派手好きな玲奈はそれぐらいのことを当然言い出すだろう。そしてその場合、サービス内容は、今回の比ではない水準を要求されるはずだ。

考えるだけで胃が痛んだ。

玲奈にも、今日の招待客たちにも、詫《わ》びる気持ちはもちろんある。しかし、これから先にこの式場に降りかかるであろう醜聞や、それにより落ちるであろう評判のことを考えると、悔しくて、泣きたくて、そして逃げ出したくなる。

自分たちの落ち度で火事を出したのだから、当然だ。

「全く、冗談じゃありませんよ」

しばらくしてかけられた冷たい声に、全身が震え上がる。

十倉の声だった。唇を内側で噛《か》みしめて顔を上げる。そしてまた、自分の甘さを知った。恐れるべき相手は、玲奈だけではない。当たり前の話だった。

自分の考えが、随分と都合のいいおめでたいものだとも気づく。一度ケチがついたこの会場で再び式をやりたいだなんて、誰が考えるだろう。やり直すとしてもきっと他の会場に行くはずだ。私たちに求められるのは、謝罪と、それに見合う金銭や賠償についてだけなのかもしれない。

十倉の目が、鋭く私を睨《にら》んでいた。

「あなたに言っても仕方ないんだろうけど、こっちがどれだけ今日のために都合つけて、準備してきたと思ってるんだ。招待客には遠方から来てもらってる相手だっているし、いまさら」

「申し訳ございません……！」

「これから損害賠償の話になるんだろうけど、金だけの問題じゃない。信頼してここを選んでるのに、何が老舗《しにせ》だ、安全管理なんて必要最低限の問題だろう！」

頭を下げ続けるしかなかった。社会人になってから、ここまで面と向かって誰かに──それも大人の男に怒鳴られた経験はなかった。心が一瞬で干上がり、余裕がまるでなくなる。目に涙が滲《にじ》みそうになるのを懸命にこらえた。

「あなたに言ったところでどうなるものでもないけど、なんで上の人間がすぐに謝りに来ないんだ。僕たちは舐《な》められてるんですか？」

十倉が再び言った。「あなた」という突き放すような呼ばれ方の意味も、私では役に立たないということの自覚も充分だったけど、それでも震えながら謝るよりほかになかった。顔がまた上げられなくなる。

するとその時だった。

「でも、まあ」

気怠《けだる》い声が頭上から降ってくる。

「これもこれで、思い出に残るってカンジ？」

軽い声だった。その声が玲奈のものだと、しばらく気づけなかった。

十倉に罵《ののし》られ、玲奈に対してもヒステリックな怒号ばかりを想像していた私は、まだ半分引き攣《つ》った顔をのろのろとようやく上げる。意外なことに、玲奈は薄く微笑みさえ浮かべていた。横で十倉がびっくりしたように彼女を見ていた。

私の顔は、きっと青ざめていただろう。玲奈が「ねえ」と私の胸を指さす。「もう、つけてくれてるの？」と。

何を言われたのかわからず、彼女の視線を辿《たど》る。もらったレースのハンカチが、胸ポケットから覗《のぞ》いていた。

「そんな、喜んでくれたんだ。なんか、嬉しい」

「……すごく、嬉しかったんです」

小火《ぼや》程度で済んだ火事であっても、私自身は焼け跡から投げ出されたような気持ちだった。玲奈が冷静で、声に私を責める雰囲気がないことが信じられないほど、私は打ちひしがれた気持ちでいた。

「十倉さんがね、真っ先に私の手を引いてくれたんです」

彼女の声が、心に雨のように沁《し》みる。

戸惑うように玲奈を見つめた十倉の手を、彼女が微笑んで握った。そのまま私に距離を詰め、囁《ささや》くように言った。

「真っ先に、だよ。ベルが鳴って、山井さんが来て、本当に火事かどうかはっきりする前から。私、この人に大事にされてるんだなって思った。それがみんなに見せられて、火事はまあ、あれだけど、思い出にはね。残るよね」

真っ先に、という言葉を大事そうに唇に乗せる。惚気《のろけ》るように、彼女が言う。

「山井さん。私の旦那《だんな》さま、いいでしょ？」

「……はい」

やられた、と、また思う。

今このタイミングで惚気話を唐突に始めるほど、玲奈は頭が悪い子ではないし、私もまた、その意味がわからないほど頑《かたく》なではないつもりだった。十倉が困惑しながらも、自分よりかなり年下の花嫁に手を握られたまま、私を責めるのをやめている。

「羨《うらや》ましい？」

玲奈がふふっと頬を緩めて笑う。その顔を見たら、胸に温かい風が吹き込んだ気がした。

「羨ましいです」と頭を下げると、目に、それまでこらえていた涙が滲《にじ》んだ。

玲奈は、許すと言っているのだ。

加賀山鞠香

15:50

真っ先に手を引くなんて、そんなことはあっていいはずがありませんでした。

まさか見抜くなんて。

親たちでさえ騙《だま》された私たちの秘密に、朝から気づいていたなんて。そんなことがあっていいはずがありません。

しかし、依然として花嫁は私です。ウェディングドレスを着た、私の方です。駆け寄ってきた両親の前で、相馬映一が鞠香である私をまだ「妃美佳」と呼んだ瞬間、私は本当に彼のことを食わせ者だと思いました。

わかっていてなお、いけしゃあしゃあと、彼は私をそう呼んだのです。

全てを、何もなかったこととして流してしまおうとしている。私たち双子のやった入れ替わりを、どうやら誰にも明かさないつもりです。

焼け出された新郎新婦として私たち二人は相変わらずセットで立っていました。豪《ごう》奢なドレスのせいで芝生にも座れず、人に心配され、取り囲まれるまま、彼の隣に私は立ち続けていました。

「どういうつもり？」

妃美佳やみんなが私たちから離れた一瞬の隙をついて、私は彼に話しかけました。

顔を正面に向けたまま、唇だって最小限しか動かさずに聞きました。だけど、映一くんはそっけなく「何が」と答えます。

どれだけデリカシーがないのでしょう。私は小声にしたのに、なんということもない口調で言い返してくるのです。

「何のつもりで私たちがこんなことをしたと思ってるの？　しかも気づいて黙ってたなんて」

「私たちがした、っていうより持ちかけたのは妃美佳でしょう。理由は多分、僕が気づくかどうか試すため。自分をきちんと見分けられるかどうかにこだわったとか、そんなところじゃないかな」

映一くんは憎らしいほど平然と答えます。「そうよ」と私は答えました。そこまでわかって何故平気でいられるのでしょう。

私たちは、つまり、彼のことをバカにしていたのです。彼が気づくはずなんてないと。私たち二人の完璧《かんぺき》な関係性に彼が入り込める隙間なんてないと、私も妃美佳も確信していました。

だからこそ、気づかない彼のことを私はかわいく、自分のものにしてしまいたいと思いました。好きだとまで。彼を通じて、かわいい妃美佳とまたさらに繋《つな》がれるとすら、感じました。

だけど、今の映一くんはどこまでも憎たらしい。

「悔しくないの？　せっかくの結婚式をこんな入れ替わりで、あの子は台なしにしたのに」

「台なしにはなってないでしょう。確かに、披露宴は中断されたけど、それは火事のせいだし、君たちのことは誰にもバレてない。僕以外には」

僕以外には、というセリフに滲んだ優越感に肩が熱くなります。彼をきっと睨《にら》みました。

映一くんが「驚いたけどね」と私を見て言います。

「朝から気づいてたのは本当だよ。君たちがあまりに似てるし、なりきっているからびっくりしたけど、ご両親まで気づいてないことの方が、むしろ驚きだった。僕からしてみると一目瞭然《りょうぜん》だったのに」

「あなた、疑われてたのよ。もし入れ替わりを見抜けなければ、妃美佳は結婚を白紙に戻したいとすら、考えてたんだから」

妃美佳は残酷で、わがままな子です。

映一くんに思い知らせたかった。

舌打ちが出そうになります。

嫌な予感は、確かにしていたのです。

彼は、結婚式の誓いの口づけで私の頰に唇をすれすれまで近づけて、だけど、キスをしませんでした。触れるか触れないかの距離は、やはり私の勘違いではなかった。彼が気づいているのかもしれないと怯《おび》え、だからこそ私はあの時、咄嗟《とっさ》に妃美佳のことを気にしました。今の見た？　彼は気づいているかもしれない、と。訴えかけるように。

バカにされていた気がしました。

「どうして怒らないのよ」

「結婚式は花嫁のためのものだから、今日だけは何をやったっていいと思ったんだ。何を企《たくら》んでるのかまではわからなかったけど、なるほどね。僕、試されてたわけだ」

なら、見抜けてよかった、と映一くんが言うのを聞いて、私はほとんど卒倒しそうになります。信じられない。なんて暢気《のんき》なのでしょう。

「それでも、そんなふうに自分を疑う花嫁とこれから結婚するつもり？」

「もちろん。僕は妃美佳を選んだんだ」

「……ややこしい子が好みだそうね」

「ああ」

「変わってる」

「よく言われる」

映一くんが微笑みます。しかし、花嫁姿の私ともう目を合わせようとはしません。癪《しゃく》にさわりました。彼が妃美佳をすっかり理解した気でいることも、私には傲慢《ごうまん》に映ります。

だって、たかが私たち二人を見分けたというだけです。それだけで、あの子をわかった気にならないで欲しい。

「妃美佳の相手は大変よ。今日だって、わかったでしょう？　よりにもよって自分の結婚式で、新郎にこんな罠《わな》みたいなものを仕掛ける。その上、あの子にはその罠を手伝うような、こんなややこしい私みたいな姉がいる」

「それでもこれを仕掛けたのは妃美佳でしょう。屈折ぶりでは、あなたは妃美佳に敵《かな》わないと思う」

「……褒めてるの、バカにしてるの？　どっち？」

「妃美佳とは、あとでゆっくり話すよ。なんて真似をするんだって怒るつもりだけど、正直、自分の目に狂いがなかったことがわかって嬉《うれ》しい気持ちもかなりある。妃美佳は本当にややこしくていい。あの子と一緒だと、一生退屈しないで済みそうだ」

「あなた、物好きだって言われない？」

私が彼を再び呆《あき》れがちに睨んだその時です。映一くんがじっと私の目を覗《のぞ》き込みました。

「鞠香さん、寂しいんでしょう」

声を聞いた瞬間に、胸の真ん中を鋭い棘《とげ》が通り抜けた気がしました。直後に、今度は頬がかっと熱くなりました。違う。そんなことはない。否定の言葉は反射のように喉《のど》までこみ上げたのに、声にはなりませんでした。

「妃美佳が結婚するのが寂しいんじゃないの？　君たちは、本当に仲がよかったみたいだから」

「結婚したからって、姉妹は姉妹のままだもん。寂しいわけないでしょう？」

返事の語尾が、子供のように甘くなりました。気づいたけど、止められません。

「だって、妃美佳はこれからも私と」

言葉の途中で、映一くんが笑いました。肩を竦《すく》めて、顔を俯《うつむ》け、ふきだしたのです。何がおかしいのでしょう。私が絶句すると「ごめんごめん」と軽やかに首を振り動かしました。

「ただ、ああ、そうかあ、と納得して。妃美佳と話して、随分お姉さんを意識しているんだなあと思ってたんだけど、そうか、それって君もそうなんだね」

私は黙ったまま、熱くなった頬にただ耐えていました。「双子って、どういうものかわからないけど」と彼が続けます。

「確かに普通の兄弟や姉妹より、ずっとお互いの存在が近いんだと思う。だけど、申し訳ないけど、妃美佳は僕がもらいます」

あっさりとした口調で宣言されると、それ以上は、もう言葉が出てきませんでした。怒りもしたし、呆れもする。だけど、彼の口調があまりに躊躇《ためら》いなくするっと心に入り込んで、悔しいけれど、頭の中が真っ白になりました。

「これからどうぞよろしく。お義姉《ねえ》さん」

唇を嚙《か》みました。

歯の下で、唇がわななく。呆然《ぼうぜん》としながら、私は思い知りました。

私が一番怖かったのは、きっと、それなのです。

あの子の一番が、私でなくなること。妃美佳が私から奪われてしまうこと。

さっき、一瞬とはいえ、映一くんを愛《いと》しく思った自分のことが許せませんでした。自分の迂闊《うかつ》さを呪いたくなります。

彼は、私が好きになるような対象ではなく、どこまでも敵でした。絶望的に悟ります。

私と妃美佳を、見抜かないで欲しかった。

結婚とは、他人が血の中に入り込んでくることです。

私は初めて、実感しました。結婚とは、完璧だった私たちの中に、よくも悪くも他人が介在することなのです。家が変容するということなのです。

顔を伏せました。これ以上、惨めで滑稽《こっけい》な真似をしたくありません。

「着替えるわ」

目を背けたまま告げると、映一くんがこっちを見たのがわかりました。私は振り向かないで続けます。

「妃美佳に、花嫁衣装を返す。火事が起こったのも戻るチャンスが来たってことなのかもしれない」

「ありがとう」

顔を上げると、妃美佳は私の黄色いドレスを着たまま、両親と一緒にいました。相変わらず私を完璧《かんぺき》に装っているけれど、いかんせん、あの表情は明るすぎる。もし、私だったなら、今、あんな晴れやかな顔はできないでしょう。もう、作り笑い一つ、妃美佳になって浮かべる気力も自信もありません。

思わず、ため息が出ました。

「先が、思いやられる」

「え？」

映一くんが声を上げたのを無視して、私はドレスの裾《すそ》を引き摺《ず》りながら妃美佳の元へ歩き出しました。私が来るのを知って、あの子は嬉しそうに「妃美佳！」と手を上げ、まだお芝居を続けようとします。

私は微笑みました。衣装を取り替えても、メイクも髪型もあまりに違うから、今日はもうお互いにすぐ元に戻るのは不可能かもしれない。自分の肩に押しつけられたものの重さに、顔がだんだんと泣き笑いの表情に歪《ゆが》んでいきます。

私は、映一くんより優れた、さらなるややこしい相手を、この先、この家に持ち込まなければならない。

先が、本当に、本当に思いやられます。

私は、相馬映一と妃美佳の二人に負けました。妃美佳は今日、彼の、相馬妃美佳になります。

私はそれを、止められませんでした。

お母さんとおばあちゃんの間では、もうホテルの中に戻っても大丈夫なのかどうかが、今は一番の問題のようだった。文句の声は続いている。遠くの方でも、誰かがホテルの人を怒鳴る声が聞こえた。

上着も羽織らずに出てきたせいで寒いわって、親戚《しんせき》のおばさんたちも言っている。りえちゃんのお友達の女の人たちも、袖《そで》がない服を着てる人がほとんどだ。

腕も首も出したドレス姿だったりえちゃんのことが気になって姿を探すと、今日、オレがリングボーイをやったチャペルの隅っこに、りえちゃんと東さんが二人きりで立っていた。

りえちゃんの肩には、東さんの茶色いマントがかけられていた。肩に乗せただけのそのマントの下から見えるりえちゃんの白い腕が、東さんの方に向けられている。両方の手のひらがリンゴを包んで持っていた。今、初めて受け止めたように。

東さんが何か言う。ここからじゃ、声が聞こえない。

上着を脱いで身軽になった様子の東さんが、シャツを腕の真ん中くらいまでめくっていた。ちゃんとした恰好《かっこう》より、あの人にはそっちの方が似合っているように見えた。

東さんの、りえちゃんより大きな手が横から伸びて、リンゴを左右に割る。りえちゃんが驚いたのがわかる。東さんの顔を見上げ、そして、泣き出した。口元に手を当てて、顔を俯けるのが見える。そんなりえちゃんの背中に、東さんが手を添えた。

りえちゃんが泣くのは嫌だけど、悲しい涙じゃないのはオレにもわかった。

あんな隅っこじゃなくて、もっと目立つ場所で渡せばいいのに。

火事のことで文句を言うお母さんたちの声を耳の横で聞きながら、オレは思った。お母さんに、「指輪があるんだよ」って見せるチャンスだったのに。

だけど今、二人っきりで指輪をもらうりえちゃんは幸せそうだ。そんなことどうでもいいのかもしれない。

ため息が出た。

結婚も、結婚式も本当に大変だ。

そして多分、今日はおしまいの日じゃなくてはじまりの日のはずだ。東さんはこれからオレの親戚になって、うちのお母さんたちとはこれからもずっと大変なことを続けて行かなきゃならない。

この結婚は、やっぱりよくない。声が耳に蘇《よみがえ》ったら、つい、お母さんの手を引いてしまった。

「お母さん」

「何?」

リンゴの中味を毒にするか、指輪にするか。東さんを怖いと思うのか、いい人だって思うのかは、全部、オレが気づけるかどうかにかかってた。ずっと、今日が怖くてリングボーイだってやりたくなかったのは、お母さんやおばあちゃんたちの、今みたいな文句の声を聞いてきたせいだ。

考えたらムカムカして、そして、叫んでた。

「お母さんたちが、そんなだったからだよ！　オレが大変だったのも、りえちゃんが泣くのも」

お母さんがびっくりしたように黙って、目を見開いた。オレは怒ってた。お父さんが「どうした、真空」ってこっちに来た。お母さんに向け、あちゃあって顔をしてから、小声で言った。

「だから言っただろ。お前が、真空の前でいつまでも余計なことを言ってるから」

「何よ」

唇を尖《とが》らせたお母さんが気まずそうにそっぽを向く。お母さんとお父さんがそれから、「だって」とか「いい加減にしないか」とか話し始めるのを見ながら、オレはその間をすり抜けるようにして、二人から離れた。

チャペルがよく見える場所まで歩いて行くと、狐塚さんがいた。オレと同じように、りえちゃんと東さんの姿を離れた場所から見てる。オレに気づいて「真空くん」って呼んだ。

「大丈夫だった？　火事、びっくりしたね」

「うん」

ここからだと、りえちゃんは後ろ姿しか見えない。

りえちゃんはうちからいなくなるんだなあという気持ちがこみ上げてきた。もう今までみたいに一緒にビデオを見たり、ゲームをしたりすることはなくなる。

胸がまだ、もやもやする。急に鼻の奥がつんとなって、慌てて顔を下に向けると、朝、あんなに嫌でたまらなかったぶかぶかの靴が、芝生の土がついて汚れていて、誰にともなく、やった、ざまあみろって気持ちになった。

「一生の記念になる日だね」

狐塚さんが言った。

「火事とか、災難にも見舞われたけど」

「うん」

でも、火事が起きなかったら、オレは今日、東さんにリンゴを渡してあげることができなかった。話すことも多分、できなかった。

恭司さんの言葉をまた、思い出した。

りえちゃんと東さんを、オレだけは守れる。りえちゃんの味方になれる。

離れた場所にいても、チャペルのガラスでできた壁がオレの顔をぼんやり映しているのが見えた。ぐんにゃりと横に伸ばしたように歪んでる顔。目が垂れて泣き出しそうに見えてしまうのが嫌で、しゃんと背筋を伸ばす。右の頬を手のひらでこすった。

その時ふいに、あれ、と思った。

「狐塚さん」

「うん？」

「恭司さんは？」

そういえば、というように狐塚さんが辺りを見回す。避難してきたたくさんの人の中に、恭司さんの姿は見当たらなかった。

火事自体がたいしたことではなかったとしても、このベルと騒ぎでケチがついた式場でいまさら式なんかできない。
深い安堵《あんど》のため息を洩《も》らすと、足が雲を踏むように浮いて、軽く感じられた。胃の底が柔らかなものに支えられているようだった。口元が緩むのを、抑えられない。

火事の原因は、どうやら厨房《ちゅうぼう》からの小火《ぼや》だったようだ。何が起こったかも把握できないまま逃げ惑う途中、何度も何度も、できすぎた幸運に感謝する一方で、ひょっとして、とあり得ない可能性が頭を掠《かす》めた。火をつけたのは、本当は俺なんじゃないか。俺が無意識に火を放ったんじゃないか。――そのせいで、今しも誰かに呼び止められ、ボストンバッグの中の灯油を発見されるのではないかと気が気じゃなかった。
だけど、どうやら違う。しかも、もう消し止められた後だ。

理想的だった。

逃げ惑い、辿《たど》り着いた駐車場の奥で俺は安堵の息を吐く。客のほとんどはホテルの庭か、玄関の前に広がる第一駐車場の方に避難していて、俺が車を止めた奥のこっち側には誰の姿もない。

気持ちを躍らせながら携帯電話を握りしめる。

もうすぐ、イブニングの式が中止になる旨の連絡が来るはずだ。あすかももう、ここに来なくて済む。その上で、賠償金というのはどれぐらい取ることができるのだろうかと想像したら、甘美な誘惑に足先が崩れそうになる。

あすかと貴和子との問題だって、今すぐどうこうしなくてよくなった。

「結婚」が近づいてあすかとはもう別れなきゃならないと、確かに思ったこともあった。だけど、火事のせいで、どうやら結婚式は先送りだ。この会場ではできなくなったからと、また引き続き、別の会場を回るウェディングフェアデートの時間が返ってくる。そうすれば、数ヵ月はまた会場を迷うだろう。今度こそ、今回みたいに会場と成約するような失敗さえしなければ、俺は何も失わなくて済む。

嬉《うれ》しくて、肩を身震いさせた俺の後ろから、その時、声がした。

「あっれー、ここにいたんだぁ」

俺の口元はまだ、安堵の余韻に緩んだままだった。その表情のまま振り返ると、「どうも」と声が続いた。

立っていたのは、知らない若い男だった。

カラスの羽のように不自然なまでに真っ黒い髪が、傾き始めた太陽の光に照らされても色にむらをつけず、印象を変えない。目の上と耳と、唇に、ピアスをしている。目つきの鋭い、いかにも今どきのだらしない若者然とした男は、若い頃にバンドで活動してた頃には周りによく見たタイプだった。しかし、俺とは年があまりに違う。

誰かと間違えてるんじゃないだろうか。

慌てて顔を動かし、辺りを見回す。だけど、この場所には今、俺しかいない。相手の目は、明らかに俺の顔を見つめていた。

男はスーツ姿だった。結婚式の招待客のような出《い》で立ちで、肩にゴルフクラブのようなものを担いでいる。怪訝《けげん》に思って目をこらし、次の瞬間、息を呑《の》んだ。

男が担いでいるのは、俺のドライバーじゃないか？

「今日はゴルフじゃあ、ありませんでした？」

無人の通路に、男の声が響き渡る。手にしたドライバーを「よっ」と大袈裟《おおげさ》な身振りで持ち替え、軽い調子に構える。そのまま、素振りをした。

ヒュンッと音がして、すぐ近くで風が切れる音がした。

状況がまるで飲み込めないのに、舌が固まったようになって、声が出なかった。

「殴りに来ました」と、男が言った。ヘラヘラと軽やかに、薄く笑いながら。

「頼まれたんで」

背筋を冷たい汗が滑り落ちる。心臓の音が急に間近になった。

男がなおもにっこりと笑って言葉を続けた。

「きちんと確認した？　車のゴルフバッグ、この一本の他は空だよ。それじゃあ今日、ゴルフになんないよね。あ、これ、車から拝借しました」

「誰に、頼まれて……」

ようやく先の途切れた声が出た。咄嗟《とっさ》に自分の車の方向を見る。車のトランクがきちんと閉じているのが、ここからでも確認できた。荒らされた形跡もない。しかし、それがよりいっそう薄気味悪く思えた。

男は楽しそうにクラブをまた肩に乗せる。「さて、誰でしょう」大きく弧を描くように動かしたせいで、またぶんっと空気が震える音がした。

「心当たりが多くて困るんだ？　鈴木陸雄さん」

山井多香子

16:00

通報により駆けつけた消防士が、建物の安全確認を行う。宿泊担当のマネージャーたちがそれに立ち会う中、ウェディングサロンの責任者である仁科は私たちを建物の裏にいったん集めた。

額の上に青紫の太い血管を浮かべた仁科は、あからさまに苛立《いらだ》っていた。避難し、いくらか落ち着いたお客さまたちからは、私たちに対する不満の声も上がり始めている。仁科が余裕のない、不機嫌そうな口調で指示を飛ばす。

「いいか、この安全確認が済めば客は全員中に戻れる。火はたいしたことがなかったこと、防災ベルが過剰に反応しただけだってことを強調するんだ。今日の料金が値引きになることも話して」

「無料にはしないんですか?」

思わず、聞いていた。仁科はさらに不快な表情を作ると「お前、誰かにそう言ったんじゃないだろうな?」と私を睨《にら》みつけた。

「上と協議中だけど、値引きのパーセンテージもまだ結論が出てない。先に無料だなんて一言でも口にしてみろ。相手はつけあがって、それこそ、どれだけ値引いてもタダにならないなんておかしいって怒鳴りこんでくるぞ」

咳払《せきばら》いを一つして、今度は集まったプランナー全員に告げる。

「いつも言ってるだろう。価値観っていうのは、植えつけるものだ」

その言葉には聞き覚えがあった。

莫大《ばくだい》な金額を要する結婚式では、式の準備をしている間、お客さまがハイになる。通常では考えられないような一日の消え物への出費を「ウェディングとは、そういうものです」という合言葉一つで懐柔し、金銭感覚を麻痺《まひ》させるのだ。

価値観とは植えつけるもの。そういうものだと飲み込ませれば、確かに相手は金を出すだろう。だけど、本音を言えば、私はその考え方があまり好きではなかった。

甘い精神論や理想だけでは、どの業界だって食べていけない。わかってはいる。けれど、今日はここで諦《あきら》めるわけにはいかない、と強く感じた。

私を許してくれた玲奈の顔が、目の前でちらつくようだった。私の、最悪のお客さま。一つ段階を踏むごとにクレームをつけてきた彼女が、私を最大に責めることができる今日の場面で、最後の最後、私たちにクレームをつけなかった。

唇を噛《か》む。他のスタッフたちも、気持ちは私の方に近いはずだ。気遣わしげな目でこっちを見ている。

六ヵ月前、玲奈を受け持ってから何度も彼女の担当を降りようと思った。そのたび、彼女のせいでこの仕事を辞めてたまるか、と何度も自分に言い聞かせた。だけど、今日は違う。確かに、彼女のせいで辞めるのは嫌だ。だけど、彼女のためにだったら構わない。決意は、一瞬でできた。

顔を上げる。

「でも、こっちの責任ですよ。うちが出した火事です。結婚式で、一番大切なのは縁起を担ぐことでしょう？　うちは、ありえない事故を起こしたんですよ。そんな場所でこれから誰が式を頼みたいと思いますか？

これからのことを考えたら、今日のカップルの分は全て無料にして、かつ、もし希望があるならやり直しの式を無料でサービスするぐらいでなければ、失われた信頼は戻ってきません」

「式をサービス？　それ、いくらかかると思ってるんだ。お前が払うのか？」

冗談じゃない、という心の声がそのまま洩《も》れそうな悲鳴を仁科が上げる。だけど、私も後には引けなかった。

これは、このホテルの名の下、夢の世界の住人として働いてきた、これまでの私の意地だ。

「ここで誠意を見せずにケチれば、この先のアールマティの名前は確実に失墜しますよ。結婚式にかかる費用は確かに高いけど、お客さまたちは何も、料理や飲み物にお金を出してるわけじゃない。お金は、自分の満足や、これからへの誓いを含めた、目に見えない『縁起』にこそ払われているんです」

結婚式に大金を支払うことをバカにしないで欲しい。結婚式は、慶事にかける人間の願いそのものだ。節目の儀式には、だからこそ、初めて大金を払おうという気が起こる。高価なドレスも豪華な料理も、全てはそのためにある。

現場の私たちが、それを忘れてしまってどうするのだ。

「僕もそう、思います」

横から声が割り込んだ。岬だった。彼が一歩前に出て、仁科を見つめた。

「ともあれ、今は、お客さまたちを落ち着かせるのが一番の課題でしょうから、仁科さんが言う通り、気を楽にしてホテルに戻ってもらうよう努めます。僕たちは僕たちの仕事をしますけど、ただ、チーフにも努力してもらいたい。山井さんが今言ったみたいに、今日のお客さまの負担がなくなるよう、上に掛け合ってもらえないでしょうか」

目が真剣だった。

私は意外に思いながら、彼を見た。これまで一緒に仕事をしてきたけど、この仕事にこんなに熱意を持ってるなんて知らなかった。普段おとなしい部類の彼が珍しく反論したことで、仁科が怯《ひる》んだのが伝わってくる。

岬が同意を求めるように他のスタッフたちを見る。彼らの何人かがはっきりと首を縦に振って頷《うなず》き、仁科に「私からもお願いします」と呼びかけた。

「その方が、うちのホテルも気前がいいってイメージアップになるかもしんないですよ。後は、無料にしたことを派手にマスコミに書いてもらうとか。私、タウン誌に知り合いがいますから、その場合は頼んでみますよ」

後輩の女の子が軽い口調で言って、私と目を合わせ、微笑んでくれた。

安全確認が終わり、お客さまを再び中に誘導する。

披露宴を続行するかどうかは、会場ごとにそれぞれ意見を聞くことになった。

廊下に立って招待客を案内していると、正面から岬が歩いてくるのが見えた。彼の元に駆け寄る。

「さっきはどうもありがとう。すごく、嬉《うれ》しかった」

「いや、俺は何も」

首を振る彼は、どこか恥ずかしそうだった。柔らかく苦笑して「さすがだな、と思って」と応《こた》える。

「山井さんは、やっぱりすごいよ。前から尊敬してたけど、今日は特にそう思った」

「尊敬？」

揶揄《やゆ》して言われているのかと思って笑いかけるが、岬の顔は真面目だった。「反省したんだ」と彼が言った。

「火事が起きて、真っ先に自分の担当する会場に向かう姿を見て、この人本当にこの仕事に命懸けてるんだなって伝わってきた。あれはちょっと感動したよ。自分の身と照らし合わせて反省もした。かっこよかった」

「そんなこと、ないけど」

褒められるのに慣れていないせいで、顔が赤くなっていくのを止められない。耳まで熱くなったところで顔を伏せた。

かっこよかった。

かけられた言葉が、頭の中でリフレインする。

「それを言うなら、岬くんが私の代わりに二階に行くって言ったの、私、感動したけど。逃げ遅れたら危ないって言ってくれたの、意外に思えて、男を感じた」
　ふざけ調子に微笑もうとしたら、見上げた岬の顔が言葉に詰まったようになってい
た。少しも笑っていないのに気づき、え、と思うより早く、彼が目を逸《そ》らした。見て
いるこっちが恥ずかしくなるほど露骨な反応だった。
「あ、で、えーっとさ」と続いた不自然な声も、別にわざと作ったものではなさそう
だ。
「しばらくは、この騒ぎの後始末でお互い忙しいかもしれないけど、落ち着いたら今
度、映画でも行かない？　他の会社のウェディングフェアで偽のカップルになった後
でもいいからさ」
　ゆっくりと瞬《まばた》きをする。先回りするように「忙しかったらいいんだ」という彼が、
私が思っていたほど器用ではないのかもしれないと思ったら、顔が笑ってしまった。
「いいわ」
　岬の顔が、私の声で力を解いた。だけどすぐに「あ、あとさ」と話題を変えてしま
う。
「イブニングの式は、予定通り行われるみたいだよ。料理の内容は多少変更になるみ
たいだけど、会場自体に問題はないから」
「そうなんだ？」

「うん。電話して、小火騒《ぼや》ぎがあったことは伝えるそうだけど」

結婚式は、縁起のために金を出すイベントだ。その意味では、昼間の火事は確かにマイナス要素だが、現実には、これから式をする新郎新婦にとっての一番のマイナスは式が中止になることだろう。遠方からわざわざ都合をつけてくる招待客だっているはずだ。

イブニングの式というと、仁科が担当した二階のゴールドルームだ。

確か、鈴木家・三田家。

「ねえ、岬くん」

思いつきは、唐突にやってきた。岬が再び「何?」と顔をこっちに向ける。

「鐘を鳴らさない?」と私は言った。

「ウェディングベル。音楽ももう消えてるし、披露宴、どの会場も中断しちゃったけど、せめて、雰囲気だけでも取り戻せないかな」

ウェディングベルは幸せのシンボルだ。今日式を終えたばかりのカップルたちの耳にも、まだその響きは残っているはずだった。

私の提案に、岬は一瞬表情を止めた後で、すぐに「いいね」と微笑んだ。

「お前、誰だよ？　何かの間違いじゃ……」

突然現れた見知らぬ男に向けて言いながら、さっきから胸の奥底が、風で鳴る林の葉のようにざわざわと揺れている。一体何だ、と思いながらも、彼の持つゴルフクラブは明らかに、紛れもなく、俺のものだ。

まさか、と思ったら、胸がこれまでで一番大きく鳴り、咄嗟《とっさ》に顔を上げたら男とまともに目が合った。

今朝、家を出る時、俺は貴和子に「ゴルフに行く」と言った。「気をつけてね」と、あいつは気持ちよく送り出してくれた。ゴルフバッグが見当たらなくて、探そうとしたところを「私が積んでおいた」と貴和子が、確かに、言った。

顔から血の気が失せていくのが、はっきり実感できた。

あんな重たいものをよく一人で、と思った覚えが、確かに、ある。車のスペアキーだって、持っているのは誰だ？

目の前の男は、にやにや笑いをやめなかった。「いやー、探しちゃったよ」とさらに砕けた口調になる。

「この火事騒ぎで見失ったかと思った。だけど、それじゃ困るんだよね。俺、まだあんたのこと殴ってないし。車の前で張っててよかったな」

「お前、貴和子の何なんだよっ」

貴和子は、知っているのか……？

どこまで？　何を？　どう？

怖くて、聞けなかった。男は俺を見下ろすようにじっとりと目を細めて「別に何でもよくない？」と答えた。

「ともあれ、正解。俺が頼まれたのは貴和子さん。あの人、優しいよね。きっと困ってるはずだから、どうか夫を止めて欲しい、これ以上ひどいことになる前に殴ってでも目を覚まさせて欲しいって言われた」

「貴和子は、今日のこと、知ってるのか⁉」

声が悲鳴になる。聞かなかったことにして忘れてしまいたい。頭の芯《しん》がさっきから鈍く震え続けていて、現実感が遠ざかる。

「知ってるよ」と男はこともなげに答えた。

「あんたの会社の同僚に聞いたって。浮気のことも今日の式のことも、全部知ってる。まあ、バレない方がどうかしてるよね」

視界から光が失《う》せたように感じた。膝《ひざ》から力が抜け、足が崩れる。頭の内側でがんがん音が鳴り、熱を放つような痛みが増していく。俺に、式のことで電話をしてきた同期の松下。きっと、あいつだ。

少し前から、俺への接し方がどこかぎこちなかった貴和子。時折、その目に泣き出しそうなものを感じたこともあった。あれは、あいつが誰かとメールしたり、浮気をしたことの罪悪感からなのだとばかり思ってた。まさか、バレてたなんて。

「貴和子さんは、今日が終わったらあんたと別れる気だよ」

顔が上げられなかった。ぶるぶると、胃の底から震えがやってくる。

こみ上げたのは、それだけは嫌だ、という思いだった。あいつは俺の最後の一線だ。貴和子を運命の女神だと信じた二十代の俺を裏切るのは、よりどころの全てを失うことだった。俺には、本当にあいつしかいないのに。

携帯電話が、その時、いまさらのように震えた。ボディのウインドウに表示されたのは、『ホテル・アールマティ』の名前だ。火事のことを伝えるためだろう。けれど、待ちわびていた電話も、今はもう出る気など起きなかった。

「鳴ってるよ」

男がつまらなそうに、電話をゴルフクラブでさす。ドライバーの丸く硬い先端を見て、戦慄《せんりつ》する。こいつは俺を、殴りに来たと言った。

「お前、本当に、貴和子の何なんだよ」

もう帰りたかった。心底、これまでで一番、帰りたかった。貴和子がもう待っていなくても、別れるつもりでも、それでもあの家の貴和子の元に、まだ帰れる気がしていた。何もなかった頃に、知られる前にどうにかして戻れないだろうか。

どうして大切にしなかったんだろう。浮気なんかしてしまったんだろう。今度こそ、目が覚めた。あすかと付き合うべきじゃなかった。貴和子がまさか去っていくなんて。あいつ、こんなやばそうな、若いのと付き合ってたのか。

目の前の男を、ぼんやりと見上げる。

ボランティアで知り合った「友達」はこいつだろうか。だったらあいつだって、俺を裏切ってたんじゃ、だとしたら、俺にもまだあいつを責める権利が。

願望の可能性を、男があっさりと首を振って否定する。

「ただの友達だよ。正確には、友達の友達。その子に付き合って参加したボランティアで何度か顔は合わせてたけど、相談されたのはつい最近」

だからこれは月《つき》ちゃんのためなんだ、と、男がその友達らしき人物の名前を呼ぶ。

「しっかし、どうしようもないことになったもんだよね。どうすんの？　奥さんと別れて、その浮気相手とこれから予定通り式でもする？　それにしたって筋は通さなきゃ」

　男が「でしょ？」とゴルフクラブを肩から浮かすのを見てぞっとする。駐車場には相変わらず誰もやって来る気配がない。

　今朝、俺を送り出した貴和子が、あの時すでに俺と別れるつもりだったのか、と考えたら胸が痛んだ。混乱と動揺にぼやけた視界の中で、携帯電話が着信の光を飛ばすのをやめた。再び、場が静かになる。

　その途端、身体からいっそう力が抜けた。アスファルトの上にへたり込むと、どうしていいかわからず、ただだらだれるしかなくなった。男の声が頭上からしたのは、その時だった。「ただささ、あんたの奥さん」

「妊娠してるよ」という言葉が耳を打った。

「え」という声とともに、何を聞いたか判断できず、相手の顔を見る。

「妊娠」と男が続けた。

「浮気が発覚した頃に同時に発覚して、それであんたに言えなかったみたい。なぁんか、ここで言うのも卑怯《ひきょう》かなぁとは思うんだけど、俺、それでも愛ってものを信じたいんだよね。貴和子さんはあんたと別れて、一人で産んで育てるつもりだ」

　どうすんの、と男が聞いた。

「どうすんの？　俺、三者面談タイムだと思うんだけど。あんたと、貴和子さんと、浮気相手の人とさ。けじめははっきりつけなくちゃ」

あ、それと。

ついでのようにつけ加える。

「この話、貴和子さんのお兄さんのとこまでいってるから。始めは貴和子さん、自分だけでどうにかしようと頑張ってたみたいだけど、妊娠がらみでお兄さんにも事情が全部バレたんだって。もちろん先方もカンカンに怒ってて、大事な妹とあんたのことを別れさせるつもり。ちょっとやそっとじゃ許してもらえないと思うよ。今度こそ、あんたはいろいろ失わなきゃね」

背筋が伸び、信じられない気持ちで、俺はただ男の顔を見上げていた。声が出てこなかった。

手の中の携帯電話を、強く握りしめた。動けなかったのは、どの感情によるものか、自分でもわからなかった。喜怒哀楽の全部が混じり合って一度にやってきたように感じ、表情が作れない。

ただ、その中には紛れもなく、色濃い喜びが入っていた。言葉にならないほどの、それは喜びだった。

妊娠。

子供。

貴和子、と声が出た。

貴和子、貴和子、貴和子。

両手で顔を覆う。指の間からこぼれるように嗚咽《おえつ》の声が洩《も》れた。あとはもう、どうしたら許してもらえるのだろうということしか、考えられなくなった。涙で白くなった視界で、携帯電話が再び光を散らして震え始める。

今度は、あすかの名前が表示されていた。

「はい」

電話を取る。正面に立つ男の姿を、今ばかりは忘れた。

あ、もしもし、陸雄くん？　今、ホテルから連絡があったんだけど。

小火《ぼや》騒ぎがあったんだって！　だけど、イブニングの式は無事予定通りできるって話だから。

もう招待状配っちゃった後だからさあ、昼間の火事は仕方ないけど、値引いてくれるって言ってるし。

――式は、予定通りやろうよ。

「ごめん、あすか」

耳の横を声が素通りしていく。俺は応《こた》えた。

「式は、キャンセルにしよう」

はあ!? という、大きな声が聞こえた。何言ってるの。だってもうみんな来るつもりで。うちのお母さんだって。もうメイクだってしてるし。いまさらキャンセルなんて無理……!

頭を、それでも一瞬だけ、五百二十万という数字が掠《かす》める。思い切って目を閉じて「ごめん」とまた謝る。五百二十万という借金を背負うことになる。あすかだって、俺を訴えるかもしれない。五百二十万という両親にだって、謝りに行くことに、おそらくなる。仕切り直しに、様々なものを背負うことになる俺とやり直すのは、あからさまに気苦労が多い。

それでも、貴和子のためだったら、一度、きれいな身体にならなければダメだ。結果、戻ってきてもらえなかったとしても、あすかのことも、貴和子のことも、完全に失うにしても。伸だって、今度こそ、俺を見放すだろう。

「ごめん、あすか」

俺、結婚してるんだ。

息を呑《の》むような間の後で、耳をつんざくような悲鳴が上がった。無人の駐車場で、携帯から洩れる音が静寂を破壊するように途切れず、罵声《ばせい》を聞かせる。

ピアスの男がゴルフクラブを床に置き、うるさそうに耳を押さえた。目を細めながら近づき、俺の手から携帯を奪うと、そのままあっさりと通話を切った。

「はい」

俺の手に携帯を返し、「次は？」と尋ねる。

「話さなきゃなんない人、まだいるよね？」

声も顔も、今朝別れたばかりなのに懐かしかった。俺は頷《うなず》く。出てもらえないかもしれないと思ったが、電話の向こうで、はい、と声が聞こえた瞬間、問答無用で涙が突き上げた。

「ごめん、貴和子」

電話の向こうはしんと静まりかえっている。その静寂が怖くて、だけどもう、後には引けなくて、ただひたすら、俺は謝り続けた。

「貴和子、ごめん。本当に、ごめん。別れるなんて、言わないでくれ。一緒に、子供、育てよう。大事にするから。今度こそ、俺、大事にするから。伸にも、お前にも、俺、土下座して謝る」

繰り返せば繰り返すほど、俺が言っても説得力のない言葉だと自覚する。声が返ってくるのを祈って、ずっと、繰り返した。涙が頬から電話に張りつき、電話の向こうではキャッチホンの入るプッシュ音がひっきりなしにしていた。

貴和子は一言も、声を返してくれなかった。

ただ、息づかいが聞こえた。声を押し殺した泣き声が聞こえた途端、「貴和子」とまた名前を呼んでいた。「泣かないでくれよ」

俺が悪かった。

何度目かの繰り返しの言葉の途中で、俺を黙って見下ろしていた男が、俺の手から携帯をまた奪った。力の抜けた指からあっさりと抜いた電話を自分の耳に当て、「もしもし」と呼びかける。

貴和子は、こいつには返事をしたようだった。一言二言、言葉を交わした後で、男が「了解」と答えた。通話を切り、すぐさま続けて鳴るあすかからの着信音に辟易《へきえき》したように、電源を落としてしまう。

「じゃ、そういうことで」

と男が言った。

この場を去るのかと思い、礼すら言いかけた俺が再び戦慄《せんりつ》したのはその時だった。男は「ゴルフクラブじゃあんまりだそうだから」と断り、ゆっくりと俺の方に近づいてきた。

右手に、拳《こぶし》が握られていた。

後退しかけた俺の右肩に素早く手を置き、彼の右手が宙を動く様が視界の端に見えた。腕が一筋の線を引くように、空気を裂く。ごっという衝撃は、音で聞いたのか、それとも身体の内側でしたのか、わからなかった。

頬が横に振れる瞬間、痛みは少し遅れてやってきた。

重たい拳が沈む感覚をやけにゆっくり、全身で感じながら、俺は、ああ、そうだったんだ、と妙に穏やかな気持ちになっていた。

ストッパーは、こいつだったんだ。

こいつを寄越《よこ》した貴和子は、やっぱり、俺の運命の女だ。俺のどうしようもない人生の歯止めになるのは、いつだってあの子だ。

宙に涙が飛んだ。

遅いよ、ストッパー。

ウェディングベルの音が、その時、場違いに鳴り響いた。

その音を聞きながら、目を閉じた。どこかの誰かが、幸せそうに鐘を鳴らしている。

何故か、実際には見たこともない貴和子の花嫁姿が、その音の中に、光を弾《はじ》くように思い浮かんだ。

大安の後日

ウェディングフェアの申し込み一覧表を確認して、おや、と手が止まる。知った名前があった気がして上から順にリストを追う。

あった。鈴木陸雄。

この仕事をしていると、記憶力の良さに驚かれることがある。

式場を見学に来た初めてのカップルと話した時もそうだ。これまでこちらの式に出られたことはありますか？　という私の問いに、彼らが誰の式に来たか名前を答えると、かなり高い確率で、それらの式を思い出すことができる。全部覚えてるんですか、と驚嘆されるが、少なくとも、私は自分が関わった式のことは絶対に忘れない。これは多分、私だけじゃなくてみんなそうだろう。ヘアメイクのスタッフに聞いたら、彼女たちもまた自分がセットした花嫁のことは、どんな衣装を着たかまで、はっきり覚えているという。

「チーフ、どうしました？」

新入社員の小浜《こはま》が、手を止めた私に呼びかけてきた。フェアの模擬披露宴の前は、業者がドレスを飾ったり、花嫁役のモデルの女の子にお世話が必要だったり、いつも何かと忙《せわ》しない。会場前に作った受付で、私は名簿を机に下ろしながら「なんでもない」と答える。

「緊張してる？」と彼女に尋ねた。

小浜は硬い表情のまま、「いえ」と答える。その声も、リラックスとはほど遠い。しかし、初々しい印象で、悪くなかった。

四月からの研修期間が終わり、彼女は今日から直接お客さまにつくことになる。いわば、今日がプランナーとしての初仕事だ。

本格的な仕事始めが六月からというのは、やはりいい。ジューン・ブライドと呼ばれる六月の花嫁は、幸せになれるというジンクスを持つ。

由来には諸説あって、一つにはヨーロッパの六月が爽《さわ》やかな季節だからだという説がある。ヨーロッパの挙式であればこそ初めて意味を持つジンクスであって、日本の六月は梅雨の季節であり、結婚式には不向きだ。輸入されたジンクスをナンセンスだと笑う人もいるが、気候も風土も関係なく、長い間交わされてきた言葉には、きちんと意味が宿る。縁起を担ぐことは、祈ることだ。幸せや成功を願う前向きな祈りを責める権利は誰にもない。

今日は、その六月最初のウェディングフェア。

今日のフェアで受け付けるカップルの式は、実際には今から三ヵ月以上先の秋以降に挙げられるものになるだろう。六月に高まった結婚への気持ちが、ハイシーズンと呼ばれる秋への式に繋《つな》がる。

「チーフも、初めてのお客さまの時は緊張しました？」

頬を緊張に白くした小浜が、心配そうに尋ねてくる。私は「うん」と答えて、「一緒に会場、見に行こうか」と彼女を中に誘った。

会場となるエメラルドルームは、二面が窓になった明るい部屋だ。南側の窓から、中庭で揺れる木々の葉が見える。

「チーフの式も、もうすぐですね」

ふいに言われて、まだ照れくさく、私は顔を会場全体に向けたまま「ええ」と答えた。小浜が笑いかけてくる。

「飲料営業一課の岬さん、この間、仕事で一緒になりました。かっこいいですね。岬さんも前はウェディング担当だったんですか」

「うん。私がチーフになったのと同時に、あの人は異動になったんだけど」

出世だね、さすがだね、とからかわれたことがまだ昨日のことのように思える。業界全体が若いウェディングの現場では、三十代でチーフと呼ばれるのは何も珍しいことではない。あの火事騒ぎの一件以来、体制も大幅に変わった。前チーフだった仁科は宿泊フロアの担当になり、岬は企業による会議やイベントなど、ウェディング以外の広義の宴会を担当する部署へと移った。

私と岬の式は、今月末だ。

迷ったが、会場はここを選んだ。「お客さま」としてアールマティを利用するのはもちろん初めてで、三ヵ月前から始めた打ち合わせは、勝手を知ったつもりでいてもやはり慌ただしかった。

ウェディングプランナーの人が自分で挙げる式って、すごそう。

これまで数々かけられてきた言葉に、応《こた》えられるかどうかはわからない。ただ、楽しい式にしたい、と思う。私も、彼も、来てくれる招待客も、みんなが楽しめる日にしたい。

結婚後も仕事は続けるつもりだ。「結婚式」を職業にするだけあって、職場は既婚の女性にも働きやすい環境を整えてくれている。

「……嫌なお客さんだったら、どうしよう」

ぽつりと言った小浜の声に苦笑する。まだ学生気分が抜けない彼女がつい洩《も》らした本音のようだ。「そんなこと、絶対に言っちゃダメ」とやんわりと注意しながら、だけど顔が笑ってしまうのを抑えられない。私は、彼女のそういう心細げな声に、いくらだって応えることができる。「大丈夫」と大きく頷《うなず》いた。

「それがたとえ、世界一憎い相手であっても、きちんとその時がくれば祝福できるから」

さっき名簿で見た鈴木陸雄の名前は、同姓同名でなければ、二年前のあの火事騒ぎに巻き込まれた人たちの中に見た名前だ。だから、気になった。

あの日、披露宴が予定されていたカップルは全部で四組。ホテル始まって以来の不祥事を出した私たちは、その責任をとって、式にかかった全ての費用をこちらで負担した。その上で、別の日に改めて式と披露宴をやり直す提案をさせてもらった。しかし、結局、その後で実際に式をやり直したのは、一組だけだった。

岬が担当した、あの双子の式だ。

あれから半年後に、全く同じ内容で式をやり直した。もしよければ衣装を一度着たものではなく、せっかくだから別のものにしたらどうかと提案したらしいが、新郎新婦は前と同じでいい、と答えたそうだ。

「歌がグレードアップしてた」

あれだけの騒ぎの後のやり直しだということで、式の当日は他のスタッフもどこかそわそわとして落ち着かなかった。様子を見に行った岬が、順調だよ、と報告して皆を安心させた後で、前の式と一つだけ違った点として、余興の歌を賞賛した。

歌はピアノの弾き語りだったが、前回の曲の後にさらに一曲、シューマンの『トロイメライ』の演奏が追加されていた。

「お姉さん、さらに気合い入ってるなって感じ。曲を増やしたのはサプライズだったみたいで、新婦が感動して大泣きしてた。ピアノが苦手な姉が弾くには相当の練習が必要だっただろうって。——いい式だったよ」

一度目の式では、バタバタと慌ただしくはっきりと見られなかった双子の顔を、その日、私も初めてまともに見た。岬の言う通りの、よく似た美人姉妹。

このホテルを気に入ってくれたのか、後日、食事に来ていた。

色合いの違う服をそれぞれに着た双子たちが「今度こそ大丈夫」とか「えーいち、気づくかな」とかなんとか言いながら、髪をいじってトイレから出てくるところに出くわしたのだ。秘密の会議でもするように肩を寄せ合って笑う様子が微笑ましく、本当に仲がいいのだなあと感心してしまった。

レストランの前で、片方が「映一さん」と、あの日の新郎に手を上げる。待ちぼうけでも食らっていたのか、新郎がうんざりとした様子にため息をついてみせた。

「勘弁してよ」

式が途中で中断された他のカップルは、玲奈も含め、やり直しを申し出なかった。悪感情からではなく辞退した恰好《かっこう》で、むしろ費用がチャラになったことを喜んでくれたカップルもいた。そのカップルは、新生活へのお金がこれで少しは助かります、と、帰りがけ、サロンに挨拶《あいさつ》に立ち寄ってさえくれた。

担当したプランナーの話だと、そのカップルの新郎は、これからまた学者の道を目指して進学するらしい。どこかの大学の博士課程に進むことが決まったと、あの後で親族同士のお祝いの食事会がここのレストランで持たれたそうだ。その時にも彼らはわざわざサロンまで報告に来てくれた。

私もその日、彼らの姿を見かけた。

食事会に参加していた男の子が、ロビーで携帯用ゲーム機に目線を落としていた。横に座った男性が、手元に同じゲーム機を開き、彼と一緒になって遊んでいた。「あー、マコトくん、強すぎ!」と叫ぶ男の子の元気のいい声が、通り過ぎる時に聞こえた。

二年前の騒ぎの日。

その後の一週間。

火事は、全国的には小さな扱いにしかならなかったものの、県内のマスコミには恰好のネタとして騒がれた。

私たちのお客さまになるのは、まさにその地元新聞を読み、地方局のニュースを見る人々に他ならない。ホテル・アールマティのブランド力を信頼して、ここを選んでくれてきた人たちに申し訳なかったし、これから先、傷がついた名前をどう立て直していったらいいかを考えると頭が痛かった。

しかし、地元ニュースに何度も登場したのは、あの、大崎玲奈だった。あの日、会場を出たすぐ後でインタビューに答えたものもあれば、日を改めて取材を受けたらしいものもあった。

せっかくの式が台なしになりましたね、と、狙いが定まった調子に繰り返すレポーターの意地の悪い質問を、玲奈は『え、でもぉ』と首を傾け、カメラ目線で微笑んでかわす。

『費用は一切かからなかったし、ラッキーでしたよ。みんなの記憶に一生残る式になったし、私は満足。ホテルの人もよくやってくれたし、感謝してます』

お客さまのプライバシーに配慮して、あの日、誰がここで式を挙げたのかは一切マスコミには公表していなかった。取材は、それでもどうにかして連絡先を調べ上げたマスコミが行ったものだろうが、彼女の他のカップルは、誰一人そうやって表に出てこない。

玲奈だけが、おそらく取材の申し出を受けたのだ。迷惑がるどころか、むしろ嬉々《きき》として語る様子が映し出されるたび、私は心底、敵《かな》わないな、とため息をついた。目立つこと、普通でないことが大好きなあの子には、確かにカメラの前で話すことは似合いすぎるほどよく似合う。

誠意を持った対応をしてもらった、と微笑む彼女の顔に、嘘がなかった。そのことへのお礼の葉書を書くと、彼女から電話がかかってきた。

『テレビ効果で、友達からもいっぱい電話がかかってきたの。結婚報告してなかった子からも、「結婚したんだ⁉」ってメールもらったり。教える手間が一気にはぶけちゃった。火事なのにホテルのこと褒めてあげるなんて偉いねって言われた。ね、私、超いい人ってカンジじゃない？　あ、山井さん、あれからお客さん減ってない？　大丈夫？』

「おかげさまで」

正直、当初は客足が遠のきつつあったのが、玲奈が費用のことや、式のやり直しを私たちが申し出たことについてマスコミに話してくれたせいか、ホテルのイメージが大きく損なわれたという感触はなかった。そこまで対応がいいなら、と騒ぎをきっかけにフェアに足を運んでくれた若いカップルもいる。

「いただいたハンカチ、使ってます」

電話を切る間際に言うと、玲奈は『あげたっけ、そんなの』とそっけなく答えた。

一拍置いて思い出したのか『あ、あれか』と頷《うなず》く。どうやら、本当に全てに対して軽い思い入れしか持たない子なのだ、と思い知るが、不快な感じはなかった。

『どういたしまして。今度また彼と記念日にご飯食べに行くね。寄っていい？』

「ええ。お待ちしております」

あれから二年近く経ったが、玲奈はまだ現れない。

あの言葉は社交辞令だったのか、それとも忙しくしているのか。彼女が今幸せで、十倉ともうまくいっていればよいが、と思う。ただ、あの気性だから、たとえ彼と問題が出たにせよ、出会いも別れも玲奈は難なく自分のものにして、乗り越えそうな気がする。縁があれば、私たちはまた会うこともあるだろう。

結婚式はたった一日のことで、そこで集められた人、かかわった人は、所詮《しょせん》、バスや電車で隣り合わせて座った程度の縁でしかないのかもしれない。だけど、その組み合わせが実現するのもまた、生涯でその日一日限りなのだ。

あの日、私が彼女の担当になったことに確かに意味はあった。


模擬披露宴の始まった会場をそっと覗《のぞ》く。

フェアの参加者名簿にあった「鈴木陸雄」の名前は、二年前の騒ぎの日、イブニングの式を予定していた新郎のものだ。私は直接担当していなかったから、顔をしっかりは覚えていない。

あの日、夜の部の式ならば会場の準備は間に合った。私たちはイブニングの式を予定通り行える旨を伝えたが、彼らは式を中止したい、と連絡してきた。結婚式は縁起ものだ。昼の小火《ぼや》騒ぎを聞いてそう思ったのだろうと、私たちはキャンセルを受け入れた。もちろん、昼の部のカップルと同じく、費用は全額こちらが負担し、キャンセル料は一切要求しなかった。やり直しの式についても提案したらしいが、興がそがれたせいか、それとも別の式場を探したのか、彼らから再び連絡が来ることはなかった。

申し込み用紙に記載された「鈴木陸雄」の名前の横に、新婦の名を書く欄がある。そこに書かれた名前を見て、再び手が止まった。二年前の式の時とは、名前が違っている気がした。

結婚というのは、タイミングと勢いが必要だ。

打ち合わせを進めてきたカップルが途中で別れ、話自体が消えることもあれば、一度式を挙げた新郎新婦が、数年後に別の相手と二度目の式を申し込むこともある。多い話ではないが、なくはない。

あの火事騒ぎでその勢いを失い、結婚話自体に影響が出なければいいが、と私は全部のカップルに対して思った。なんだか申し訳ない気持ちになる。

模擬披露宴の席に座り、当日と同じメニューを口に運ぶ彼らカップルの姿を、そっと窺《うかが》う。そして、あれ、と思った。どうやら、状況は私が思っていたものとは違うかもしれない。

鈴木陸雄たちカップルは、子供を連れての夫婦見学だったようだ。彼の横に座った女性の膝《ひざ》の上に、まだ座ることもままならない様子の小さな子供がちょこんと腰掛けている。小さな手足をもどかしげに動かし、テーブルにおかれたスプーンを力いっぱい振り上げている。

申し込み用紙は、よく見ると欄外に、すでに結婚して数年が経つため、ごく簡単な食事会として親しい人たちのみのパーティーがやりたい、という旨が記載されていた。別の字で、ドレスの写真撮影もやりたい、とある。どうやら夫の字のようだ。

「このお客さま、私がつくから」

会場を出て、他のスタッフに彼らの名前を指して言う。会場の方から、子供が高くむずかる声が聞こえてきた。それを母親があやす優しく穏やかな声もまた、ぴったりと子供の声に寄り添って、聞こえてくる。

「こんにちは。ご担当させていただきます。山井と申します」

模擬披露宴の終了後、別室に移動する。

泣き止んだ子供は、今はおとなしく、今度は父親の腕に黙って抱かれている。よく懐いているのか、父親もそんな子供の口から流れ出た透明なよだれを「ほら」と言いながら拭《ふ》いている。

彼らが顔を上げて私を見た。

私の、独身時代最後のお客さまだ。

あの日のカップルとは、同じかもしれないし、全くの別人かもしれない。だけど、どんな場合であっても、全ての結婚は慶事だ。最初の挨拶《あいさつ》を、心を込めて言う。

「このたびは、おめでとうございます」

夢見がちだと思われても構わないから、六月の花嫁になりたい。結婚式の日取りを六月の大安にしたいと告げた時、岬は少しの躊躇《ためら》いも見せずに「そう来ると思った」と答えた。

顔を上げ、時期の打ち合わせに入ってから尋ねる。

「日程は、やはり大安をご希望ですか」

何事においても全て良く、成功しないことはないとされる大安吉日。

打ち合わせ用のサロンに、気持ちのいい初夏の陽光が降り注ぐ。空に広がる光は、窓を通すと、まるでマリアベールのレースのようにたゆたって見える。チャペルの前のウェディングベルが、ここを訪れる全ての人を祝福するように銀色に染まり、輝いていた。

謝辞

執筆するにあたって、元ウェディングプランナーの石井真喜さんからお話を伺いました。実際のお客さまのプライバシーや具体的なエピソードについては口外できないという制限がある中で、ウェディングの現場について一つ一つ丁寧に教えていただきました。

この場を借りてお礼申し上げます。

解　説

ドラマになるまでに何があったか？

西荻　弓絵

この度は、文庫化おめでとうございます！

辻村さんのこの小説はドラマ化され、平成24年1月10日から3月13日までNHK総合TV『よる☆ドラ』枠にて放送されました。

その際に脚本を担当したのが、私です。

ついては文庫化にあたって解説文を、との大変ありがたいお話しを頂いたのですが、いやいや、滅相もございません。読書家でも批評家でもない私めが、解説だなんて…という次第で、ここでは「本日は大安なり」がドラマ化されるまでに何があったか？をドキュメントさせて頂きたいと思います。

平成23年の春まだ浅いある日のこと。突然、面識のない演出家から、辻村さんの原作をドラマ化することになったので、一度読んで下さい、との携帯が入りました。そうして手にしたのが『本日は大安なり』でした。

物語はご承知の通り、いわゆるグランドホテル方式で、ある大安の一日に同じ結婚式場に集まった4組のカップルと、ウェディングプランナーのスリリングに交錯する人間模様を描いたもの。

主要人物それぞれのモノローグで、その日に至るまでの事情と心情がジワジワと浮かび上がって行くところが面白く、各人物に感情移入しながら、どんどん先が知りたくなって、あっと言う間に読み終えずにはいられない！　そんな作品でした。

双子の姉妹の複雑過ぎる乙女心、ダメ男の情けなさ、憧《あこが》れの花嫁を守ろうとする少年の健気《けなげ》さ、悲しい過去を持つ女性ウェディングプランナーの女心とプロ意識…どの人物も一生に一度の幸せの瞬間をブチ壊しかねない爆弾を抱えながら、最終的にはとてもイジラシイ、愛すべき人物と思えるところが、素敵でした。

ドラマ化にあたっては、このイジラシイ部分をしっかりと押さえようと思いました。あとは辻村さんが設計した遊園地のような世界で、楽しく遊ばせて頂こうと。

そして作業開始。まずは辻村さんの綿密な取材に負けじと、我々もいくつかのツテを頼りにウェディングプランナーの皆様に取材させて頂きました（本当にありがとうございました）。ドラマ化にあたっての肉付けは、正直なところ、取材に基づいたノンフィクションと言っても過言ではありません！

次に方向性を決め、プロット作りの打ち合わせが始まります。狭っ苦しい会議室で、若手演出家&プロデューサー、4、5名と汗をかきかき、タバコも吸われつつ（私は吸いません）、ああでもない、こうでもないと始まるわけです。

何しろ辻村さんとほぼ同世代のスタッフたちが、熱い熱い。「双子の愛憎をもっと見たいです！」「真空のいじらしさが〜」などと、それぞれ違うこだわりと思い入れをあまりに熱く語るので、こりゃ打ち合わせが永遠に終わらないな…とふと不安に思ったことが何度もありました（実は、そこが楽しいのですが）。そんなこんなでやっと方向性が決まっていきます。

ミステリータッチにして物語を盛り上げ、原作にない人物をちょっと入れて、怒濤《どとう》のような新感覚のドラマにするぞ！　お〜！　という具合。とはいえ、思った以上に登場人物が多過ぎたような気も…。すみません、そこ、反省しています。

おまけに齢《よわい》50を超えている脚本家としましては、ついつい親の立場からモノを言いたくなってしまい、親世代の脇役のセリフが長過ぎると、いつも若いスタッフに窘《たしな》められる始末。すみません、そこも反省しています。

脚本作りの間には、原作者・辻村さんのチェックも入ります。脚本上の変更はご自由に、とのことでしたので、のびのびと書かせて頂きました。が、原作者として譲れない部分はハッキリと意見を下さり、その筋がまたちゃんと通っていて、なるほど、ドラマの都合上で考えてばかりではいけないな、と修正を加えたりもしました。

そうこうしながら撮影開始の時を迎えます。

原作者辻村さんに初めてお目にかかったのは、撮影開始の合図とも言える、スタッフ・キャスト陣全員集合の場（顔合わせ）でした。

某スタジオの大会議室に全員集合するわけですが、何しろ百人近くがひしめく部屋に、微笑みを湛《たた》えながら、そよと現れた辻村さん。スタッフ陣は少々むさ苦しいのが常なので、私などはその瞬間、掃き溜《だ》めに一輪の撫子《なでしこ》が咲いたかのような気がしたくらいです（いや、ホントに）。辻村さんは、原作者として、自らの作品に大勢が関わり、映像になって行くという初めての体験を、好奇心一杯の目をきらきらと輝かせながら、楽しんでいらっしゃる風でした（確か、そのときのご挨拶《あいさつ》もそんな内容でした）。

そして撮影が快調に進み、大勢のキャストの方々がセリフは少ないながらも印象深い演技を見せて下さり、無事、ドラマが放送されました。

辻村さんはこのドラマ放送後の平成24年7月、『鍵《かぎ》のない夢を見る』で見事直木賞を受賞され、一躍有名作家になられました。「一緒に飲んだことがあるもんね！」とあちこちで自慢し（辻村さんは本当はお酒は飲まれないのですが）、まるで親戚《しんせき》が受賞したような気分になったものです。

ところで実は私、かなりの偏屈者でして、マスコミの片隅にいていないフリをして生きています。従って、華々しい付き合いも一切なく、こういった文章を頼まれることもなく、頼まれたら即断る主義、みたいな勢い。つまり人の役にあまり立ったことのない人間なんです。

その私が、今回、そうかあ、辻村さんじゃ応援しなくっちゃ、少しでもお役に立てたら…とつい引き受けてしまう何かが辻村さんにはある気がします。それがご自身が書かれる登場人物たちのイジラシサに通じるものなのかも知れません。

「私、年上の世代の気持ちがまだ書けないんですぅ」と、ささやかな打ち上げの席で、ふと辻村さんが言いました。恥ずかしながら20も年上の私は、「大丈夫です。年をとれば、自然に書けます！」と咄嗟《とっさ》に太鼓判をポンポンいくつも押した記憶があります。今後も辻村さんには、年齢を重ねる度に、書くことの幅が広がるばかりだと思います。

ご活躍、とても楽しみです！

本書は、二〇一一年二月小社より刊行された単行本を
文庫化したものです。

本日《ほんじつ》は大安《たいあん》なり
辻村深月《つじむらみづき》

平成26年 1月25日 初版発行
令和5年 4月5日 15版発行

発行者●山下直久

発行●株式会社KADOKAWA
〒102-8177 東京都千代田区富士見2-13-3
電話 0570-002-301(ナビダイヤル)

角川文庫 18354

印刷所●株式会社KADOKAWA
製本所●株式会社KADOKAWA

表紙画●和田三造

●お問い合わせ
https://www.kadokawa.co.jp/(「お問い合わせ」へお進みください)
※内容によっては、お答えできない場合があります。
※サポートは日本国内のみとさせていただきます。
※Japanese text only

ISBN978-4-04-101182-9 C0193

角川文庫発刊に際して

角川源義

第二次世界大戦の敗北は、軍事力の敗北であった以上に、私たちの若い文化力の敗退であった。私たちの文化が戦争に対して如何に無力であり、単なるあだ花に過ぎなかったかを、私たちは身を以て体験し痛感した。西洋近代文化の摂取にとって、明治以後八十年の歳月は決して短かすぎたとは言えない。にもかかわらず、近代文化の伝統を確立し、自由な批判と柔軟な良識に富む文化層として自らを形成することに私たちは失敗して来た。そしてこれは、各層への文化の普及滲透を任務とする出版人の責任でもあった。

一九四五年以来、私たちは再び振出しに戻り、第一歩から踏み出すことを余儀なくされた。これは大きな不幸ではあるが、反面、これまでの混沌・未熟・歪曲の中にあった我が国の文化に秩序と確たる基礎を齎らすためには絶好の機会でもある。角川書店は、このような祖国の文化的危機にあたり、微力をも顧みず再建の礎石たるべき抱負と決意とをもって出発したが、ここに創立以来の念願を果すべく角川文庫を発刊する。これまで刊行されたあらゆる全集叢書文庫類の長所と短所とを検討し、古今東西の不朽の典籍を、良心的編集のもとに、廉価に、そして書架にふさわしい美本として、多くのひとびとに提供しようとする。しかし私たちは徒らに百科全書的な知識のジレッタントを作ることを目的とせず、あくまで祖国の文化に秩序と再建への道を示し、この文庫を角川書店の栄ある事業として、今後永久に継続発展せしめ、学芸と教養との殿堂として大成せんことを期したい。多くの読書子の愛情ある忠言と支持とによって、この希望と抱負とを完遂せしめられんことを願う。

一九四九年五月三日

角川文庫ベストセラー

ふちなしのかがみ　辻村深月

冬也に一目惚れした加奈子は、恋の行方を知りたくて禁断の占いに手を出してしまう。鏡の前に蠟燭を並べ、向こうを見ると——子どもの頃、誰もが覗き込んだ異界への扉を、青春ミステリの旗手が鮮やかに描く。

ダリの繭《まゆ》　有栖川有栖

サルバドール・ダリの心酔者の宝石チェーン社長が殺された。現代の繭とも言うべきフロートカプセルに隠された難解なダイイング・メッセージに挑むは推理作家・有栖川有栖と臨床犯罪学者・火村英生！

海のある奈良に死す　有栖川有栖

半年がかりの長編の見本を見るために珀友社へ出向いた推理作家・有栖川有栖は同業者の赤星と出会い、話に花を咲かせる。だが彼は〈海のある奈良へ〉と言い残し、福井の古都・小浜で死体で発見され……。

朱色の研究　有栖川有栖

臨床犯罪学者・火村英生はゼミの教え子から2年前の未解決事件の調査を依頼されるが、動き出した途端、新たな殺人が発生。火村と推理作家・有栖川有栖が奇抜なトリックに挑む本格ミステリ。

ジュリエットの悲鳴　有栖川有栖

人気絶頂のロックシンガーの一曲に、女性の悲鳴が混じっているという不気味な噂。その悲鳴には切ない恋の物語が隠されていた。表題作のほか、日常の周辺に潜む暗闇、人間の危うさを描く名作を所収。

角川文庫ベストセラー

暗い宿
有栖川有栖

廃業が決まった取り壊し直前の民宿、南の島の極楽めいたリゾートホテル、冬の温泉旅館、都心のシティホテル……様々な宿で起こる難事件に、おなじみ火村・有栖川コンビが挑む!

壁抜け男の謎
有栖川有栖

犯人当て小説から近未来小説、敬愛する作家へのオマージュから本格パズラー、そして官能的な物語まで。有栖川有栖の魅力を余すところなく満載した傑作短編集。

赤い月、廃駅の上に
有栖川有栖

廃線跡、捨てられた駅舎。赤い月の夜、異形のモノたちが動き出す――。鉄道は、私たちを目的地に運ぶだけでなく、異界を垣間見せ、連れ去っていく。震えるほど恐ろしく、時にじんわり心に沁みる著者初の怪談集!

最後の記憶
綾辻行人

脳の病を患い、ほとんどすべての記憶を失いつつある母・千鶴。彼女に残されたのは、幼い頃に経験したというすさまじい恐怖の記憶だけだった。死に瀕した彼女を今なお苦しめる、「最後の記憶」の正体とは?

眼球綺譚
綾辻行人

大学の後輩から郵便が届いた。「読んでください。夜中に、一人で」という手紙とともに、その中にはある地方都市での奇怪な事件を題材にした小説の原稿がおさめられていて……珠玉のホラー短編集。

角川文庫ベストセラー

フリークス　綾辻行人

狂気の科学者J・Mは、五人の子供に人体改造を施し、〝怪物〟と呼んで責め苛む。ある日彼は惨殺体となって発見されたが!?——本格ミステリと恐怖、そして異形への真摯な愛が生みだした三つの物語。

殺人鬼 ——覚醒篇　綾辻行人

90年代のある夏、双葉山に集った〈TCメンバーズ〉の一行は、突如出現した殺人鬼により、一人、また一人と惨殺されてゆく……いつ果てるとも知れない地獄の饗宴。その奥底に仕込まれた驚愕の仕掛けとは？

殺人鬼 ——逆襲篇　綾辻行人

伝説の『殺人鬼』ふたたび！　……蘇った殺戮の化身は山を降り、麓の街へ。いっそう凄惨さを増した地獄の饗宴にただ一人立ち向かうのは、ある「能力」を持った少年・真実哉！　……はたして対決の行方は?!

Another (上)(下)　綾辻行人

1998年春、夜見山北中学に転校してきた榊原恒一は、何かに怯えているようなクラスの空気に違和感を覚える。そして起こり始める、恐るべき死の連鎖！名手・綾辻行人の新たな代表作となった本格ホラー。

ミステリ・オールスターズ　編／本格ミステリ作家クラブ

本格ミステリ作家クラブ設立10周年記念の書き下ろしアンソロジーがついに文庫化!!　辻真先、北村薫、芦辺拓、綾辻行人、有栖川有栖などベテラン執筆陣と注目の新鋭全28名が一堂に会した本格ミステリ最先端！

角川文庫ベストセラー

暴いておやりよ
ドルバッキー　大槻ケンヂ

若気の至りで大衝突の結果、解散した筋肉少女帯が復活。『グミ・チョコレート・パイン』がまさかの映画化。本人も全く予想できなかった展開を楽しむ、オーケンのぼよよん不思議な日々を綴ったエッセイ集。

人として軸がブレている　大槻ケンヂ

「人として軸がブレている」と自ら胸をはって大きな声で公言する、オーケンならではの眼差しから紡がれる珠玉の爆笑のほほんエッセイ48＋1編！人として軸がブレている。でもいいんじゃん？

覆面作家は二人いる　北村　薫

姓は〈覆面〉、名は〈作家〉。弱冠19歳、天国的美貌の新人推理作家・新妻千秋は大富豪令嬢。若手編集者・岡部を混乱させせながら鮮やかに解き明かされる日常世界の謎。お嬢様名探偵、シリーズ第一巻。

覆面作家の愛の歌　北村　薫

天国的美貌の新人推理作家の正体は大富豪の御令嬢。しかも彼女は、現実の事件までも鮮やかに解き明かすもう一つの顔を持っていた。春、梅雨、新年……三つの季節の三つの事件に挑む、お嬢様探偵の名推理。

覆面作家の夢の家　北村　薫

人気の「覆面作家」こと新妻千秋さんは、実は大邸宅に住むお嬢様。しかも数々の謎を解く名探偵だった。今回はドールハウスで起きた小さな殺人に秘められた謎に取り組むが……。

角川文庫ベストセラー

冬のオペラ　北村　薫

名探偵はなるのではない、存在であり意志である──名探偵巫弓彦に出会った姫宮あゆみは、彼の記録者になった。そして猛暑の下町、雨の上野、雪の京都で二人は、哀しくも残酷な三つの事件に遭遇する……。

謎物語　あるいは物語の謎　北村　薫

物語や謎を感じる力は神が人間だけに与えてくれた宝物──著者がミステリ、落語、手品、読書など、身の回りにある愛すべき物たちについて語るエッセイ集。

ミステリは万華鏡　北村　薫

そこに謎があるから解く。それが男の生きる道──ミステリに生まれミステリに生きる作家、北村薫が名作文学から魚の骨まで、森羅万象を縦横無尽に解きまくる、濃くて美味しいエッセイ集!!

北村薫のミステリびっくり箱　北村　薫

落語、将棋、嘘発見器……かの江戸川乱歩がハマった数々のアイテムを「お題」とし、北村薫が各界の第一人者&宮部みゆき・綾辻行人ら人気ミステリ作家を迎えておくる豪華対談集。

今夜は眠れない　宮部みゆき

中学一年でサッカー部の僕、両親は結婚15年目、ごく普通の平和な我が家に、謎の人物が5億もの財産を母さんに遺贈したことで、生活が一変。家族の絆を取り戻すため、僕は親友の島崎と、真相究明に乗り出す。